# INVESTIMENTOS INTELIGENTES

Gustavo
CERBASI

Autor de
*Casais inteligentes enriquecem juntos*

# INVESTIMENTOS INTELIGENTES

## PARA CONQUISTAR E MULTIPLICAR O SEU PRIMEIRO MILHÃO

THOMAS NELSON BRASIL

Rio de Janeiro
2008

*Investimentos inteligentes*



Editor responsável
*Nataniel dos Santos Gomes*
Supervisão Editorial
*Clarisse de Athayde Costa Cintra*
Produtora Editorial
*Bárbara Coutinho*
Capa e projeto gráfico
*Valter Botosso Jr*
Revisão
*Margarida Seltmann*
*Magda de Oliveira Carlos Cascardo*
Diagramação
*Julio Fado*
Fotos de capa
*Julio Vilela*

CIP-BRASIL. CATALOGAÇÃO NA FONTE
SINDICATO NACIONAL DOS EDITORES DE LIVROS, RJ

C391i

---

Cerbasi, Gustavo, 1974-
Investimentos inteligentes: para conquistar e multiplicar o seu primeiro milhão/
Gustavo Cerbasi. - Rio de Janeiro: Thomas Nelson Brasil, 2008.

Inclui bibliografia
ISBN 978-85-6030-373-1

1. Finanças pessoais. 2. Investimentos. 3. Segurança financeira. 4. Riqueza.
I. Título.

08-1770. CDD: 332.02401
CDU: 330.567.2

---


Rua Nova Jerusalém, 345 – Bonsucesso
Rio de Janeiro – RJ – CEP 21402-325
Tel.: (21) 3882-8200 – Fax: (21) 3882-8212 / 3882-8313
www.thomasnelson.com.br

# Sumário

# Observações importantes para o leitor

Em livros que escrevi antes deste, procurei conscientizar meus leitores da importância de multiplicar riquezas e de zelar por seu futuro de maneira simples e planejada. Não pretendo ser repetitivo, por isso, pela primeira e última vez neste livro, faço um alerta: enriquecer é uma questão de escolha pessoal, bastando, para isso, gastar menos do que você ganha e investir com qualidade a diferença, seguindo um projeto pessoal de vida. Se você ainda tem dificuldades para gastar menos do que ganha, provavelmente ficará entusiasmado com as possibilidades de multiplicação de dinheiro que aqui apresento, mas pouco poderá fazer com seu entusiasmo. Você precisa aprender a equilibrar suas contas. Em meus livros anteriores, eu apresento formas de se fazer isso.

Para aqueles que já têm sua vida financeira minimamente organizada e com objetivos estabelecidos, este livro pode trazer profundas transformações nas escolhas feitas para cuidar de seu dinheiro. Isso não é uma simples vontade minha, mas sim uma constatação segura depois de compartilhar com leitores e clientes de minha consultoria as práticas aqui apresentadas. Não escrevo aqui, portanto, apenas idéias. Mais do que isso, descrevo técnicas e práticas que, uma vez sugeridos a alguém que me apresentou uma dúvida, transformaram investimentas questionáveis e de ganho incerto em componentes admiráveis de um plano de enriquecimento vencedor. As orientações aqui escritas foram aplicadas e avaliadas, na prática, em sua quase totalidade.

O objetivo deste livro é facilitar e dar mais qualidade às decisões daqueles que, uma vez dispostos a investir suas reservas financeiras para multiplicá-las, ainda se sentem inseguros quanto a sua estratégia ou estão confusos diante de muita informação encontrada em livros, revistas, jornais e Internet. O conteúdo também pode ser bastante útil àqueles que já têm alguma experiência nos investimentos, mas que investem sem critérios com os quais se sintam confortáveis. Isso vale para os casos em que o investidor recebe orientação de profissionais especializados em investimentos e cujo trabalho não gera resultados satisfatórios ou consistentes.

Neste livro, não são feitas orientações específicas de investimento, mas sim discutidas idéias inteligentes de utilização de produtos e mecanismos financeiros disponíveis à maioria das pessoas que têm algum dinheiro disponível. Quando trato de produtos, estou me referindo às diversas formas de aplicações financeiras e aquisições de bens que podem ser revendidos com lucros. Mais do que referências técnicas, procurei trazer para este texto minha maneira de pensar sobre cada tipo de investimento, o que pode surpreender a alguns e incomodar aqueles que prezam a abordagem técnica. As orientações transcritas objetivam muito mais refinar a percepção, a atitude, a negociação e a seletividade do investidor, deixando a cargo de analistas especializados em cada mercado as sugestões sobre como posicionar cada centavo de seu investimento.

Acredito ser importante esclarecer que, para dar mais credibilidade ao conteúdo que produzo para fomentar a Educação Financeira e a multiplicação de riquezas pelo Brasil e pelo mundo, nem eu, Gustavo Cerbasi, nem os editores da Thomas Nelson Brasil temos qualquer envolvimento e interesse em lucrar com a negociação dos diferentes investimentos exemplificados e discutidos neste livro. Também não é nosso objetivo incentivar os leitores a contratarem serviços de orientação e aconselhamento de investimentos, mas sim de tornar mais produtivo seu relacionamento com esses serviços ou até de ajudar a fazer escolhas eficientes sem depender deles.

Por outro lado, orientações relacionadas a aspectos tributários, contábeis e regulatórios estão sujeitas a intensas e freqüentes transformações. Este livro não é capaz de substituir a orientação profissional nas situações que conduzam a grandes impactos financeiros, contratuais e tributários. Por isso, os leitores não devem considerar este texto suficiente para dispensar a consultoria de um competente advogado, contador ou consultor financeiro, de acordo com a necessidade de sua situação pessoal. Meu propósito, como autor, é o de ajudá-lo a refletir melhor sobre suas escolhas, estando elas ou não sob orientação profissional.

Adicionalmente, com o objetivo de ajudar o leitor a entender melhor os mecanismos de investimento, são feitas algumas estimativas de rentabilidades futuras de determinados produtos financeiros e não financeiros. Essas projeções são feitas com base em diversos fatores, incluindo a percepção e experiência do autor e, principalmente, o desempenho passado de vários tipos de ativos. Apesar de o passado se repetir continuamente ou de maneira cíclica (com altos e baixos) para muitos ativos, não há garantia de que o desempenho passado de investimentos de risco seja um indicativo de seu desempenho futuro.

Referências feitas a produtos, fornecedores de serviços e fontes de informações adicionais não significam que o autor indica ou intermedeia o acesso aos mesmos, além de não ser possível garantir sua disponibilidade. Tais referências, quando feitas, se mostravam disponíveis e lícitas à época em que este texto foi escrito.

Em diversos momentos do texto, há referências ao termo "poupança". Essas referências referem-se ao ato de poupar e não ao produto popular chamado Caderneta de Poupança. Quando a referência a esse produto for feita, estará grafada exatamente como neste parágrafo, com iniciais em maiúsculas e sua nomenclatura completa.

Finalmente, convido o leitor a ler um resumo de meu currículo, na orelha de trás deste livro, onde está explícita minha formação, especialização e pós-graduação na área de Administração, um curso multidisciplinar que estuda, de maneira generalista, a custódia das ações e outros títulos privados no mercado financeiro brasileiro, isto é, não aprofundada e interligada a diferentes áreas do conhecimento utilizadas na gestão de pessoas e negócios, envolvendo, entre outras, economia, contabilidade, psicologia, sociologia, estatística, direito, antropologia e filosofia. Não sou um profissional de nenhuma das áreas citadas, mas, por interesse pessoal e estímulo de professores, aprofundei-me por conta própria nas disciplinas que me ajudaram a compor uma bagagem de conhecimento que procuro compartilhar com meus leitores. Algumas de minhas reflexões, portanto, podem ser confundidas com aquelas típicas dos profissionais dessas áreas, o que em hipótese alguma pressupõe o interesse de dispensar análises feitas com mais profundidade por tais profissionais.

Talvez você, leitor, esteja estranhando o tom formal destas páginas que iniciam o livro, principalmente se já teve algum contato com outros que escrevi. Por favor, não tire conclusões sobre a abordagem presente no restante do livro a partir destas páginas iniciais. Como o texto aqui escrito refere-se a diferentes mercados de investimentos, que envolvem atividades rigorosamente reguladas, deixar o propósito deste texto ambíguo ou sem o devido esclarecimento de seu caráter educativo estaria tanto desrespeitando a exigência de transparência desses mercados quanto menosprezando o trabalho dos profissionais que neles atuam.

Este trabalho é fruto de intrincada e extensa pesquisa que me ajudou a conquistar muitos objetivos na vida. Compartilho-a com você, justamente para tornar a sua menos intrincada e extensa ao buscar seus objetivos pessoais.

# Agradecimentos

Começo com um agradecimento especial a todos aqueles que acreditaram que não existem perguntas idiotas. Foi respondendo a milhares de perguntas — o termo milhares não é força de expressão — durante os últimos cinco anos que pesquisei e refleti sobre as idéias que agora escrevo. Foi também o retorno de pessoas a quem eu já havia respondido, comentando seu sucesso após colocar em prática as sugestões, que comprovou que as idéias são eficazes.

Agradeço, como sempre, a minha família, tanto pela paciência durante a fase de redação do livro — quando o autor costuma ficar um tanto "avoado" —, quanto pelos bons momentos que temos entre um grande projeto e outro. Esse é o melhor resultado de meus investimentos.

Obrigado a meus editores, Pedro Almeida e Carlo Carrenho, e a toda a equipe da Ediouro e da Thomas Nelson Brasil, por terem abraçado o ousado projeto que envolve este livro e outras iniciativas que o complementam.

Meu agradecimento especial aos amigos Robert Dannenberg e Caio Fragata Torralvo, que pacientemente revisaram o texto original e cujas considerações me levaram a alterar consideravelmente algumas passagens deste livro.

Não posso deixar de agradecer a amigos que foram muito importantes na reflexão sobre as escolhas que fiz até hoje para meus investimentos. Não gosto de citar nomes porque essa prática costuma ser injusta com um ou outro esquecido, mas abro exceção pelo fato de estes, citados a seguir, terem motivado pelo menos um dos capítulos que você lerá a seguir. Portanto, registro aqui meu abraço sincero a meu compadre e ex-sócio Maurício Iañez, pelas longas conversas sobre nossos objetivos, nossas carteiras e nossas escolhas; a meu outro ex-sócio, Ricardo Kenji Kamiya, pela troca de idéias de enriquecimento através da negociação de imóveis; a Ian Martin Toplas, com quem compartilhei minhas primeiras decisões de investimento, ainda como estagiário do Banco Citibank; a Carlos Atushi Nakamuta, que, como meu diretor na consultoria Boucinhas & Campos, me ensinou a, simplesmente, ir atrás do que eu precisava conhecer para resolver meus problemas; a meu tutor José Roberto Securato, que, com sua vasta experiência, me ajudou a entender e desvendar os meandros do mercado financeiro; a Marco Antonio Penteado, meu primeiro professor de Análise Fundamentalista e Análise Técnica; ao amigo André Oda, pela rica e constante troca de experiências; ao amigo Rafael Paschoarelli Veiga, por sempre ter compartilhado comigo as reflexões sobre os mais ousados de seus investimentos; a Wilson Securato, Donizetti Marques e Roberto Lee, que ajudaram a refinar minhas escolhas em algumas das corretoras com as quais atuei; aos vários corretores de imóveis que me ajudaram a fechar bons negócios nos últimos anos e a muito refletir sobre minhas escolhas; ao parceiro Caio Fragata Torralvo, pelo apoio na solução de dúvidas de meus clientes e leitores e pela zelosa e dedicada revisão deste livro; aos parceiros Enrique Adan, Roberto César Trindade de Lima e Ricardo Aguida, pela rica troca de informações e reflexões sobre estratégias com a previdência privada; a meu sócio Fabiano Calil, pelas freqüentes conversas estratégicas de nossa consultoria; a Robert Dannenberg, Raymundo Magliano Neto e Carlos Vallim, organizadores da Expo Money, que me deram a oportunidade de estar em contato direto com os maiores especialistas do mercado financeiro; e a meu pai, Tommaso, que, com seu exemplo e suas reflexões, é o maior influenciador de minhas escolhas até hoje.

Sinto-me na obrigação de agradecer também aos vendedores, gerentes de banco, corretores, agentes autônomos, organizadores de eventos, empresas prestadoras de serviços, professores, amigos da onça e jornalistas que me induziram ao erro ou a maus negócios. Destes, abro mão de citar o nome. Mas o agradecimento é sincero, pois foi de erros que tirei algumas de minhas reflexões que considero mais brilhantes.

# PARTE I

# ONDE VOCÊ ESTARÁ PISANDO

O primeiro milhão é o mais difícil. Ou, ao menos, deveria ser. Acredite nessa idéia, caso você ainda não tenha muitos milhões em investimentos. Essa não é mais uma daquelas frases vazias dos livros de auto-ajuda,[1] mas sim uma constatação racional.

Explico-me. Em primeiro lugar, quem começa a investir está também começando a aprender sobre investimentos. É provável que o investidor iniciante se sinta muito mais inseguro, confuso e assustado com as orientações que encontra do que aqueles que já erraram, acertaram e acumularam conhecimento ao longo do tempo. Costumo dizer que, se você fizer hoje planos de investimento para sua vida futura, é muito provável que seus planos aconteçam melhor ou em menos tempo do que você consegue prever, pois, ao longo dos anos, você os refinará com o acúmulo de conhecimento que obtiver.

Além disso, a afirmação de que o primeiro milhão é o mais difícil pode ser provada matematicamente. Imagine que você tem uma estratégia de investimento conservadora e bem desenhada, como a que conhecerá nas próximas páginas. Seu conservadorismo só lhe permite, por exemplo, investir 10% de seu patrimônio em alternativas arrojadas, com bom potencial de

[1] Meus livros costumam estar classificados na categoria Auto-ajuda das livrarias, a qual é alvo de muito preconceito, principalmente de intelectuais. De guias de viagem a textos meramente inspiradores, há um vasto conteúdo que pode ser classificado como auto-ajuda. Porém, há uma má fama associada a essa categoria, decorrente de um grande número de textos oportunistas e sem conteúdo que exploram a ignorância alheia para iludir e fidelizar leitores. Sim, você está lendo um texto de auto-ajuda, mas que foi elaborado a partir de um grande esforço de pesquisa e adequação de linguagem para que você possa tomar decisões inteligentes sem ter que fazer um intenso investimento em dinheiro e tempo em educação.

ganho e talvez com risco considerável de perda. Imagine também que, há doze meses, você tinha R$ 100 mil, e investiu 10% desses R$ 100 mil — ou seja, R$ 10 mil — em um fundo de ações que só investe em pequenas empresas, uma escolha de alto risco, mas que pode oferecer bons ganhos se bem feita. Para sua alegria, o fundo que você escolheu obteve rendimento líquido, no período, de 70% sobre o valor investido. Quanto você ganhou com sua escolha arrojada? Apenas R$ 7 mil, pois o investimento foi de apenas R$ 10 mil no início do período.

*O primeiro milhão é o mais difícil.*

Perceba como seu projeto demora a evoluir no começo. Chega a ser desanimador correr riscos significativos e ganhar apenas R$ 7 mil, diante de um patrimônio de R$ 100 mil. A sensação é a de que seu primeiro milhão demorará uma eternidade a ser alcançado.

Façamos agora um pequeno ajuste no seu exercício imaginário de enriquecimento. Imagine, desta vez, que você tinha R$ 1 milhão há doze meses e que, seguindo a mesma estratégia, você investiu 10% de seu patrimônio — ou R$ 100 mil — no mesmo fundo. Se o desempenho do fundo foi novamente de 70%, seu ganho foi de R$ 70 mil, dando um grande salto em direção ao segundo milhão.

Nos investimentos, quanto mais você tem, mais você ganha. Este é motivo suficiente para que você se preocupe em correr atrás de seu objetivo ainda jovem. Quanto mais adiar seus planos, mais conviverá com a insegurança e com a sensação de que seus propósitos nunca serão atingidos. Se decidir manter uma vida um pouco mais simples do que a que seus pares levam, apertando um pouco o cinto para atingir seus objetivos em menos tempo, logo chegará o momento em que sua sensação será a de que seu dinheiro jorra da conta bancária, multiplicando-se com facilidade. Quanto mais dinheiro você tiver, mais oportunidades de negócios poderá aproveitar, facilitando a multiplicação de sua riqueza e de seu bem-estar. Com maior esforço, mais cedo você chegará a esse patamar em que a multiplicação é menos dificultosa, e maior será a recompensa pelo sacrifício feito. Em outras palavras, o prêmio tende a ser proporcional ao esforço em persegui-lo.

Porém, esforçar-se não basta. Fazer intensas economias para poupar, mas poupar de maneira ineficiente é o mesmo que fazer tempestade em copo d'água. Um dos aspectos mais importantes dos investimentos é a força com que você multiplica sua riqueza, ou seja, a rentabilidade. Não basta ter dinheiro aplicado; é importante que esse dinheiro se multiplique com vigor, para que você suba na escala social de conforto e bem-estar. Se seu dinheiro não se multiplicar, ao final de muitos anos de investimento você terá apenas o que deixou de consumir. Não terá feito nada além de adiar o consumo que poderia estar fazendo hoje — um péssimo negócio. Mas, se conseguir investir com qualidade, você estará abrindo mão de consumo hoje para consumir muito mais amanhã, pois seu dinheiro estará gerando filhotes.

---

*Fazer intensas economias para poupar, mas poupar de maneira ineficiente é o mesmo que fazer tempestade em copo d'água.*

---



É por esse motivo, investir com qualidade, que decidi escrever este texto. Aliás, este livro não nasceu simplesmente de uma idéia inspirada do autor. Como aconteceu em dois dos livros que escrevi anteriormente, *Casais inteligentes enriquecem juntos* e *Filhos inteligentes enriquecem sozinhos*, publicados pela Editora Gente, a idéia do livro, seus tópicos e a abordagem utilizada no texto nasceram quase que espontaneamente por demanda dos leitores dos livros anteriores. Grande parte do conteúdo incluído nesta obra vem de respostas a e-mails que recebi e a perguntas de ouvintes e espectadores feitas através dos programas de rádio e televisão dos quais participo desde 2003, quando lancei meu primeiro livro.

Não só as dúvidas foram importantes para formar este conteúdo. Além delas, recebi também muitas sugestões de investimento de especialistas com quem convivi, ou para quem lecionei ou palestrei, parte delas interessante, mas parte totalmente furada e repleta de armadilha. Das interessantes aproveitei pouco, pois resisto a investir naquilo que não conheço profundamente.

Mas as dicas ruins foram muito úteis, por terem motivado algumas pesquisas que resultaram na constatação dos equívocos que muitos cometem e na geração de orientações que você encontrará adiante.

Estão incluídas também neste livro reflexões pessoais, baseadas tanto em boas quanto más escolhas de investimento que fiz. Espero que o leitor não pense que as escolhas de um especialista são infalíveis, pois as escolhas de ninguém o são. São muitas fontes de informação, renovação intensa dos mercados de investimento, muitas alternativas de investimento para escolher, inúmeras normas a respeitar e muito conflito de interesse entre quem vende e quem compra um serviço de investimento. Diante de tantas variáveis, até alguns acertos passam a ser considerados erros, pois ficamos com a impressão de que poderíamos ter acertado mais.

Mas, como acontece com todo investidor de sucesso, em meus investimentos tive a felicidade de acertar mais do que errar. Muito mais, eu diria, pois ainda contei com um momento bastante favorável da economia brasileira para consolidar minha riqueza. Espero que você tenha a mesma sorte. Porém, além da sorte, ofereço nestas páginas idéias e ensinamentos que lhe permitirão dispensar a sorte durante sua trajetória de enriquecimento. Deguste-as com moderação e bom senso.

# 1. Investir é multiplicar

O primeiro desafio que encontro quando alguém me busca para orientar melhor seus investimentos é convencê-lo do que *não* é um investimento. As seguintes idéias equivocadas foram retiradas de textos que li, e-mails que recebi e perguntas que me foram feitas nos últimos anos:

•

*"Estamos nos casando e decidimos investir em um imóvel de dois dormitórios para nossa moradia."*

*"Compramos nosso apartamento financiado em vinte anos, mas fizemos um bom negócio, pois ele se valorizou em 40% após cinco anos."*

A moradia não é um investimento, mas sim um consumo. O dinheiro consumido em uma moradia não se propõe a ser multiplicado; pelo contrário, mesmo que a moradia vier a perder valor com o tempo, isso pouco nos preocupará, se nela estivermos morando com conforto, segurança e felicidade. Além disso, você não poderá dispor do dinheiro que vale sua casa diante de outra oportunidade de negócio — em outras palavras, a casa própria não lhe proporciona boa liquidez.[2] Mesmo que o imóvel em que você mora se valorize muito, isso fará pouca diferença. Até hoje, só conheci casos de pessoas que decidiram mudar de uma moradia de elevado valor para uma menor em situações de necessidade fi-

•••

[2] *Liquidez* é a capacidade que um ativo tem de se transformar em dinheiro. Quanto mais fácil vendê-lo ou resgatá-lo, mais liquidez ele tem.

nanceira, para pagar contas ou liquidar dívidas. O caso mais comum, quando a casa própria se valoriza muito, é o de a família vender o imóvel supervalorizado para comprar outro de igual ou maior valor, aumentando seu consumo e não seu investimento.

•

*"Se minhas propriedades não são investimento para mim, serão para meus filhos, quando eu morrer."*

A frase acima é um dos sinais que mostram a dificuldade de o brasileiro enriquecer há muitas gerações. É dessa mentalidade que vem o ditado "pai rico, filho nobre, neto pobre". Por não planejarem seu enriquecimento, muitos pais acabam encostando seu dinheiro em uma montanha de propriedades, desfazendo-se de parte delas ao final de suas vidas para pagar as contas de sua velhice. Os filhos, que não aprenderam a construir riqueza de maneira planejada ou não conversaram com seus pais sobre isso, não querem repetir o erro de seus pais — muito trabalhar e pouco desfrutar —, o que os leva a dilapidar o patrimônio familiar durante sua vida. O mau hábito de gastança vai resultar em uma velhice endividada, sobrando para os netos (terceira geração) a dificuldade de arcar com os erros de seus pais. Vejo também muitos pais tomarem a equivocada decisão de, no auge de sua poupança, presentear seus filhos com uma moradia na época do casamento ou quando saem de casa. Esse é um péssimo exemplo, pois, em muitas famílias, os pais chegam aos limites de suas finanças para realizar esse sonho. Os filhos perceberão isso e não terão outra saída a não ser ajudar a sustentar seus pais no futuro. Sem contar a situação em que o presente dos pais impõe aos filhos um custo que resulta em dificuldades financeiras do jovem casal. Parece que estou sendo duro em dizer isso, mas percebam que essa atitude dos pais é um indicativo da falta de equilíbrio que muitas famílias têm com as finanças. Em outras palavras, pais com uma riqueza mal planejada tentam facilitar a vida financeira de seus filhos, mas acabam criando problemas financeiros para a vida de ambos — se não tivessem que sustentar seus pais ou arcar com gastos desproporcionais a sua situação de vida, os filhos viveriam melhor. Melhor do que passar imóveis aos filhos seria passar uma boa educação financeira, ensinando-os a construir sua própria casa e aproveitando sua poupança para uma merecida curtição da aposentadoria.

*Se não tivessem que sustentar seus pais ou arcar com gastos desproporcionais a sua situação de vida, os filhos viveriam melhor.*

•

*"Investi em dólares há algum tempo, mas não estou ganhando nada; queria saber se devo continuar ou não com as notas em casa."*

Dólar não é investimento. Aliás, nenhuma moeda estrangeira é investimento. Quando muito, comprar moeda estrangeira é uma forma de proteção ou *hedge*[3] contra riscos de mudança no câmbio. Por exemplo, após investir em fundos de renda fixa ou ações durante vários meses para garantir a verba para um curso no exterior, recomenda-se ao estudante transferir ao menos 50% de sua poupança para um Fundo Cambial — um fundo que acompanha a variação do dólar ou do euro e ainda paga uma pequena rentabilidade acima dessa variação — com o objetivo de proteger a viagem contra uma possível desvalorização da moeda do país em que vive. Essa recomendação não se propõe a melhorar o resultado dos investimentos já feitos, mas sim de garantir que essa conquista não se perca em razão de mudanças econômicas. Quem decide comprar dólares ou euros pensando em investimento provavelmente fará mau negócio, pois dez mil euros de hoje continuarão sendo dez mil euros daqui a alguns anos, mas valendo menos — afinal, até euros sofrem desvalorização em função da inflação nos países em que a moeda é utilizada. Se você tiver optado por comprar papel moeda, o risco é maior ainda, pois, além da inflação, corre o risco de perder valor pela atuação das traças e cupins em seu esconderijo. Qualquer cartilha básica de economia nos ensina que, por mais que uma moeda tenha tendência de se valorizar em relação a outra moeda, essa valorização produz efeitos passageiros, pois

•••

[3] *Hedge* é o termo utilizado no meio financeiro para operações que visam proteger de determinados riscos o investidor. Por exemplo, quem planta soja pode vender sua safra de grãos no mercado futuro de soja antes mesmo de colhê-los, definindo de antemão o preço que receberá por saca, sem contar com o risco do preço da soja cair nos meses seguintes. Ao comprar um contrato futuro, ele estará fazendo um *hedge* ou, refinando a gíria, "*hedgeando* sua posição".

a inflação do país cuja moeda se desvalorizou se encarregará de equiparar o poder de compra das duas moedas. Temos um bom exemplo desse efeito no mercado de câmbio brasileiro entre 1996 e 2008. No começo desse período, um dólar era comprado por um real, o que dava grande poder de compra aos brasileiros e facilitava a importação de bens e as viagens ao exterior. No ano de 2002, um dólar chegou a ser comprado por quatro reais, um rendimento de 300% em sete anos, para quem decidiu comprar dólares em 1996. Porém, o auge da crise cambial aconteceu justamente porque não havia ninguém disposto a vender dólares, e a escassez puxou os preços para cima. De 2002 a 2008, a cotação do dólar em relação ao real não parou de cair, chegando abaixo de R$ 1,70 em fevereiro de 2008. Os investidores menos pessimistas diziam que ainda acumulavam ganhos de 70%, porém esse ganho não existia. Como a inflação entre 1996 e 2008 foi maior do que 140%, é correto afirmar que, se o dólar estivesse valendo algo em torno de R$ 2,40, não haveria nem ganho nem perdas para quem comprou dólares na época da paridade cambial. Em outras palavras, a moeda norte-americana estava muito mais barata em 2008 do que em 1996.

•

*"Ouvi dizer que os financiamentos são caros, por isso resolvi investir em um consórcio, para ter meu carro até o próximo ano."*

Ponto para o gênio do marketing que inventou a idéia — e convenceu muita gente — de que consórcio é um investimento. De investimento, essa

| **Financiamento** | | **Consórcio** | |
|---|---|---|---|
| Valor financiado | R$ 20.000,00 | Valor carta de crédito | R$ 20.000,00 |
| Prazo (anos) | 5 | Prazo (anos) | 5 |
| Taxa juros (ao mês) | 1% | Taxa administração | 20% |
| Valor da prestação | R$ 444,89 | Valor da prestação | R$ 400,00 |
| Total pago | R$ 26.693,64 | Total pago | R$ 24.000,00 |

**Os cálculos não consideram custos acessórios: IOF, Taxa de Abertura de Crédito, Seguros e Custos de Cobrança.**

alternativa de consumo planejado não tem nada, afinal não ganhamos dinheiro com consórcio; pelo contrário, o bem que queremos adquirir custará mais caro do que se fosse pago à vista. Realmente, nos planos de prazos mais longos, optar por um consórcio costuma ser financeiramente mais vantajoso do que contratar um financiamento, em razão dos diferentes mecanismos de remuneração da instituição financeira. Enquanto no financiamento pagamos juros todos os meses sobre o que continuamos devendo ao longo do tempo, no consórcio existe apenas uma taxa de administração que é cobrada sobre o valor contratado, para então parcelar o preço total (incluindo a taxa) em prestações iguais. A tabela abaixo exemplifica a diferença entre um financiamento de R$ 20 mil a juros de 1% ao mês e um plano de consórcio de uma carta de crédito no valor de R$ 20 mil, com taxa de 20%, ambos parcelados em 5 anos. Repare que qualquer das alternativas nos custa muito mais do que os R$ 20 mil que consumimos. Vale ressaltar que, apesar de o financiamento pesar mais no bolso, sua contratação normalmente nos dá acesso imediato ao item que desejamos comprar. No consórcio, temos que esperar nossa vez de sermos contemplados, ou então ter uma boa reserva financeira para oferecer como lance de antecipação de parcelas — o equivalente a oferecer uma boa entrada para pagar menos prestações e menos juros no financiamento.



•

*"Investi na economia futura, instalando um kit de gás natural em meu automóvel."*

A falta de visão do todo pode fazer com que o barato saia caro. Muitos se encantam com a idéia de que a redução de despesas mensais merece grandes investimentos, mas esse raciocínio não se aplica a todos os casos. Comprar equipamentos que consomem menos, ainda que demandem altos investimentos, vale a pena quando, colocando as contas na ponta do lápis, percebe-se que o investimento feito será amortizado em um prazo não muito longo. Uma grande compra será considerada um investimento principalmente nas situações em que ela pode ser paga em prestações e a economia mensal de consumo é suficiente para pagar as parcelas. Por exemplo, imagine que um frotista gasta, por mês, cerca de R$ 600 em gasolina. Ao analisar um plano de instalação de kit a gás natural em seu veículo, ele percebe que passará a gastar apenas R$ 300 mensais em gás, e que pode pagar a instalação do kit em dez parcelas de R$ 200. Esse é um exemplo de ótimo investimento, pois, mesmo no período em que estiver pagando a compra, ele estará gastando apenas R$ 500 mensais, R$ 100 a menos do que gasta sem a instalação. Esse tipo de reflexão é a típica análise de investimento que deveria ser feita na hora de reformar uma casa, comprar equipamentos para uma empresa ou substituir um equipamento de informática em seu *home office*. Como exemplo de maus investimentos que encontro freqüentemente estão instalação de aquecimento solar em casas de campo pouco utilizadas (se sua preocupação é com a ecologia, pense em quanto entulho e poluição são gerados para cada kit produzido), aquisição mais cara de veículos bicombustível com previsão de pouca utilização, aquisição de um segundo veículo em vez de utilizar táxi, compra de casa de campo em vez de alugar apenas por temporada, compra de caríssimos eletrodomésticos que substituem o trabalho de uma empregada doméstica, troca de equipamentos em bom funcionamento sob o pretexto de atualização de versão e de funções que acabam não fazendo diferença e compra de equipamentos esportivos, em vez de alugá-los quando necessário.



•

*"Investi em um negócio próprio."*

Essa afirmação pode estar correta ou completamente equivocada, dependendo da visão que o novo empreendedor tem de seu negócio próprio. Muitos que empreendem um negócio próprio o fazem com a ilusão de que irão "mamar" nos lucros da empresa. Essa idéia geralmente parte da observação de empreendedores de sucesso, que aparentemente tocam seu negócio com facilidade, fazendo-o crescer a passos de gigante. Infelizmente, muitos negócios já começam fracassados por partirem dessa ilusão. Quando alguém monta um negócio, em qualquer ramo, normalmente é feito um esforço imenso nos primeiros meses ou anos desse negócio, para que ele cresça e se destaque dos demais. Quem o vê como um investimento, percebe que não se deve retirar lucros ou dividendos de uma pequena empresa nos primeiros meses, pois esse pequeno negócio precisa contar com toda a capacidade de reinvestimento possível. Em vez de utilizar o caixa que sobra dos poucos negócios iniciais, o bom investidor investe seus ganhos em marketing, treinamento, melhoria do atendimento e automação de seus processos. Somente quando o empreendimento "engrena", ou seja, quando começa a funcionar em velocidade de cruzeiro, é que o bom investidor começa a colher os frutos de seu plantio. Normalmente, é nessa fase que o negócio já se tornou conhecido, e que inspirados futuros empreendedores começam a invejar o sucesso de seu inspirador, querendo ter um negócio similar. Parece fácil comer os frutos, mas é porque não observamos o sacrifício do plantio. Se você pensar em montar uma empresa e entendê-la como um investimento que precisará de um período de maturação, estará no caminho certo. Se tiver planos de montar uma empresa porque está precisando tirar dinheiro de algum lugar para se manter, é bem provável que seu negócio não contará com o fôlego necessário para crescer, e que, por isso, minguará à sombra do sucesso de outros empreendedores. Pensando assim, seu negócio será apenas um meio trabalhoso de perder seu dinheiro.

•

*"Investi em um negócio de marketing multinível / marketing de rede, de onde tirarei renda sem ter que trabalhar, ou trabalhando de casa."*

Não importa se você está em uma pirâmide de negócios ou com seu dinheiro simplesmente aplicado em um fundo. Evite o erro de acreditar que enriquecerá sem fazer nada. Na quase totalidade dos investimentos, sua rentabilidade será proporcional a sua dedicação de tempo aprendendo e se envolvendo com o mercado em que você investe. Para ganhar mais na renda fixa, é preciso estudar continuamente as alternativas que o mercado oferece, entre Títulos Públicos, debêntures, CDBs de bancos de segunda linha, fundos e operações compromissadas.[4] Para ganhar mais na renda variável, é preciso rever sua carteira de ações periodicamente e estar sempre atualizado sobre as ações que melhor se desempenharão nos próximos anos. Para ganhar mais

•••

[4] Essas alternativas serão abordadas adiante, no capítulo 6.

com imóveis, você precisa gostar de ler classificados e visitar lançamentos, obras e eventos para investidores. Da mesma forma, para ganhar mais com seu negócio próprio, seja ele uma grande indústria ou um simples trabalho "de casa", você só enriquecerá se dedicar horas e horas ao aperfeiçoamento de suas técnicas de gestão e se batalhar diariamente para conquistar clientes. De todos os casos em que conheci empresários do marketing multinível (aquele em que supostamente se ganha quando seus amigos entram para sua pirâmide de negócios), quem acreditou que bastava convencer amigos a entrarem no esquema acabou perdendo tudo o que investiu, além de perder os amigos. Mas também conheci casos de gente que prosperou. Desses, a prospecção de clientes e montagem de displays de venda em locais de grande tráfego de pessoas consumiam mais tempo do que o convencimento de futuros ex-amigos a entrarem em seu negócio.

•

*"Como não consigo poupar muito por mês, meu gerente me recomendou investir em um Título de Capitalização."*



Títulos de Capitalização são um produto oferecido pelos bancos que, diferentemente das demais alternativas para quem tem sobras para poupar, não prometem pagar juros. Contrariamente, propõem devolver ao poupador, após o prazo contratado, apenas parte do que ele investiu, corrigida pela inflação, em troca da oportunidade de concorrer a prêmios polpudos durante a vigência do contrato. É uma espécie de loteria que devolve ao apostador tudo que sobra depois de ratear os custos administrativos, o valor do prêmio sorteado e o lucro da instituição. Por essas características, Títulos de Capitalização não são investimento. Como toda loteria, as chances de ganho são irrisórias. Mas isso não quer dizer que tal produto deva ser riscado de seu caderninho de alternativas. Há um gigantesco público desmotivado com investimentos, os pequenos poupadores com pouco conhecimento de finanças e planejamento, para os quais Títulos de Capitalização podem fazer muita diferença. Com esse produto, ao final de doze meses é improvável que R$ 100 mensais tenham acumulado sequer R$ 1.000, menos do que os R$ 1.200 poupados, mesmo entre as melhores alternativas do mercado. Porém, provavelmente a chance de ser sorteado e ganhar um grande prêmio nos meses seguintes será motivo mais forte para esse humilde poupador não desistir de seu plano. A chance de mudar de vida repentinamente é um bom motivo para continuar com seu sacrifício orçamentário mensal. A sorte grande acontecerá? Provavelmente não. Mas, mesmo que tudo dê errado com sua sorte, ao final de cinco ou seis anos de plano esse poupador terá acumulado recursos que paguem, talvez, o primeiro ano de faculdade de seu filho. Ou, então, recursos suficientes para acessar fundos de renda fixa bem mais eficientes e que lhe mostrem lucros com juros bem mais interessantes a cada ano. Certamente, não estará arrependido. Na prática, a chance de ser sorteado minimiza o desconforto pelo adiamento do consumo — é como poupar e concorrer a prêmios. Como investimento, a Capitalização é provavelmente a pior alternativa. Para realizar o sonho de começar a formar um pé de meia, porém, pode ser o necessário primeiro passo para quem pouco entende de bancos.

•

> *"Como eu não consigo ganhar mais do que 0,8% ao mês nos investimentos, em vez de poupar eu decidi comprar um automóvel financiado, já que a concessionária me ofereceu juros de 0,49% ao mês, em sessenta meses e sem entrada."*



Quem utiliza o argumento acima acredita que gastará menos no financiamento do que se poupasse para comprar o carro à vista daqui a cinco anos, ou poupar durante um prazo menor para dar uma entrada e amenizar o prazo de financiamento. O raciocínio é equivocado por dois motivos: primeiro, porque pagar juros é sempre mais caro do que ganhar juros, não importa a diferença entre as duas taxas; segundo, que, em 100% dos casos de oferta de financiamento, a taxa anunciada jamais é real, pois ela não embute custos elevados como o IOF,[5] a Taxa de Abertura de Crédito (TAC),[6] os custos de cobrança, seguro fiança e até custos de impressão de boletos. Na prática, nenhum financiamento trabalha com taxas inferiores às que você ganhará investindo com segurança e qualidade, pois o banco

•••

[5] Imposto sobre Operações Financeiras, com diferentes alíquotas para as diferentes modalidades de financiamentos.

[6] Que podia incidir sobre os financiamentos até 29/04/2008.

lucra com a intermediação financeira, captando recursos sempre com custo abaixo do preço que cobra para emprestar.

•

*"Comecei a investir em meu curso de inglês no Canadá, iniciando com o pagamento da passagem aérea e da escola com um ano de antecedência."*

Pagar antecipadamente não é um investimento. Em vez de desembolsar antecipadamente o valor de um objetivo futuro, você poderia simplesmente investir o valor disponível e fazer reservas dos compromissos a pagar em data futura, lucrando com os juros ou rendimentos obtidos de seu investimento. A decisão de pagar antecipadamente só passa a se caracterizar como investimento quando, para convencê-lo a fazer isso, quem lhe vende o que você compra oferece um desconto fantástico — algo da ordem de 15 a 20% para um ano de antecipação. Como, para compromissos de curto prazo (como um ano), a orientação é investir de maneira conservadora e dificilmente você obteria rendimentos da ordem de 15% sob essa característica, pagar antecipadamente com descontos dessa magnitude é realmente um bom investimento. Descontos dessa ordem são comuns para pagamentos antecipados de mensalidades escolares, mensalidades de clubes, itens de grife, assinaturas de revistas e contratação de serviços como telefonia, Internet e similares.

•

Eu poderia citar dezenas de outros exemplos de pensamentos infelizes sobre a idéia de investir, mas acredito que os casos apresentados já o convencem de que é muito fácil distorcer a interpretação do termo investimento. Antes de começar a investir, é preciso ter em mente que investir é multiplicar, e não somar. Investir pressupõe o acúmulo de lucros que você obtém, para que, com um patrimônio cada vez maior, você lucre mais. Se você trabalha muito para pagar a compra de imóveis que não têm bom potencial de valorização, em vez de multiplicar você está simplesmente acumulando patrimônio. Se seus imóveis ganham valor com o tempo e você os revende para comprar outros com bom potencial de valorização, está investindo.

Veja, em números, o que quero dizer. Considere que um trabalhador acumulou, durante dez anos de sua vida, o valor de R$ 100 mil. Agora ele quer investir em imóveis, mas não sabe qual de dois caminhos adotar: comprar um imóvel e disponibilizá-lo para aluguel, ou comprar um imóvel para revenda?

Se ele optar por comprar um imóvel e disponibilizá-lo para aluguel, uma atitude inteligente seria pesquisar imóveis cujas características oferecem maior rentabilidade na estratégia do aluguel. É sabido que imóveis de pequeno porte rendem aluguéis proporcionalmente maiores. Por exemplo, se um imóvel de R$ 100 mil render um aluguel de R$ 1 mil mensais, é provável que com dois imóveis de R$ 50 mil ele ganhe mais do que R$ 500 mensais por cada um. Também é sabido que imóveis comerciais costumam ser mais rentáveis do que imóveis residenciais, por sua característica de viabilizar negócios e por normalmente se localizarem em pontos interessantes e disputados, com procura mais intensa de inquilinos e menor probabilidade de ficarem vagos.

Então, seguindo a boa estratégia de comprar duas pequenas salas comerciais de R$ 50 mil cada, o agora "investidor" passa a ganhar R$ 600 mensais de aluguel de cada sala. Como as comprou em um ponto disputado do comércio, sabe que ganhará, por muitos anos, um rendimento de R$ 1.200 mensais sobre seu "investimento". Em dez anos (120 meses), terá embolsado R$ 144 mil em renda de aluguel.

Foi um bom investimento? A resposta é NÃO, se ele realmente embolsou e gastou o rendimento obtido. Não foi um bom investimento porque ele não ficou mais rico com sua estratégia, apenas assegurou a manutenção de seu padrão de riqueza. Se, em vez de comprar um imóvel para aluguel, o trabalhador tivesse usado seus R$ 100 mil para comprar um imóvel para revenda, provavelmente teria construído um cenário bem melhor após os mesmos dez anos.

Imagine que, agora, ele tenha optado pela compra e revenda. Para fazer um bom negócio, ele precisa dedicar algum tempo e paciência para pesquisar o mercado e entender o real valor de um imóvel na região em que ele pesquisa. Com a ajuda de um bom corretor de imóveis, é possível garimpar o mercado em busca de alguém que precise vender um imóvel com certa urgência — normalmente, esse alguém estará com problemas financeiros, precisando vender imediatamente um bem e aceitando qualquer negócio. Ao comprar barato o imóvel, o mesmo corretor pode ajudar a revendê-lo com um bom lucro dentro de alguns meses. Neste caso, pouco importa se o imóvel é comercial ou residencial.

Façamos as contas. Considere que o negociador consegue comprar e revender um imóvel por ano; que, a cada compra e revenda, ele consegue lucrar 10% (já abatidos os impostos, a inflação no período entre a compra e a venda e a comissão do corretor); e que ele utiliza todo o dinheiro obtido com a venda (o que investiu mais os 10% de lucro) na compra de outro imóvel para revenda. Em dez anos, ele terá acumulado um valor de cerca de R$ 260 mil.

| Investimento inicial | R$ 100.000,00 |
|---|---|
| Mais lucro de 10% após 1 ano | R$ 110.000,00 |
| Mais lucro de 10% após 2 anos | R$ 121.000,00 |
| Mais lucro de 10% após 3 anos | R$ 133.100,00 |
| Mais lucro de 10% após 4 anos | R$ 146.410,00 |
| Mais lucro de 10% após 5 anos | R$ 161.051,00 |
| Mais lucro de 10% após 6 anos | R$ 177.156,10 |
| Mais lucro de 10% após 7 anos | R$ 194.871,71 |
| Mais lucro de 10% após 8 anos | R$ 214.358,88 |
| Mais lucro de 10% após 9 anos | R$ 235.794,77 |
| Mais lucro de 10% após 10 anos | R$ 259.374,25 |

Os exemplos deixam clara a diferença entre multiplicar e acumular. Obviamente, se, na opção pelo aluguel, o investidor optasse por reinvestir a renda do aluguel na compra ou construção de novos imóveis para posterior locação, ele também estaria fazendo um bom investimento. Uma das principais qualidades de um bom investimento é a possibilidade de investir imediatamente e com boa rentabilidade os resultados que você obtém regularmente.

Repare que, na boa decisão de investimento que citei, incluí a figura do corretor de imóveis. Contar com a experiência de experts do mercado em que você investe facilita bastante suas decisões. Isso não quer dizer que a compra do serviço de um especialista é imprescindível, mas sim que ele pode ser muito útil enquanto você não se tornar um especialista naquilo em que investe. Conte com informações maduras e experientes, fuja das dicas de quem não investe há muito tempo na área. Uma decisão baseada em boato ou palpites não é investimento, mas sim especulação. Ao especular, você está praticamente jogando, pois acredita que conhece mais do que os outros e que se dará bem em cima da falta de informação de sua contraparte. Como a informação com base na qual você decidiu é incerta, suas chances de acertar e ganhar são praticamente as mesmas de errar e perder. E investir, definitivamente, não é fazer escolhas contando com perdas.

Investir, em essência, é estar com seu dinheiro onde está o dinheiro dos que estão ganhando. Comprar barato e vender caro, sempre. Não é o mesmo que simplesmente aplicar dinheiro. Para se tornar um bom investidor, você deve desenvolver tanto técnicas de compra — como fazer a melhor escolha? — quanto de venda — quando se desfazer do investimento? Quando se dar por satisfeito com os ganhos obtidos? É sobre respostas a perguntas desse tipo que eu pretendo ajudá-lo a refletir melhor daqui para frente.

Existem modas também no mundo dos investimentos, alternativas que produzem bons lucros durante certo período e que, depois de um tempo, se esgotam. Quem nasceu na década de 1970 e viveu no Brasil até hoje já passou por pelo menos três grandes modas: a era do enriquecimento com imóveis, a era dos ganhos com juros e a era da solidez econômica. Durante essas três fases, o investimento considerado de sucesso mudou muito.



## a. A era do enriquecimento com imóveis

Durante os primeiros três quartos do século XX, o Brasil era uma economia predominantemente rural, em que as cidades cresciam rápida e intensamente. Devido ao difícil e pouco seguro acesso ao sistema financeiro, os brasileiros que contavam com sobras de dinheiro no final do mês compravam terrenos e imóveis, mais por falta de opção do que por certeza de ganhos. Como as cidades estavam em franco crescimento em todas as regiões do país, quem optou por imóveis e terras como investimento viu seu patrimônio se multiplicar facilmente. O enriquecimento era um processo praticamente automático, pois comprar terras era uma decisão unânime de quem ganhava mais do que consumia. Era só comprar e esperar.

As pessoas mais experientes que conhecemos geralmente incentivam o investimento em imóveis, porque têm em mente que essa receita de enriquecimento é infalível. Sua percepção, porém, está equivocada. Nas últimas décadas, muitas cidades brasileiras não só deixaram de crescer, como também entraram em processo de decadência. Há regiões se desenvolvendo, prosperando e valorizando, assim como há regiões que há tempos atingiram seu auge de valorização e hoje seus imóveis só diminuem de valor. Investir em imóveis deixou de ser sinônimo de ganho certo e automático; hoje, exige habilidades como pesquisa, paciência e seletividade do negociador.

## b. A era dos ganhos com juros

Até os anos 1980, o sistema financeiro brasileiro era pequeno e frágil, incluindo as bolsas de valores brasileiras, os planos de previdência privada e os maiores bancos de nosso mercado. O acesso ao sistema financeiro era trabalhoso e burocrático, com poucos produtos de investimento para quem estava começando sem muitos recursos — o que, até então, motivava a maioria a investir apenas em terras e imóveis.

A era do enriquecimento com imóveis ainda mostrava certo vigor quando a economia brasileira entrou em um forte e longo ciclo de instabilidade. Caracterizado por um período de quase vinte anos de inflação elevada, o ciclo de dificuldades arruinou a riqueza de muitas famílias. Quem acreditou no sistema financeiro sofreu muito, vendo sua riqueza fugir pelo ralo com a quebra da bolsa do Rio de Janeiro e dos planos de previdência privada e até com a quebra de grandes bancos, como o Nacional e o Econômico. A até então intocável Caderneta de Poupança sofreu um inimaginável bloqueio do Governo Collor, gerando um forte clima de desconfiança dos brasileiros em relação ao sistema financeiro.

Na tentativa de controlar a instabilidade e a inflação, os diversos governos do período utilizavam diversos recursos para esfriar a atividade econômica, entre eles a adoção de juros elevados. A suposição era a de que, diante de juros muito elevados, o brasileiro preferiria poupar e recebê-los em vez de consumir toda sua renda. Passamos a ser o país dos juros mais altos do mundo, um país em que seus investidores passaram a ser remunerados basicamente por juros. O Brasil se tornou uma terra de agiotas. Do simples poupador de Caderneta de Poupança ao grande investidor de Títulos Públicos e debêntures, todos se acostumaram a ver seu dinheiro se multiplicando fácil e automaticamente na onda dos juros elevados.

Juros são uma espécie de aluguel pago a quem empresta seu dinheiro a terceiros. No caso brasileiro, o grande tomador de recursos foi o Governo, aumentando incrivelmente sua dívida interna. A remuneração por juros caracteriza investimentos de má qualidade, pois o dinheiro apenas passa de um bolso para outro. É diferente de investimentos cujo rendimento decorre do aumento de valor, em função da melhoria em sua qualidade, de maior benefício a quem o adquire, de reconhecimento do mercado ou de escassez de vendedores, como acontece com ações e imóveis.

## c. A era da solidez econômica

O Brasil entrou no século XXI com uma economia muito mais estável e previsível do que em qualquer momento dos dois séculos anteriores, em função do sucesso do Plano Real. Em 2008, pela primeira vez em 200 anos de história da dívida externa, o país deixou de ser devedor e passou a ser credor. A inflação sob controle permitiu que os juros da economia fossem reduzidos a patamares próximos dos de países em situação mais avançada de desenvolvimento.

Acostumado com os juros elevados, o brasileiro agiota começou a se sentir desconfortável com a queda nos juros e percebeu que, para obter rentabilidades como as que conseguia no passado, seria preciso se esforçar para estudar alternativas. A estabilidade econômica se traduziu, em um primeiro momento, em uma má notícia para aqueles que achavam que eram investidores, mas, de fato, eram apenas poupadores: em uma economia sólida, não existe ganho automático. Alternativas de ganho certo passam a render muito pouco para o padrão a que os brasileiros se acostumaram, pois as instituições financeiras e o governo têm dinheiro em abundância e não precisam pagar caro para conseguir mais. Para obter rentabilidade diferenciada, o brasileiro terá que assumir riscos.

Correr riscos, porém, não quer dizer que o brasileiro terá que se contentar com perdas, mas sim que terá que buscar alternativas que, entre os altos e baixos do mercado, apresentem perspectivas de ganhos maiores do que as de perdas. Além de exigir mais pesquisa das alternativas, o investimento em risco envolve maior proatividade do investidor, adotando um processo de revisões periódicas de planos para descartar ativos que deixarem de ser promissores e adquirir novos ativos que os substituam.

Conforme explicarei detalhadamente no Capítulo 6, riscos não devem ser evitados, mas sim administrados. Quanto mais você se informar sobre aquilo em que investe, mais conhecerá sobre seu risco e melhor poderá administrá-lo. Isso resultará em ganhos maiores, pois o investidor bem informado geralmente lucrará em cima do desinformado. É por esse motivo que, em um ambiente de solidez econômica, em que existem muitas boas alternativas de investimento, a melhor para você será aquela com a qual se sinta bem ao pesquisar e aprender sobre ela. Afinal, as oportunidades estão nos lugares onde os bem informados vasculham.

Por isso, não é exagero afirmar que qualquer forma de multiplicar riquezas é um investimento, e que a qualidade desse investimento depende mais do grau de atenção que você dedica a ele do que da simples escolha de tê-lo em sua carteira.

# 2.
# Obstáculos ao investidor iniciante

No começo, investir parece uma tarefa muito difícil. E é mesmo. Afinal, estamos falando de dinheiro, aquilo que teoricamente tudo compra, que nos dá poder, que motiva a corrupção e que todos querem mais, cada vez mais. Por ser tão desejado, quem o tem evita dividir com os outros suas receitas pessoais para conquistá-lo, o que faz com que as orientações, muitas vezes, sejam difusas e em linguagem compreensível para poucos — normalmente, apenas para aqueles que já têm dinheiro. Por motivar a corrupção, as alternativas de multiplicação de dinheiro — chamadas de investimentos, quando lícitas — são extremamente reguladas e fiscalizadas, o que nos obriga a lidar com um mar de normas, exigências, proibições e complicações burocráticas.

Aparentemente, tudo é feito para não entendermos. Em muitos casos, essa é a mais pura verdade: as orientações só são compreendidas por especialistas, o que nos obriga a pagar pela orientação de um profissional. Essa dificuldade não é um privilégio do mundo dos investimentos, mas também de outras áreas profissionais. Um exemplo comum é o da área de direito. Como a maioria dos contratos, normas e regulamentações é escrita em linguagem ininteligível, precisamos contratar um advogado — profissional treinado no exótico idioma "contratês" — para nos ajudar a selar compromissos com terceiros. Por este motivo, é fundamental identificar quando estamos lidando com um profissional que, mais do que nos orientar, quer é nos mostrar o que sabe, sem fazer questão de que saibamos tanto quanto ele.

Com a experiência, vamos nos afeiçoando ao linguajar típico e percebendo que muita informação nos é oferecida inutilmente, apenas por formalidade e para cumprir exigências de alguma norma que regula os serviços financeiros, as práticas de negociação e os diversos mercados de investimentos. A maior parte da informação que recebemos, no mundo dos investimentos, pouco agrega a nossas decisões. Temos que aprender a filtrar. A experiência nos ensina a fazer este filtro, nos dá autoconfiança e confere agilidade a nossas escolhas. A experiência também nos ilude, pois o excesso de autoconfiança muitas vezes nos faz esquecer de nos organizar, de pensar no longo prazo e de manter a racionalidade nos momentos de incerteza. A maioria dos casos de investidores inexperientes que se arruinaram deve-se mais ao excesso de autoconfiança do que à falta de informação. Aliás, eu diria que dinheiro mais autoconfiança é igual a ganância.

Dinheiro + Autoconfiança = Ganância

Para evitar que sejamos confundidos pela linguagem complexa ou tomados pela ganância, temos que nos policiar, refletir e interpretar nossos atos para evitar — ao menos, amenizar — os erros mais comuns que afligem os investidores iniciantes. Esses erros decorrem de não conhecermos truques, práticas e características sociológicas e comportamentais dos diferentes mercados. Listo, a seguir, as particularidades de mercado que considero mais relevantes, dentre uma estatística pessoal das dúvidas de meus leitores e clientes.

## a. A fauna dos mercados de investimentos

Há inúmeros motivos para você não dar bola para muita coisa que você ouve, e o principal deles é que, em diversas situações, o interesse de quem lhe fornece a informação difere de seus interesses, principalmente se a orientação não parte de um especialista para o qual você paga alguma taxa por um serviço prestado. Além disso, muita informação que corre origina-se em boatos ou é distorcida na medida em que é passada adiante, como na brincadeira chamada telefone sem fio. Para não cair em armadilhas e ter discernimento ao tomar decisões, entenda que, na hora de buscar informação, você provavelmente se deparará com algum destes personagens:

## "Seu" gerente

Muitos se iludem com a idéia de que possuem, no banco ou em qualquer outra empresa que venda serviços de investimento, alguém que irá zelar para que as escolhas feitas para seu dinheiro sejam as melhores. Isso é apenas parcialmente verdadeiro. Essa ilusão vem do fato de aquele profissional se apresentar como "seu" gerente, cujo papel pode ser interpretado como sendo o de gerenciar para você sua conta. Não é nada disso! As instituições lhe vendem serviços com o objetivo de obter lucros. Quando elas crescem e conquistam muitos clientes, vêem-se obrigadas a atendê-los de maneira menos personalizada e em bloco, contratando gerentes para cuidar de grupos de clientes com características, em princípio, semelhantes. Esse gerente tem o papel de gerenciar os objetivos da instituição financeira, e não do cliente. O fato é que o gerente de conta, assim como o corretor de imóveis e o corretor de ações, é uma espécie de conciliador que tem o papel de negociar interesses diferentes, tentando lhe oferecer soluções que combinem a melhor relação custo-benefício tanto para você quanto para a instituição em que ele trabalha.

**Como lidar com "seu" gerente:** sempre questione, pesquise e estude as orientações recebidas de seu gerente de conta, preferencialmente consultando as soluções oferecidas por uma instituição diferente da qual você tem conta. Se você continuar em dúvida sobre algum serviço que estiver contratando, peça que o gerente lhe explique com detalhes o serviço a ser prestado e o preço que você pagará por isso. Ele certamente terá interesse em ajudá-lo, pois quer mantê-lo como cliente.



## O falso especialista

Muitos investimentos só se mostram viáveis quando executados com a ajuda de um corretor, seja por exigência legal, como acontece com os corretores de valores na compra de ações, seja para facilitar nossa vida e nos dar maior segurança, como acontece com corretores de imóveis e de seguros. Contar com um especialista sempre nos custa, pois ele vive da corretagem sobre cada operação que negocia. Porém, nem sempre é verdade que contar com um especialista significa que confiaremos nossas decisões a quem nos ajudará a tomar as melhores decisões.

O negociador especialista, ou corretor, é aquele que se encarrega de efetuar nossas negociações dentro das regras vigentes naquele mercado específico. Para nos manter como clientes, ele ainda procura nos oferecer boas orientações e ferramentas para que nossas sugestões sejam acertadas. Muitas vezes, sentimo-nos frustrados por esperar de nosso corretor maiores orientações e elas não aparecerem da maneira detalhada que desejamos. Isso acontece porque o especialista depende de resultados para tornar seu trabalho viável. Pequenos investidores movimentam pouco dinheiro e pagam pequenas comissões, o que obriga o especialista a nos oferecer apenas o suficiente para um bom começo. Ele é especialista em fazer certo, e não em fazer melhor, afinal, trabalha para uma instituição ou por conta própria, com o objetivo de lucrar. Como acontece com o gerente do banco, ele é um intermediador de interesses com bom conhecimento da rotina do investimento.

Há mais um detalhe: nem sempre o "especialista" domina completamente os mecanismos de negociação. Se você for um investidor iniciante, provavelmente lidará com um corretor iniciante, como um *trainee* ou um profissional recém-certificado. Afinal, as instituições sempre terão aprendizes. Por acaso você espera que um aprendiz fique responsável pelas negociações dos clientes com mais dinheiro e experiência? Claro que não.

**Como lidar com o falso especialista:** não confie nem conte exclusivamente com a recomendação de compra ou venda de um corretor, a não ser que você já tenha experiência no relacionamento com ele, ou esteja negociando uma operação de grande valor — nas corretoras de valores, há limites para a alçada de decisão dos iniciantes. Sempre verifique uma recomendação ou sugestão com outra fonte, e jamais conclua um negócio se tiver dúvidas quanto às orientações recebidas. Fingir que entendeu é uma atitude que conduz a perdas, e não a ganhos. Respeite o tempo do profissional, que é escasso. Faça sempre sua "lição de casa", procurando aproveitar todas as ferramentas e informações disponibilizadas pela corretora, antes de esclarecer dúvidas com o especialista.

## A máfia

Quem costuma comprar bens, para revenda com lucro, em leilões de bancos, da Polícia Federal e outros, já ouviu falar do termo "máfia dos leilões". Há quem diga que, até a década de 90, a Bolsa de Valores de São Paulo era frágil porque todas as negociações eram feitas entre poucos negociadores, experts que compunham certa máfia.

A denominação pejorativa costuma ser utilizada de maneira preconceituosa e indevida em negócios que exigem um conhecimento mais profundo de compradores e vendedores. Quando alguém pouco experiente procura se envolver com aqueles negociadores mais experientes, sente certa resistência, é mal recebido ou tem a sensação de que os outros têm algum código secreto ou truques para que sejam identificados nas negociações, supostamente para manter fora do mercado os forasteiros. A impressão é a de que o papel dos mafiosos seria o de manter o mercado monopolizado entre poucos. Esses sentimentos são apenas, acredite, obra de sua imaginação.

Foi experimentando diversas modalidades de negócios e investimentos que cheguei à conclusão de que máfias não existem quando se trata de negócios regulamentados e feitos de maneira legal e transparente. O que existe são pessoas experientes, que atuam há tempos naquele tipo de negócio, têm macetes que aprenderam após vários erros e acertos e, obviamente, têm amigos com quem se deparam freqüentemente entre uma negociação e outra. Esse coleguismo decorrente do convívio e da experiência passa a impressão de favorecimento mútuo. Felizmente, essa falsa impressão tende a desaparecer após nossas primeiras operações nesses mercados especializados.

**Como lidar com a máfia:** simplesmente se envolva. Quanto mais você ler sobre o assunto, pedir orientações, freqüentar eventos que outros investidores freqüentam e se apresentar aos especialistas que organizam o respectivo mercado (corretores, leiloeiros e afins), mais será reconhecido e envolvido no grupo. Com o tempo. Você perceberá que não existe grupo algum, mas sim maneiras mais apropriadas e eficientes de negociar nesses mercados. Quando souber negociar da mesma maneira que a maioria negocia, você nem lembrará que um dia imaginou uma máfia no mercado que escolheu para multiplicar sua riqueza.

## O consultor financeiro

Quando precisamos de orientação especializada, é recomendável que procuremos um profissional da área. Porém, quando a área é planejamento financeiro pessoal ou seleção de investimentos, essa procura pode se mostrar bastante ingrata. Um dos motivos é o fato de a repercussão dessa profissão ser relativamente recente no Brasil, e o número de profissionais experientes ser escasso. Pior que isso, é constatar que, se você encontrar um consultor financeiro, nem sempre ele estará capacitado a solucionar seu problema.

A explicação para isso está na diversidade de trabalhos que uma pessoa pode desempenhar com conhecimento de causa enquanto recebe o rótulo de consultor financeiro. Dentre os vários tipos de profissionais que costumam se autodenominar consultores financeiros estão o *economista doméstico*, que lhe ensina a gastar menos nas contas de luz, telefone e água; o *professor de matemática ou de estatística*, que o ajuda a fazer contas mirabolantes, com conclusões impressionantes; o *consultor tributário*, que lhe ensina a pagar menos impostos; o *agente autônomo de investimentos*, que lhe "vende" fundos de investimentos com os quais ele tem acordo para ganhar uma comissão sobre o que você investe; o *microeconomista*, que o ajuda a interpretar as conseqüências de uma redução dos juros para o bolso do consumidor; o *filósofo*, que o ajuda a refletir sobre as conseqüências de cada escolha para seu bem-estar futuro; o *planejador financeiro*, que o ajuda a simular a evolução de seus esforços de investimento ao longo de vários anos; o *advogado do consumidor*, que o ajuda a desvendar as armadilhas por trás dos contratos; o *corretor de seguros*, que o ajuda a planejar sua vida só com seguros e previdência; o *analista de investimentos*, que o ajuda a montar uma carteira de investimentos eficiente com os produtos da instituição em que ele trabalha; o *gestor financeiro*, que o ajuda a refletir para tomar as grandes decisões relativas ao dinheiro ao longo de sua vida; o *psicólogo*, que o ajuda a compreender a irracionalidade de seu comportamento na hora de escolher investimentos ou de consumir; e o *místico*, que tenta convencê-lo de que o dinheiro tem algum segredo a ser desvendado antes de você ter o poder de utilizá-lo adequadamente. Saber se, dentre tantas especialidades, há uma mais completa, é difícil. Os trabalhos dos diferentes profissionais se complementam.

**Como lidar com consultores financeiros:** atente para o currículo do profissional e para sua experiência atuando na área, sempre que puder. A atividade de consultor financeiro possui uma certificação reconhecida mundialmente, que no Brasil recebe a mesma denominação que nos Estados Unidos:

*CFP*, ou *Certified Financial Planner* (Planejador Financeiro Certificado). Profissionais com esta certificação possuem conhecimentos considerados adequados para orientá-lo quanto a investimentos, seguros, planos de longo prazo, crédito e consumo.

## O economista com bola de cristal

Quando buscamos informações sobre as projeções de taxas de juros ou as perspectivas para as moedas estrangeiras para os próximos meses, recorremos às análises feitas por economistas. São eles quem, nos jornais, revistas e Internet, tecem reflexões sobre o crescimento da economia e sobre oportunidades e dificuldades para nosso dinheiro. Basicamente, é o economista quem nos diz o que fazer quando algum fator economicamente relevante — como inflação, juros, câmbio e crescimento da economia — sofre mudanças significativas.

Porém, de tanto falarem sobre as conseqüências futuras dos efeitos presentes, economistas são confundidos, por leigos, com futurologistas. Quem não atenta a esse ponto pode ser induzido ao erro, confundindo o papel das análises publicadas. O conhecimento dos economistas visa identificar relações de causa e efeito, gerando análises do tipo "SE a inflação se mantiver nesse patamar, os juros PODEM ser reduzidos". Não é papel de um economista garantir que juros serão reduzidos ou que a inflação estará sob controle. É fácil identificar um bom economista; geralmente, ele toma o cuidado de enfatizar em sua fala os termos condicionais (como destaquei acima). Mas há profissionais irresponsáveis que simplesmente negligenciam a limitada capacidade de reflexão econômica da pessoa comum e discursam como que garantindo os rumos da economia para os próximos meses. São aqueles que lançam mão de barbáries como "não tem como o dólar subir mais" ou "após toda alta vem uma baixa". Por confiar nas credenciais do profissional que vêem na televisão, muitos investidores inexperientes são induzidos ao erro.

**Como lidar com economistas com bola de cristal:** independentemente de suas crenças e religião, é universalmente válido o ditado que diz que "o futuro a Deus pertence". Por isso, estimativas futuras de índices, inflação e crescimento do PIB são especulações, e não análises econômicas, e por isso devem ter influência limitada nas decisões que tomamos. Ao deparar-se com uma constatação econômica surpreendente, compre um jornal de economia e pesquise as opiniões de outros economistas sobre o mesmo tema. Quando se trata de futuro, a melhor informação será o consenso de diversos especialistas.

## O analista financeiro

Quando deparamos com um analista financeiro, é comum surgir a reflexão: "este é o profissional que pode me dar boas orientações para cuidar de minhas finanças." Ao menos é a esta reflexão que o título do profissional sugere.

Mas não é bem assim. Diferentes analistas financeiros podem desempenhar atividades radicalmente diversas. Há aqueles que analisam o balanço recém-publicado de uma empresa e o comparam aos de diferentes empresas do mesmo setor, assim como há os que se dedicam a acompanhar a estratégia de fundos de investimento. Há quem modele carteiras eficientes de investimento, e há aqueles que se dedicam a estudar mercados de *commodities* como ouro, gado, grãos e energia. Cada profissional reúne condições que podem conduzir a conclusões interessantes sobre o mercado em que atuam.

Como cada mercado tem suas próprias regras, vícios e lógicas, o melhor analista a ser consultado é aquele que realmente estuda o que você investe. Se todos os mercados sofressem efeitos parecidos diante de determinado evento, não precisaríamos ter diversas especializações para os analistas financeiros. Bastaria consultar um oráculo, como se fazia na Grécia antiga, para resolver problemas de qualquer natureza.

*O melhor analista a ser consultado é aquele que realmente estuda o que você investe.*

Tome como exemplo uma análise feita sobre a cotação da moeda estrangeira. Se algum analista disse, por exemplo, que a queda do Euro é ruim para os negócios, esse analista está sendo parcial. A queda da moeda estrangeira é ruim para quem exporta, boa para quem importa. Sempre haverá algum investimento prosperando, independentemente de a bolsa estar em alta ou baixa, de a inflação estar ou não sob controle, de os juros estarem em crescimento ou queda. É nesse investimento que seu dinheiro deve estar.

**Como lidar com analistas financeiros:** ouça os especialistas, mas seja seletivo. Não importa o mercado em que você investe; sempre haverá profissionais dedicando horas diárias de estudos a esse mercado, e é seu papel pesquisar as fontes de informação para as quais esses analistas fornecem conteúdo. Evite tomar decisões com base em conclusões alarmistas feitas para mercados diferentes do que você investe — tais decisões, na maioria das vezes, serão precipitadas.

## O *trader*

Enquanto a maioria das pessoas trata os investimentos como uma preocupação secundária ou uma via não convencional para construir riqueza, há quem viva exclusivamente da atividade de investidor, ganhando seu pão ao dedicar várias horas por dia a essa atividade.

Contrariamente do que diz o senso comum, esse investidor profissional, chamado também de operador financeiro ou simplesmente *trader*,[7] não é necessariamente uma pessoa rica que vive de pequenas ousadias sobre sua fortuna. Há quem tenha optado por essa carreira mesmo sem ter grandes poupanças e que consegue sustentar uma família a partir de negociações bastante lógicas, usando pouco dinheiro, ou a partir de comissões ganhas com a movimentação do dinheiro dos outros. Não é exagero definir o *trader* como o trabalhador braçal do mundo dos investimentos. Alguns *traders* têm como objetivo profissional sentar todos os dias em frente ao computador, comprar pela manhã um determinado título e revendê-lo à tarde com lucro, operação chamada de *day-trade*.

[7] Negociador, em inglês.

É inspirador conversar com um *trader*, pois ele sempre tem uma ótima experiência pessoal para compartilhar com os amigos, geralmente uma história de ganhos fantásticos que obteve com pouco dinheiro. Seu discurso é como o do pescador: fala por horas do peixão que uma vez pescou (não diz se contou ou não com a ajuda da sorte), mas sequer comenta que vive diariamente de pequenos lambaris. Isso tende a inspirar jovens investidores em busca de replicar a operação de ganho fantástico, que na maioria das vezes vai resultar em perda.

O *trader* é um grande influenciador do mercado, pois sua intensa dedicação faz com que seu trabalho apareça em maior volume do que o de outros profissionais. Esse é o principal motivo para o *trader* sempre ter uma boa história para contar. Contando com objetivos de investimento de curto prazo, seus erros e acertos costumam ser mais abundantes e freqüentes do que daqueles que contam com o longo prazo para saber do resultado de suas escolhas. Por essa razão, a maioria dos fóruns, artigos, cursos e livros do mercado são de autoria de *traders*.

**Como lidar com *traders*:** ouça-os sempre, pois o *trader* age individualmente, mas utilizando ferramentas que são discutidas em grupo. Não faça necessariamente o que ele sugere fazer, mas leve em consideração que muita gente no mercado o fará. Ao fazer um curso ministrado por um *trader*, não esqueça que ele só faz isso na vida. Se tentar aplicar em sua carteira de investimentos exatamente a mesma lógica que profissionais aplicam no dia-a-dia, você poderá estar ausente do fórum de discussão na hora em que uma decisão imediata for necessária. Lembre-se também de que a estratégia do *trader* implica maior custo, pois se baseia em compras e vendas freqüentes. Quanto mais se negocia, mais corretagem se paga.



## O grafista

Dentre as maneiras de avaliar investimentos, uma das mais utilizadas e comentadas é a Análise Gráfica, técnica que, resumidamente, consiste em tirar conclusões sobre oportunidades de compra e de venda a partir de tendências que aparecem nos gráficos de evolução do investimento. A técnica não tem nada de esotérica; baseia-se, puramente, na estatística.

Os grafistas, que são analistas que se baseiam predominantemente nesta técnica, possuem profundos conhecimentos estatísticos e estão sempre debruçados sobre algum software que facilita o tratamento lógico dos gráficos. Seu objetivo é antecipar tendências e decidir com base nessa antecipação. Como visam lucrar principalmente com os altos e baixos, suas análises costumam focar sempre o curto prazo, resultando em recomendações imediatistas. Quando operam cotidianamente no mercado, respondem por boa parte das oscilações especulativas nos preços.

Não são poucos os que se baseiam na análise gráfica para comprar ou vender, o que faz com que a decisão de um investidor seja sempre seguida pelas decisões de muitos. É daí que surge o chamado *efeito manada*, responsável por despencadas e por grandes saltos nos preços de ativos. Todo *trader* tem um perfil predominantemente grafista, pois procura realizar lucros com decisões de curto prazo. Grafistas e *traders* são igualmente influenciadores do mercado, e é importante que os investidores de longo prazo tenham consciência disso, visando controlar sua ansiedade diante de orientações e sugestões de investimento.

**Como lidar com grafistas:** quem investe com objetivos de longo prazo deve dar atenção limitada às recomendações grafistas. O motivo é que o típico investidor de longo prazo costuma ter um contato menos intenso com o mercado, limitando sua capacidade de aproveitar as dicas de curto prazo. De nada adianta ser ágil na decisão de compra e sofrer por não ter sido ágil na venda. Por isso, sugestões grafistas devem ser consideradas em duas situações: 1) quando você opera e se informa religiosamente todos os dias; ou 2) quando você já sabe em qual ativo quer investir, mas quer uma orientação fundamentada sobre qual é o momento ideal de fazê-lo.



## O fundamentalista

Não tem nada a ver com terroristas talibãs. O analista fundamentalista faz suas recomendações de investimento e de desinvestimento com base em profundos estudos dos fundamentos da economia, do ativo e do mercado que negocia esse ativo. O bom fundamentalista é um profundo conhecedor de economia, de empresas, de negócios e seus setores, de preços e de consumo.

Quando se propõe a orientar investidores a fazer boas escolhas, suas orientações sempre se baseiam em expectativas dos resultados que serão obtidos futuramente a partir de fatos observados hoje. No mercado de ações, muitos analistas costumam ter contato direto com a administração das empresas que analisam, para obter conclusões mais fundamentadas. Tamanha é a segurança e o embasamento com que são feitas as recomendações, que as sugestões fundamentalistas costumam ser tidas como extremamente confiáveis no longo prazo.

Infelizmente, essa percepção não é correta. Análises fundamentalistas são complexas, sujeitas a falhas em diversos níveis. Além disso, boa parte da análise é baseada em números e estatísticas — e todos sabemos que a estatística é facilmente manipulada. Por isso, apesar de a análise fundamentalista ser extremamente útil para decisões de longo prazo, deve ser utilizada com ressalvas.

**Como lidar com fundamentalistas:** não acredite que você poderá tirar suas próprias conclusões de uma demonstração financeira de empresa, a não ser que você invista anos de seu tempo em estudos. Não confie também em uma única análise, se seu objetivo é de longo prazo; pesquise outras análises e confirme sua decisão com base em mais de uma recomendação. Prefira as análises feitas por grandes instituições, que, além de investirem mais em pesquisa, têm melhores condições de acessar as melhores fontes do mercado.

## O "mercado"

Muitas vezes confundido indevidamente com a máfia, o "mercado" é interpretado por leigos como uma espécie de ser mitológico que supostamente persegue o investidor inexperiente. Você nunca investiu em ações, mas basta fazer o primeiro investimento que logo o mercado percebe imediatamente e a bolsa cai. Você pensa que está fazendo a grande decisão de investimento de sua vida e, alguns dias depois, "percebe" que está perdendo muito dinheiro, porque "o mercado está pessimista". Felizmente, essa interpretação também é apenas obra de ficção da mente de investidores inexperientes.

Há quem acredite que o sucesso nos investimentos depende apenas de sua capacidade de adivinhar o que o mercado pensará amanhã. Esse mercado, porém, não tem nada a ver com um pequeno grupo de pessoas que manipula índices ou que persegue pequenos investidores.[8] Ele está muito mais próximo do que você imagina. Tornamo-nos investidores maduros quando percebemos que o mercado somos nós mesmos, pessoas que influenciam e são influenciadas a cada contato, a cada jornal lido, a cada pesquisa na Internet. Todo investidor tem algum grau de influência sobre o mercado, mesmo que seja sobre um pequeno número de pessoas nele atuantes. Se você cursar um treinamento sobre como investir em imóveis, será influenciado por um especialista e influenciará outras pessoas com suas opiniões, pois seus conhecidos darão um peso extra às opiniões de quem já estudou o assunto. Ao conversar sobre imóveis em uma mesa de bar, seus conhecidos e os bisbilhoteiros ao redor estarão processando as informações para aproveitá-las no futuro.

Quanto mais você se envolver com seus investimentos, mais será influenciado por pessoas também envolvidas com o mesmo interesse que você, e mais influenciará essas pessoas. Na falta de certeza sobre um assunto, conte com o mercado — as pessoas a seu redor, jornais, revistas, livros e Internet — para esclarecer dúvidas. Com o devido envolvimento, suas escolhas cada vez mais acompanharão as escolhas do mercado, e você será pego de surpresa com freqüência cada vez menor.

**Como lidar com o mercado:** informe-se, envolva-se, estude. O comportamento do mercado nada mais é do que o comportamento de uma maioria entre os investidores, que são aqueles que conhecem os que os rodeiam. Não deixe de expor suas idéias e opiniões, pois quanto mais você compartilhar idéias, mais colherá opiniões favoráveis ou contra sua intenção de investir, e mais consistentes serão suas escolhas.



## O conservador que não investe

As primeiras dicas de investimento que recebemos normalmente vêm de alguém que se auto-intitula "conservador nos investimentos", ou então "investidor à moda antiga". Esses são nomes dados àquele que construiu riqueza como todos faziam no século passado: comprando terras e imóveis.

•••

[8] Duas ressalvas: 1) existem sim investidores com tanto dinheiro que sua atuação individual consegue gerar impactos sensíveis nos índices de mercado, e 2) também há investidores experientes, que se autodenominam tubarões, que vivem à caça de más escolhas feitas por investidores inexperientes, aos quais chamam de cordeirinhos ou peixinhos. Quanto mais cresce o mercado, menos a influência dos tubarões o impacta.

Na verdade, muitos daqueles que têm em seus imóveis uma grande fonte de renda — dos aluguéis — ou a reserva necessária para, vendida aos poucos, mantê-los até o fim da vida, construíram essa riqueza sem saber que o faziam. O planejamento nunca fez parte da vida do brasileiro, afinal nossa moeda mudou de nome e valor várias vezes na história. Não tínhamos valores, mas sim propriedades. De repente, aqueles que acumularam terras se vêem com um belo patrimônio e sugerem que seus filhos façam o mesmo — parece fácil, visto do ângulo final.

Porém, o conservador não reconhece que ele pouco conhece de investimentos e não tolera riscos. Também não confessa que não sabia, ao longo da vida, que chegaria a tanto. O conservador, na verdade, não é investidor, mas sim um acumulador, um poupador. Quando diz que prefere "a boa e velha Caderneta de Poupança", ou "nada como a solidez do dólar", ou que "quem casa, quer casa", ele está reforçando antigos maus hábitos de quem não sabe construir riqueza com qualidade.

Em uma economia crescente e com perspectivas positivas como a brasileira neste início de milênio, investidor conservador é aquele que investe *pouco* em negócios, negociações e ações, e não aquele que nada investe nos ativos que acompanham tendências. Estacionar seu dinheiro totalmente em imóveis para renda, moeda estrangeira e renda fixa não é investir de maneira conservadora, mas sim aposentar-se como investidor.

**Como lidar com o conservador que não investe:** apenas não esqueça que táticas que funcionaram no passado não tendem a continuar funcionando no futuro. Os investimentos se esgotam com o tempo — e isso vale, inclusive, para as ações: raríssimos papéis serão um ótimo negócio ao longo de décadas. Ouça o que o conservador tem a dizer, apenas como um exercício de reflexão — pode ser que o motivo da repulsa dele pelo investimento que você escolheu seja um bom tema para sua pesquisa pessoal, enquanto estuda para amadurecer seus investimentos.



## O amigo do peito instantâneo, ou falso *insider*[9]

É difícil segurar um segredo. Todos temos grande prazer em compartilhar informações valiosas com pessoas queridas, ou mesmo com aqueles que

[9] Termo em inglês para aquele que é de dentro, que tem informações exclusivas que, supostamente, o mercado desconheça.

duvidam de nossas idéias. Todos gostamos de nos passar por *insiders*, aqueles que têm informações privilegiadas — afinal, informação exclusiva nos dá poder! Quando o assunto investimento surge em uma roda de amigos, sempre há aquele que tem uma generosa dica a oferecer, algo como "ouvi dizer que as ações do Ferro-Velho do Zé vão bombar com essa onda ecológica". Sério?! Pergunte se ele já correu para investir na ação em que ele tanto acredita.

Informações que parecem valiosíssimas nos chegam todos os dias. Porém, é preciso desconfiar desse tipo de dica preciosa, afinal, em mercados com muitos participantes como o de ações brasileiro, normalmente a atenção, a fiscalização e as regulamentações são intensas, o que dificulta bastante que uma informação vaze antes de ser tornada oficialmente pública. Sem contar que informações dessa natureza, que circulam de boca em boca, sempre sofrem algum grau do efeito telefone sem fio, em que cada interlocutor distorce um pouco o fato que ouviu, para valorizar sua informação exclusiva. A que chega até você provavelmente é boato, e decisão baseada em boato ou palpites não é investimento, mas sim especulação.

O *tio de alguém* é uma versão menos pretensiosa do falso *insider*. Normalmente, alguém que não sabe do que se trata o assunto tem um tio que ficou rico em pouco tempo, investindo em algo que é pouco comum, mas que seus amigos investidores podem acessar facilmente. Não se anime demais com esse tipo de história...

**Como lidar com o falso *insider*:** se ouvir uma boa dica durante uma rodada de cerveja, peça mais uma cerveja e uma porção de petiscos. Só isso. Jamais corra para seu *homebroker* ou tome uma decisão antes de validar suas superdicas. A melhor informação é aquela que você acumula da mesma maneira que deveria acumular patrimônio: devagar e sempre, dando um passo de cada vez. Conte com fontes diárias de conhecimento, assinando jornais especializados em economia ou boletins enviados para seu endereço de e-mail pelas áreas de análise de corretoras de valores ou agências de notícias. Nesse tipo de informação você pode confiar.

---

*Se ouvir uma boa dica durante uma rodada de cerveja, peça mais uma cerveja e uma porção de petiscos. Só isso. Jamais corra para seu* homebroker *ou tome uma decisão antes de validar suas superdicas.*

---

## b. A terminologia que impressiona é a mesma que confunde

Além dos personagens que compõem a rica fauna do mundo dos investimentos, outro obstáculo que parece existir apenas para confundir o investidor é a linguagem técnica do mundo dos investimentos. Muitos se impressionam quando um consultor de investimentos ou um corretor utilizam um termo desconhecido ou em outro idioma e acabam decidindo por alternativas que desconhecem. Isso não é grave, pois, na maioria das vezes, quando um profissional utiliza um termo técnico, é para valorizar a boa oferta que tem em mãos.

O problema é quando a mesma linguagem que impressiona acaba confundindo ou assustando, levando a decisões equivocadas. Ao buscar maior envolvimento com os investimentos, é comum depararmos com situações tão surpreendentes que chegam a ser constrangedoras. Dia desses, um cliente me trouxe uma folha com a impressão da troca de mensagens entre os participantes de um fórum organizado pelo site de uma corretora de valores, cujo tema era "Onde investir hoje". O breve diálogo dizia o seguinte:

— Que tal a *goau* hoje?

— Tem corretora projetando *upside* de 37%.

— Considere certo que o *yield* deve ficar acima de 7%.

— Eu estou vendido, de olho no CPI.

— Galera, eu estou vendo uma pá de ventilador seguida de rompimento de suporte... Alguém mais vê isso?

— Eu entraria estopado...

Preferi não incluir os codinomes utilizados pelos participantes, a fim de proteger sua privacidade, mas esse era outro aspecto pitoresco e criativo do fórum. Meu cliente, ao me apresentar o texto impresso, perguntou-me, chocado: "Essa turma conversa em código para que os de fora não entendam?"

Felizmente, não. O que acontece nos diversos mercados de investimentos é que a comunicação mútua simplesmente segue alguns padrões que foram se consolidando, com o tempo, entre os participantes. É uma espécie de vício de comunicação do mercado. Aqueles que passam a freqüentar eventos e cursos sobre o assunto rapidamente identificam o significado das gírias, pois elas normalmente se referem a termos de uso freqüente naquele mercado. Por exemplo, no fórum transcrito, o significado dos termos vistos são:

- *Goau* é uma simplificação de GOAU4, o código na Bolsa de Valores de São Paulo para as ações preferenciais da Gerdau Metalúrgica S.A., um papel conhecido pelo bom e regular pagamento de dividendos.
- *Upside* é o mesmo que perspectiva de valorização (aumento de valor) do papel.
- *Yield* é o percentual dos dividendos distribuídos sobre o valor do investimento nas ações da empresa.
- CPI é o Consumer Price Index, ou Índice de Preços ao Consumidor nos EUA, indicador que mede a inflação da economia norte-americana e que tem efeitos mais bombásticos para os mercados do que as lamentáveis Comissões Parlamentares de Inquérito do Congresso brasileiro.
- Pá de ventilador[10] e rompimento de suporte são termos típicos da análise grafista (eu já disse que os fóruns costumam estar povoados por especialistas dessa área).
- Entrar estopado (ou com stop) é comprar uma ação já ordenando sua revenda automática se o preço atingir determinado patamar, tanto na queda quanto na alta.



Diante desse assombro de linguagem, é natural que muitos se sintam a anos-luz de conseguir se envolver adequadamente com o mercado, o que é uma pena. Isso acaba resultando na desistência de boas estratégias que poderiam dar rumos mais interessantes aos investimentos do desistente.

Muitos até sabem que seu dinheiro não está aplicado em uma alternativa eficiente, mas se resignam diante de explicações estonteantes de seu gerente sobre as alternativas que seu banco oferece. Por exemplo, se um poupador tradicional de Caderneta de Poupança deseja tomar a simples decisão de migrar suas reservas financeiras para um simples fundo de renda fixa, deparará pela primeira vez com vários termos técnicos, entre eles taxa de administração, cota, tributação semestral, tributação regressiva, come-cotas,

[10] O gráfico do preço de uma ação ou de uma *commodity* formam uma chamada pá de ventilador quando determinada tendência de preços é quebrada mais de uma vez, formando degraus no gráfico de tendências, os quais indicam maior possibilidade de novas quebras para a tendência atual.

IOF, Imposto de Renda Retido na Fonte, D-zero, D-mais-um, assembléia de cotistas, termo de adesão, prospecto, regulamento, administrador do fundo e gestor do fundo, entre outros. Qual a sensação de quem tem pouco dinheiro, diante de tamanho arsenal vocálico? Manter seu dinheiro na alternativa menos complicada talvez seja uma idéia que se fortaleça nesse momento.

Um comentário que freqüentemente recebo é: "Invisto na Caderneta de Poupança para não pagar Imposto de Renda." Isso é o que chamo de estratégia suicida. Se essa conclusão foi obtida a partir da orientação de um gerente de conta, procure outro banco imediatamente. Quem disse que pagar Imposto de Renda é ruim? Se o Governo cobrasse uma alíquota de Imposto de Renda de 30% para quem tem ganhos acima de R$ 1 milhão mensais, eu iria fazer de tudo para pagar 30%, e não tentar ganhar menos para pagar menos imposto. Acho que faz sentido. Se alguém investe na Poupança porque o rendimento é maior do que o obtido com outro investimento após o pagamento do imposto, ótimo! Porém, raramente é isso que acontece. Se você lucra muito mais com um investimento, fique com ele e pague o imposto devido — aliás, no caso dos investimentos, quem cuida de efetuar o recolhimento do tributo é o banco; não há burocracia alguma para o investidor.

O mesmo vale para a taxa de administração de fundos. Cuidado para não selecionar um fundo usando como critério a taxa de administração mais baixa. Esse critério só vale para fundos que investem em ativos idênticos, como fundos de renda fixa pós-fixados. Sua seleção deve levar em conta o desempenho do fundo, ou seja, sua rentabilidade após o desconto da taxa. Se seu fundo lhe cobra uma taxa altíssima, mas lhe garante um desempenho melhor do que fundos concorrentes, fique com o careiro. Provavelmente, seu gestor é mais competente porque é bem remunerado.

Não faltam bons produtos no cardápio de alternativas de investimentos oferecido pelos bancos aos clientes. O que falta é capacidade de os clientes digerirem o que consta da papelada oferecida pelo banco. A solução para isso? Perguntar. Se você estiver participando de um fórum e não entender determinada gíria, pergunte o que significa. Todo fórum conta com membros altruístas que adoram catequizar os que chegam. Não entendeu o que está no folheto que deveria explicar o funcionamento de um fundo? Pergunte a seu gerente ou agente autônomo. Se ele lhe oferece um produto de investimento, é porque passou por um exame de certificação para poder vendê-lo, e por isso sabe explicar cada termo técnico que consta do folheto.

## c. As instituições e suas práticas

Pode parecer incrível, mas um dos primeiros obstáculos que encontramos ao buscar mais informações sobre investimentos é justamente a técnica de orientação utilizada pelos especialistas. O problema está nos argumentos utilizados, pouco esclarecedores e que tendem a desviar de explicações de alternativas mais complexas. À primeira vista, temos a impressão de que o gerente do banco não está nos oferecendo o que ele tem de melhor. Que o corretor de imóveis não está nos apresentando a melhor unidade residencial que ele tem à disposição no condomínio que negocia. Que o leiloeiro está insinuando bons negócios para um ou outro participante do leilão. Que o vendedor não está negociando o melhor que pode com seu gerente, para nos impor um preço maior.

Todas essas impressões estão corretas. Incorreta, porém, é a conclusão de que esses profissionais estão sempre tentando nos passar a perna. Não existe um complô de especialistas contra investidores principiantes. O que existe são práticas decorrentes de maus hábitos dos compradores de serviços, geralmente por falta de informação destes, que acabam resultando em grande perda de tempo daqueles que atendem e insatisfação de quem compra.

Analisemos a situação dos bancos. Se você entrar no site de seu banco na Internet, pesquisar a seção de fundos e procurar pela lista de produtos disponíveis, irá se admirar com a infinidade de alternativas que a instituição oferece. Está tudo lá, explicado — OK, com a mesma terminologia que impressiona e confunde, mas está lá — e sem obstáculos para que você escolha o produto que melhor atende a sua necessidade. Ao consultar seu gerente, porém, ele se desvia das alternativas complexas e tenta convencê-lo de que aquele produto que todos conhecem é melhor para você. Por quê, se aquele seu sobrinho que cursa economia recomendou algo diferente?

O motivo está no atendimento em escala. Provavelmente, esse gerente é experiente e sabe que, se lhe oferecer um produto que inclua algum grau de risco, a chance de você retornar à mesa dele reclamando da perda de dinheiro com a escolha feita é muito grande. Por isso, o primeiro impulso de venda de seu gerente será lhe oferecer alternativas que agradem à maioria dos clientes. Em um país como o Brasil, em que a maioria dos que investem ainda estão mal acostumados com a previsibilidade e não toleram riscos, a orientação sempre será extremamente conservadora e pouco rentável. Se você já estudou alternativas de investimento mais complexas, sabe que tolera riscos e se sente preparado para ter em sua carteira de investimentos alternativas diferenciadas, terá que convencer seu gerente disso. Após argumentar e demonstrar seu conhecimento, provavelmente você receberá um atendimento diferente, de um profissional que, como todos que gerenciam contas de clientes de bancos, está treinado e certificado para lhe dar as informações básicas até sobre alternativas complexas. Enquanto esse serviço diferenciado não for demandado por você, o atendimento será o mesmo que o oferecido para o cliente médio, tipicamente desinformado.

O mesmo vale para corretores de imóveis. Enquanto há compradores que simplesmente procuram um imóvel, há outros que fazem questão de um imóvel ensolarado, mais silencioso, com vista para a região mais verde e longe da quadra poliesportiva do condomínio. Se você se mostrar encantado com o empreendimento e não demonstrar suas exigências, certamente receberá como alternativa uma unidade imobiliária que dificilmente seria vendida para os mais exigentes. Se demonstrar conhecimento e exigências, o corretor provavelmente irá "ver se pode conseguir alguma unidade já reservada, que teve desistência de outro comprador". Isso é técnica de venda.

Finalmente, não quero deixar de fora uma justificativa para a citada atitude do leiloeiro, que é um profissional que segue uma ética secular de isenção em seu ramo de atuação. Não existe favorecimento explícito. O que costuma acontecer é que alguns freqüentadores de leilões são figuras freqüentes, que já fizeram várias compras e geraram bons comissionamentos ao leiloeiro. Obviamente, essa pessoa é reconhecida entre as demais e a relação entre ela e o profissional embute considerável gratidão. Por isso, não deve ser considerado grave pecado a atitude do leiloeiro quando, diante da escassez de lances para um item que é reconhecidamente uma pechincha, ele olhar para seu cliente fiel e perguntar: "Senhor Cerbasi, algum lance para esta magnífica peça?"

A atitude aparentemente displicente de quem nos presta um serviço nem sempre significa despreparo do profissional, mas sim uma defesa contra o despreparo da maioria dos clientes. Para mudar esse jogo a seu favor, mantenha-se informado, sempre.

## d. Falsas oportunidades

Outros dois grandes obstáculos ao sucesso dos investidores são a ganância e a ingenuidade. Quando combinados, esses defeitos podem ser devastadores não só para um investidor, mas para todos aqueles que também foram incentivados por ele a cometer erros.

Talvez um dos exemplos mais abrangentes, impactantes e marcantes da combinação de ganância e ingenuidade seja a crise do mercado imobiliário norte-americano no segundo semestre de 2007, a chamada crise do *subprime*. Na sede de lucrar mais e mais com a febre da valorização imobiliária, até instituições antes muito respeitadas como a Merril Lynch e o Citibank aceitaram conceder crédito a pessoas cujas capacidades de pagamento já estavam tecnicamente esgotadas, para que essas pessoas utilizassem os empréstimos para comprar imóveis. Esses tomadores, identificados como prováveis caloteiros, aceitavam pagar taxas mais elevadas, pois contavam com a enorme e artificial valorização dos imóveis. O ganho com taxas elevadas era tão intenso que as grandes instituições aceitaram correr o risco. Infelizmente, o risco floresceu com toda sua força quando os imóveis pararam de se valorizar — foi quando os prováveis caloteiros deixaram de ser prováveis, e os bancos deixaram de receber bilhões de dólares.

Essa é mais uma lição, dentre várias, das conseqüências da busca pelo ganho fácil. Se você tiver sorte, talvez até consiga obter rentabilidades incríveis durante alguns meses. Mas é importante manter a consciência de que ganhos fáceis têm vida curta. Se seus projetos de vida começarem a depender da continuidade de rentabilidades incríveis, seu destino pode ser o mesmo do de muitos americanos durante a crise do *subprime*: perda de tudo, inclusive do crédito.

Citei o exemplo norte-americano porque as conseqüências da imprudência impactaram o mundo todo, contribuindo decisivamente para a desaceleração e possível recessão econômica da maior potência do mundo. Mas a combinação de ganância e ingenuidade costuma nos atingir com muito mais freqüência e intensidade do que a maioria das pessoas supõe. De investidores ricos a pobres poupadores, em cidades grandes e pequenas, em países desenvolvidos ou em desenvolvimento, não importa onde e quem, sempre estamos sendo sondados por uma oferta milagrosa de ganhar dinheiro fácil. Quem não tiver o mínimo de discernimento e cautela, cairá na armadilha.

Alguns dos casos clássicos de falsas oportunidades que conhecemos no Brasil são:

## A renda fixa que rende muito mais

Não é pequeno o número de incautos que confiam seu dinheiro a alguém muito conhecido em sua região, bem-sucedido e de confiança, que promete rendimentos certos e pré-fixados bem acima dos juros reais da economia. Fazem isso durante anos, sempre com o fiel cumprimento do prometido pelo generoso multiplicador de riquezas. Na prática, essas pessoas emprestam seu dinheiro a um agiota que atua ilegalmente, prejudica a sociedade com a sonegação de impostos e com a cobrança de juros elevados para descontar antecipadamente cheques recebidos por pequenos comerciantes. Aparentemente, é uma prática normal feita por uma pessoa de bem. Mas, cedo ou tarde, o problema aparecerá quando o agiota for desmascarado em uma operação policial e todo o dinheiro que estiver nas mãos dele for confiscado, sem direito a reclamação de quem se envolveu no esquema ilegal.

## Investimentos "de confiança" no exterior

Investidores que procuram alternativas para diversificar seu risco com investimentos no exterior têm se deparado com consultorias que propõem investir diretamente em fundos no exterior ou a contratar seguros de vida e planos de saúde. Esse tipo de operação é lícita, uma vez que qualquer pessoa pode investir e contratar seguros onde bem entender, desde que siga os devidos trâmites burocráticos. O perigo aparece quando surge a proposta de simplificação dos procedimentos para envio de recursos ao exterior, passando por doleiros, cuja atuação é tão questionável e sujeita a intervenções quanto a dos agiotas. As empresas que negociam tais produtos contornaram a situação permitindo a remessa por meio de cartões de crédito, eliminando uma significativa barreira à venda desses produtos internacionais. Porém, atente e evite especialmente um tipo de serviço cuja divulgação se tornou comum no Brasil, em que profissionais com bom currículo e em escritórios de alto padrão assumem contratualmente o compromisso de administrar recursos que você deve enviar para a conta deles. Via de regra, a promessa é de remunerar o capital do investidor a uma taxa muito superior à das alternativas mais conhecidas do mercado. A prática, conhecida por Mercado Forex (o nome, que vem de *Foreign Exchange*, confunde, pois é adotado para apelidar também atividades lícitas, como compra e venda convencional de câmbio), não é aprovada pela Comissão de Valores Mobiliários[11] e está sujeita às mesmas conseqüências finais para quem lida com doleiros e agiotas. Investimentos regulamentados jamais são feitos com seu dinheiro na conta de terceiros; o bom investimento fica sempre sob o nome do próprio investidor. Na dúvida, quando lhe for oferecido um investimento muito rentável, confira se ele está regulamentado junto à CVM.

## Loteamentos dos sonhos



Construções e loteamentos irregulares ou clandestinos costumam atrair a atenção de investidores ingênuos com certa teatralidade dos estelionatários — estande de vendas, telefone para contato, corretores com credenciais a apresentar — e bons argumentos de venda, como "vista para um bosque preservado", "de frente para o mar", "último terreno disponível na região" e "último oásis da cidade". Sua oferta é comum em regiões que estão na moda ou que já estão saturadas em termos de oportunidades. Os compradores, na ânsia de não perder a oportunidade no dia do grande lançamento, acabam pagando uma entrada e assinando um compromisso de compra e venda que pode vir a ser anulado na justiça. Se o estelionatário realmente tiver más intenções, o pagamento do sinal jamais será recuperado. Se você tiver interesse em investir em regiões remotas ou que passam por grande *boom* imobiliário, consulte antes o órgão competente e responsável pelo zoneamento da região, mesmo que assumindo o risco de perder o negócio.

[11] A CVM é o órgão de governo responsável pela regulamentação e fiscalização dos mercados de investimento. Veja mais no site www.cvm.gov.br.

## A última moda no agronegócio

De tempos em tempos, alguma *commodity* agropecuária ganha destaque nos noticiários pelo enriquecimento desproporcional obtido por seus produtores. Como em todo investimento com negociação em bolsas,[12] produtores de soja, trigo, bois, açúcar, café e similares estudam e administram o risco típico de cada mercado, tentando aproveitar ao máximo os ciclos de alta nos preços e prevenir-se contra os ciclos de baixa. Como em todo investimento, quem conhece mais sobre o negócio consegue investir no momento mais apropriado e lucrar mais. Também como em todo investimento, o sucesso dos bons investidores chega à mídia e acaba despertando a cobiça de investidores menos informados que ignoram a lógica dos ciclos de altas e baixas. Valendo-se dessa sedução despertada pela mídia, surgem negócios que se propõem a viabilizar até ao investidor de poucos recursos e nenhum conhecimento o acesso ao mundo do agronegócio. Diante da oportunidade, investidores que não sabem a diferença entre um boi e uma vaca ou entre um avestruz e uma ema aventuram suas reservas financeiras em algo que não conhecem. O argumento chega a ser convincente: "o senhor é proprietário do bezerro número 57498; se quiser, pode levar seus netos para conhecê-lo e fotografá-lo em nossa fazenda na divisa com a Bolívia!" Alguém vai? Diante do limitado acesso dos confiantes investidores, cria-se a condição adequada para a fraude. Algumas empresas começam a vender animais ou lotes que não existem, contando com o contínuo aumento no preço para sustentar a remuneração dos ingênuos investidores. Basta começar um ciclo de queda nos preços para a corrente de felicidade se quebrar e a bomba estourar. Foi o que aconteceu, no Brasil, com muitos que investiram em boi gordo nos anos 1990 e em avestruzes no início do milênio. O dinheiro investido simplesmente evaporou, pois os animais não existiam ou foram vendidos para mais de um comprador. No agronegócio, pense duas vezes antes de participar de condomínios de novos negócios e compre apenas o que você pode verificar pessoalmente. Ou, então, conte com corretoras registradas na CVM para negociar contratos que representem commodities de qualquer natureza.



•••

[12] Contratos de *commodities* agrícolas são negociados em bolsas de mercadorias e futuros, como a BM&F de São Paulo – www.bmf.com.br.

## Oportunidade para quem fechar agora

Estelionatários existem e atuam nos quatro cantos do mundo. E uma das estratégias mais comuns de quem cobiça o dinheiro alheio é contar com a urgência, para tirar a possibilidade de reflexão e análise da vítima. Argumentos como "se fechar agora eu garanto o preço da tabela antiga" nos atordoam e nos fazem esquecer de checar contratos e validar informações. Negociações rápidas só funcionam para quem está diária e intensamente envolvido com o mercado em que investe, conhecendo todos os vícios e as armadilhas desse mercado.

Ao deparar com oportunidades de ganhos incríveis, a atitude prudente é desconfiar. Todo país tem o seu rendimento que pode ser obtido sem risco, que é medido pelos juros pagos pelos títulos públicos — no Brasil, estabelecido pela Taxa Selic.[13] Ganhos acima desse rendimento só ocorrerão se você assumir riscos e se tiver condições mínimas de administrá-los. Ganho fácil e seguro não existe.

Minha recomendação a quem encontra uma oportunidade que aparentemente é firme e honesta, porém pouco repercutida, é adotar as seguintes providências:

1. Solicitar, para avaliação durante dois ou três dias, o contrato que rege a relação entre o investidor e a instituição ou pessoa que oferece o investimento.
2. Contratar um advogado para analisar o contrato.
3. Levantar, em cartórios e na Internet, as certidões que atestam a idoneidade de quem lhe oferece o investimento. Seu advogado pode lhe orientar sobre quais certidões são suficientes em cada situação.
4. Informar-se sobre o órgão que fiscaliza a intermediação do investimento (CVM e Ancor,[14] para investimentos financeiros; Creci,[15] para investimentos imobiliários; e Sindicato dos Leiloeiros,[16] para



[13] A Taxa Selic é, no Brasil, a taxa de financiamento no mercado interbancário para operações de um dia, ou *overnight*, que possuem lastro em títulos públicos federais, títulos estes que são listados e negociados no Sistema Especial de Liquidação e Custódia, ou Selic. Também é conhecida como taxa média do *over* que regula diariamente as operações interbancárias.
[14] Associação Nacional das Corretoras de Valores – www.ancor.com.br.
[15] Conselho Regional de Corretores de Imóveis – www.creci.org.br.
[16] www.sindicatodosleiloeiros.com.br.

leilões) e consultar o registro, o histórico e eventuais reclamações contra quem lhe oferece a oportunidade.

5. Informar-se sobre qual é o órgão que regulamenta e fiscaliza o investimento propriamente dito (Comissão de Valores Mobiliários — CVM, se investimentos financeiros; Prefeituras e Departamentos de Estradas, se imóveis; e as Secretarias de Receitas nos âmbitos municipal, estadual e federal, se empresas) e pesquisar, junto a esses órgãos, a inscrição e a regularidade da proposta que lhe é feita. Não basta o corretor ser honesto, se o investimento não o for.
6. Procurar contatar alguém que já esteja aproveitando a oportunidade de investimento há algum tempo e solicitar suas impressões sobre a oportunidade.
7. Na escassez de informações, informar-se com um consultor financeiro ou um corretor não relacionado ao investimento em questão, para colher suas impressões sobre a oportunidade.

Sentir dificuldade em obter qualquer das informações acima já é sinal de possível problema. As recomendações lhe soam como um trabalho excessivo? Eu já alertei anteriormente: não existe ganho diferenciado para quem não adota uma atitude diferenciada de investimento. Trabalhar, felizmente, é preciso.



## e. Vícios comportamentais

Não bastassem os obstáculos que temos que enfrentar por falta de conhecimento dos personagens, das gírias, das práticas e dos estelionatários, ainda temos que driblar a mais próxima e discreta inimiga de nossos investimentos: nossa mente e suas manias.

Um ramo da ciência chamado Psicologia Econômica e uma de suas ramificações, chamada Finanças Comportamentais, estudam e tentam explicar comportamentos e decisões aparentemente bem pensados, porém ilógicos do ponto de vista racional ou mesmo matemático. Entre os aspectos estudados estão questões como por que muitos investidores compram ações após grandes altas e por que tantas pessoas investem seu dinheiro em cadernetas de poupança e CDBs apesar da certeza de rendimentos inferiores aos de outros investimentos.[17]

Das pesquisas, os pesquisadores apontam diversas categorias de problemas resultantes de armadilhas da mente, que podem conduzir o investidor a más escolhas e a perdas. Entre elas, estão o excesso de otimismo, o excesso de confiança e a paralisia nas decisões.

O *otimismo* é como um item de série do pacote de investimentos que fazemos. Dificilmente alguém decide colocar uma parte considerável de seu dinheiro se não acredita muito no que está investindo. Quando analisamos o histórico de uma ação, por exemplo, os registros de elevação no preço costumam nos influenciar mais do que os registros de queda. Se um conhecido nosso ficou rico por ter comprado um terreno às margens de uma rodovia e depois vendido para construção de um condomínio, sentimos uma forte propensão a procurar por terrenos em condições semelhantes. Geralmente, ignoramos que um terreno próximo a espaços públicos pode também ser desapropriado para obras de expansão, o que pode resultar em remuneração abaixo da que o mercado ofereceria em uma venda convencional.



O *excesso de confiança* é igualmente perigoso em nossas escolhas. Tendemos a confiar demasiadamente em nossa própria capacidade para tomar decisões. Basta lermos alguns artigos sobre o assunto ou freqüentar um curso básico de investimentos para que passemos a acreditar que somos capazes de escolher ações ou imóveis que terão valorização acima da média do mercado. Obviamente, superar a média do mercado não é tarefa simples. Além disso, essa crença tende a resultar em um comportamento de investimento mais ativo, reflexo da idéia de que uma carteira ativa de ações proporcionará ganhos diferenciados. O que observo é que, quando a estratégia de compras e vendas freqüentes dá certo, a quase totalidade dos diferenciais de ganhos é consumida nos custos decorrentes das transações excessivas.

Talvez como conseqüência do otimismo e do excesso de confiança, ou talvez por falta de confiança em sua capacidade, há quem adote a equivoca-

[17] Sobre o assunto, a pesquisadora de maior destaque no Brasil é a Profª Vera Rita Ferreira, da Universidade de São Paulo, autora de Psicologia Econômica (Coleção Expo Money / Editora Campus).

da estratégia de engessar seu plano de investimentos com base em informações obtidas em um único momento, não tomando o cuidado de revisá-lo de tempos em tempos. Por falta de estímulo suficiente — falta de educação financeira — para seguir um projeto financeiro minimamente ativo para sua vida, a maioria das pessoas não dedica tempo suficiente para refletir sobre a escolha de seus investimentos, nem volta a examinar suas decisões ao longo do tempo. Preferem se manter confiantes naquilo que lhes foi oferecido na época da contratação e com o qual se comprometeram, sem rever a estratégia futuramente. Mesmo Planos de Previdência Privada, que têm o propósito de remunerar suas reservas com escolhas de longo prazo, devem ser reavaliados de tempos em tempos para que você compare o que tem com novas opções oferecidas pelo mercado.

Diante de tantos obstáculos discutidos neste capítulo, espero não tê-lo desestimulado a fazer bons investimentos. Meu objetivo, até aqui, foi o de expor as áridas condições que encontramos por trás da neblina da propaganda — seja ela bem ou mal intencionada — para que, com maior autoconhecimento e reconhecimento dos obstáculos, você possa dar mais qualidade a suas escolhas.

Chamo de obstáculos as dificuldades que existem sem que percebamos, que são incontroláveis, mas que, quando reconhecidas, podem ser evitadas. No próximo capítulo, apresento equívocos que decorrem de nossas escolhas, controláveis e que podem ser evitados. Mais uma vez, lembro que eles fazem parte deste texto não para desestimulá-lo, mas sim para que você domine melhor seu faro para investimentos.

# 3.
# O que não fazer

Muito do conhecimento que tenho e que compartilho com meus leitores, alunos e clientes foi aprendido a partir de reflexões sobre os erros, tanto meus quanto de pessoas que conheci. Mais do que um bom aluno, considero-me um curioso observador que tenta traduzir nas letras as conclusões de suas observações.

Os livros que escrevi anteriormente estimularam milhares de pessoas a me enviarem dúvidas, muitas das quais vieram repletas de exemplos retratando a situação financeira de típicas famílias de todas as classes sociais. Confesso que algumas dúvidas foram tão freqüentes que cheguei a manter uma espécie de manual com respostas semiprontas, as quais eu apenas personalizava os cálculos e comentários de acordo com a situação levantada pelo questionador. Como aconteceu nos livros anteriores, chegou um ponto em que responder a todas as dúvidas tornou-se uma tarefa humanamente impraticável, e então resolvi escrever um livro sobre aquelas mais freqüentes, exatamente este que você tem em mãos.

Para não perder o costume, decidi apresentar algumas de minhas conclusões a partir dos erros que encontrei com maior freqüência, entre as perguntas que recebi. Há alguns pitorescos, mas há também atitudes tão comuns que sequer são percebidas como erros pela maioria das pessoas. Leia a seguir e entenda o que quero dizer.

## a. Ter uma única fonte de renda

> Meu marido e eu contamos apenas com a renda dele, que é pouca, mas suficiente para manter nossa família com as contas em dia. Como eu me dedico apenas ao nosso lar e aos nossos filhos, pensamos em conciliar a rotina de casa com a carreira de investidora, para ajudar a garantir nosso futuro. Por onde devemos começar?
>
> RENATA P., RIBEIRÃO PIRES/SP

Não é o propósito deste livro tratar de planejamento financeiro ou familiar — isso já foi feito em outras publicações minhas.[18] Porém, abro um pequeno parêntese para explicar que investir só faz sentido quando é parte de um projeto de vida de longo prazo e/ou quando o dinheiro sobra de maneira convincente, seja como um bônus, seja como uma parcela conhecida e regular dos rendimentos da família — sugiro algo em torno de 15% da renda, pelo menos.

A dúvida apresentada pela Renata apresenta dois aspectos que expõem o projeto de investimento a uma fragilidade extrema: a dependência da renda do marido, que é considerada apertada para manter a família, e a crença de que se dedicando a investimentos de pequeno valor é possível obter algum complemento de renda.

Com uma família inteira dependendo de uma única fonte, há motivos suficientes para que os investimentos sejam a última prioridade da família. Com o provedor sujeito a adoecer, a ser demitido, a sofrer acidentes e a não ter de onde tirar dinheiro em caso de emergência, o dinheiro poupado durante muitos meses será apenas para constituir uma reserva de emergência da família. Como a reserva de emergência deve ser investida com segurança e liquidez — e a Caderneta de Poupança é uma boa pedida —, não se justifica ter uma "investidora" cuidando dessa reserva, pois não há decisões a tomar.

•••

[18] *Dinheiro, os segredos de quem tem trata de um modelo de planejamento financeiro pessoal. Casais inteligentes enriquecem juntos* aborda o planejamento financeiro das famílias ou daqueles que dividem um mesmo teto. *Filhos inteligentes enriquecem sozinhos* discute o planejamento da educação financeira dos filhos. Os três livros foram publicados pela Editora Gente.

Pior: se a Renata acredita que poderá incrementar o consumo da família com investimentos que vêm das pequenas sobras de uma renda apertada, certamente irá se decepcionar em pouco tempo.

Para quem está começando um projeto de investimentos agora, é importante saber que muitos meses ou anos de esforço serão necessários até que se forme uma massa de recursos da qual se justifique retirar renda. Por exemplo, se a família da Renata decidisse poupar R$ 100 mensais, muito tempo teria que decorrer até eles somarem uma reserva no valor de uma casa, suficiente para comprar um imóvel e gerar uma renda complementar de aluguel.

Esse argumento tem uma ressalva. É possível sim obter renda a partir de pouco dinheiro disponível. Por exemplo, se um indivíduo tem R$ 500 e não sabe como multiplicá-los, uma boa dica é convidá-lo a fazer pequenos negócios lucrativos, como comprar produtos ou equipamentos que possam ser revendidos por R$ 600. Revendedoras de empresas de cosméticos, por exemplo, contam com margens da ordem de 20 a 30% de cada item vendido. Se, para facilitar e aumentar as vendas, uma vendedora decide comprar por conta própria seu "mostruário ambulante", poderá fazer muitas vendas por impulso para aquelas clientes que gostam de aproveitar a facilidade de sair com o produto na mão, em vez de encomendar.

Outro exemplo está no mercado financeiro. Muitos jovens já perceberam que é possível fazer alguma renda a partir de um pequeno capital. Com R$ 10 mil na conta, por exemplo, um jovem com bons conhecimentos em ações, opções e seus mercados e um bom apetite para o risco pode negociar opções ou ações em operações de *day-trade*[19] e lucrar com facilidade uma margem entre 2 e 5% do valor da operação. Porém, essa estratégia exige grande conhecimento de economia e finanças, além de extremo autocontrole para não ceder à ganância e aumentar o nível de risco. Pessoalmente, não recomendo tal estratégia nem a investidores inexperientes, nem mesmo a jovens experientes.

A estratégia que eu recomendaria à Renata e a todos que pensam em investir, mas esbarram na apertada renda é: invista no aumento da renda.



[19] Compra de uma oportunidade e venda no mesmo dia, para embolsar o lucro antes mesmo de ter que desembolsar o investimento.

É melhor cursar uma especialização, montar um pequeno negócio, cursar um mestrado, cozinhar para fora (e atividades semelhantes), escrever um livro ou montar um site de negócios na Internet. A segunda renda, ou uma parte significativa dela, poderia ter como destino seus investimentos, dando mais tranqüilidade às finanças da família.

Já acompanhei casos interessantes de pessoas que adotaram suas estratégias e, sem se acomodar, estabeleceram objetivos arrojados para seus investimentos, como um curso no exterior ou a compra de um carro. A vontade de conseguir investir para alcançar os objetivos gerou tamanha motivação para o negócio secundário, que este cresceu e se tornou o principal negócio da família. Foi exatamente o que aconteceu comigo e com meus livros, diante da possibilidade de contar com a renda deles para multiplicar minha independência financeira.

## b. Esperar sobrar dinheiro

> Estou para receber um bônus de R$ 6 mil e gostaria de saber como investi-lo da melhor maneira para alcançar minha independência financeira.
>
> ALEXANDRE B., CHAPADÃO DO SUL/MS

A simples e objetiva pergunta do Alexandre pode ocultar dois graves erros de percepção sobre investimentos. Primeiro erro, o de que é possível fazer mágica. R$ 6 mil não são grande fortuna — mesmo que pareçam, quando a pessoa não está acostumada a ver em sua conta sobras desta magnitude — e, por isso, não podem mudar muito a vida do investidor. Se esse dinheiro for investido em algo que proporcione ganhos médios de, digamos, 0,8% ao mês (um ótimo ganho, se já estiver descontada a inflação e os impostos), e for esquecido durante 20 anos, ao final deste período o investidor terá acumulado apenas cerca de R$ 40 mil. Suficientes para garantir uma aposentadoria perpétua da ordem de R$ 320 mensais, se o dinheiro for mantido na mesma aplicação e o rendimento se mantiver em 0,8% ao mês. Se contar com 30 anos, terá ao final deste prazo cerca de R$ 106 mil (renda perpétua da ordem de R$ 850), nada que proporcione uma aposentadoria digna.

O segundo erro a ser identificado está na idéia de que é razoável esperar sobrar algum dinheiro na conta para começar a investir. O dinheiro que é investido de maneira eventual precisa apenas de uma desculpa eventual para ser desinvestido. Se realmente se transformar em investimento, terá sido por obra do bom acaso ("Oba! Não aconteceram acidentes para impedir-me de poupar!") e não do sacrifício disciplinado do investidor. Será um investimento desprovido do sentimento de construção, que tanto orgulha o construtor. Por isso, a receita que melhor funciona para planos de longo prazo é a regularidade. Siga um plano de poupar regularmente um valor que saia de seu orçamento e que você sabe que corresponderá a um tijolo importante de seu grande castelo da fortuna.

Minha sugestão para o Alexandre seria a de direcionar a entrada dos R$ 6 mil para acessar um bom fundo de investimentos, e aproveitar o grande momento da "Inauguração do Planejamento Financeiro do Alexandre" para sentar-se, fazer as contas, mudar hábitos e começar a poupar regularmente, todos os meses, seguindo uma estratégia de longo prazo com objetivos mais interessantes.



## c. Contar com muitas instituições para gerenciar sua riqueza

> Tenho contas-correntes em cinco bancos, e estou pensando em fechar uma delas. Estou em dúvida, pois cada banco me oferece vantagens em um produto diferente: um me dá o melhor cartão, outro os melhores fundos, outro a melhor corretora, outro o melhor serviço pela Internet e o último tem um limite de crédito e um atendimento de agência do qual não abro mão. Qual a sugestão?
>
> LUCIANO G., VOLTA REDONDA/RJ

Enquanto você não se decidir por quem será seu parceiro na construção de seu patrimônio, continuará recebendo o mesmo atendimento medíocre que a maioria dos correntistas de bancos recebe. Com conta aberta em diversos bancos, você não é um bom cliente para nenhum deles. Todo banco gostaria que você utilizasse apenas os serviços oferecidos por ele, do cartão de crédito aos investimentos, do limite do cheque especial ao pagamento de contas. Mantendo-se como um cliente que utiliza apenas o produto mais competitivo do banco, seu nível de relacionamento estará longe do necessário para conseguir cobrar do banco isenções de tarifas, atendimento mais eficiente e soluções diferenciadas.

O ideal é manter apenas uma ou duas contas, optando pelas instituições que, na média, oferecem as soluções mais interessantes para sua necessidade. Conte pontos extras para a qualidade do atendimento pelo canal que você utiliza, seja ele telefone, agência ou Internet. Na falta de um serviço que outro banco ofereça, as instituições que se esforçam por atendê-lo melhor sempre terão alguma maneira de compensar a deficiência em relação ao concorrente.

O mesmo raciocínio vale para corretores de imóveis. Se você faz negócios freqüentemente e seus corretores sabem que estão sempre concorrendo com outros corretores, jamais lhe será oferecido um serviço diferenciado. Ao concentrar a maior parte de seus negócios com o corretor que lhe atenda com mais eficiência, provavelmente você verá essa eficiência se multiplicar, tendo um verdadeiro agente particular a seu dispor.



## d. Contar com uma única instituição para gerenciar sua riqueza

> Todo meu relacionamento bancário está no banco X. Cartões, corretora, fundos, previdência e seguros, sempre os contratei através de meu gerente.
>
> Edson R., Florianópolis/SC

Nem oito, nem oitenta. Ao concentrar tudo em uma única instituição, você perde as referências de mercado e pode estar assumindo custos maiores do que teria em outras instituições. Por mais que seu banco lhe ofereça um bom atendimento, é interessante que você consulte outros fornecedores de tempos em tempos para verificar se o bom atendimento não decorre apenas da boa remuneração que você gera para a instituição.

À medida que seu patrimônio cresce, serviços especializados passam a se tornar acessíveis e com custo menor do que o oferecido pelas grandes instituições de varejo. Exemplos: seguros passam a ser mais bem avaliados por corretores independentes; fundos mais baratos e não menos eficientes podem ser contratados junto a corretoras e agentes autônomos; corretoras de valores sem vínculo direto com grandes bancos costumam cobrar menos pela corretagem ou oferecer serviços com um nível de personalização inimaginável em uma instituição de varejo.

Para seus investimentos, mantenha ao menos uma conta em um banco e contas em duas corretoras de valores. Corretoras não cobram tarifas para você se manter cadastrado junto a elas. Caso seus investimentos se concentrem em um banco, mantenha uma segunda conta-corrente "de serviço", aquela que terá o cartão de saque em sua carteira. Caso seu cartão seja solicitado por algum amigo do alheio, é desta conta que você deverá fornecer, para manter seu patrimônio protegido.

## e. Querer começar grande



> Queria saber como começar a investir em ações por meio de corretoras. Sei que poderei poupar, todos os meses, entre R$ 200 e R$ 300.
>
> Cecília H., São Paulo/SP

Administrar sua própria carteira de investimentos para evitar as tarifas e taxas de bancos, fundos e planos de previdência nem sempre resulta em ganhos maiores. Não estou negando que, para quem tem pouco dinheiro, as taxas cobradas por gestores de fundos e seguradoras são altas demais — são mesmo! Porém, o pequeno investidor deve entender que está pagando um elevado preço para contar com uma estratégia de investimento que, provavelmente, ele não conseguiria conduzir com base apenas em suas decisões pessoais. Pela elevada taxa de administração que paga, por exemplo, ao gestor de um fundo de ações, o pequeno investidor contará com um profissional para selecionar as empresas em que ele investirá, diversificando seu risco entre dezenas de papéis (se uma empresa quebrar, o impacto pode ser muito pequeno no patrimônio do investidor) e ainda não precisará ter dor de cabeça para controlar seus investimentos e o imposto a pagar.

Por sua vez, se abrir uma conta em uma corretora para comprar ações, aquele que tem R$ 200 para investir terá que adicionar à burocracia de seu dia-a-dia a papelada adicional do relacionamento com mais uma instituição financeira; terá que decidir, com pouca ajuda, em qual ação investir; pagará taxas de corretagem proporcionalmente elevadas para o valor investido e ainda terá que se virar para recolher impostos ou justificar para a Receita Federal o não recolhimento. Todo esse trabalho extra, para ganhar alguns centavos a mais do que ganharia se estivesse com fundos (afinal, se a quantia aplicada é pequena, o rendimento é pequeno).

A vantagem dos produtos populares é real, e deve ser aproveitada até que o pequeno investidor acumule recursos suficientes para acessar produtos diferenciados. Quem tem pouco dinheiro deveria contar com a praticidade dos Fundos de Investimento. Quer investir em ações? Vá para o fundo de ações que seu banco oferece! Seu contracheque apresenta retenção de Imposto de Renda na fonte? Não pense duas vezes antes de contratar um PGBL! Como citei no Capítulo 1, até Títulos de Capitalização podem ser um bom negócio para quem está começando.

O mesmo raciocínio vale para imóveis. Você acredita que o mercado imobiliário tende a se valorizar muito? Não tem dinheiro para comprar uma unidade imobiliária só sua? Pesquise, então, as dezenas de fundos imobiliários disponíveis no Brasil, cujas cotas costumam ser negociadas na Bolsa de Valores de São Paulo. Com pouco dinheiro, você poderá ter a segurança e a rentabilidade do mercado imobiliário, e ainda contar com a vantagem de não pagar imposto de renda sobre seu lucro. Esse assunto será tratado em detalhes no Capítulo 10.

## f. Poupar, em vez de investir

> Estou trabalhando no Japão e mando, todos os meses, cerca de dois mil dólares para meus pais, que estão no Brasil. Faço isso há quatro anos, e eles vêm comprando terrenos, para dar segurança a meu pa-

trimônio. Tenho dúvidas se os terrenos realmente me dão segurança e se irão se valorizar no período em que eu estiver por aqui. Há algum caminho melhor?

Antônio P., Morrinhos/GO

Poupar com a ilusão de que se está investindo é um equívoco clássico. Por falta de tempo, conhecimento ou afinidade com o assunto, não damos a devida importância ao que já conquistamos, preferindo concentrar-nos totalmente no que ainda não temos. Considero um investimento e seus rendimentos futuros uma conquista antecipada, pois, com o devido controle dos riscos, a probabilidade de atingirmos nossos objetivos é bastante elevada. Por outro lado, não considero a renda que um trabalhador assalariado irá receber nos próximos meses uma conquista, pois diversos motivos podem tirá-lo do emprego.

Os brasileiros que trabalham no exterior são o exemplo perfeito do que quero dizer. Muitos assumem jornadas duplas de trabalho ou aceitam fazer muitas horas extras para ganhar mais, e sacrificam ao extremo seu lazer, sua alimentação, sua vida social e suas condições de vida, visando poupar mais. As gordas remessas enviadas mensalmente ao Brasil não vêm apenas do suor do trabalho, mas também da perda da saúde, dos relacionamentos e da juventude. Quando chegam aqui, são confiadas a familiares de muita confiança, mas com pouco conhecimento sobre investimentos, o que faz com que esse dinheiro se multiplique em um ritmo bem inferior do que poderia ser multiplicado, considerando seu objetivo de longo prazo. Se o dinheiro enviado fosse colocado para trabalhar com eficiência, Antônio poderia enviar menos dinheiro e, mesmo assim, conquistar o mesmo objetivo que conquistaria com a estratégia atual. Isso permitiria a ele consumir uma parte maior de sua renda no Japão, fortalecendo sua qualidade de vida e absorvendo mais intensamente a rica cultura oriental.



## g. Ter um único investimento

A única reserva que tenho está em ações da Petrobras, que comprei há algum tempo com os recursos de meu FGTS. Estou superfeliz, pois o que investi se multiplicou por 12, após sete anos. Receberei minha restituição de Imposto de Renda e estou pensando em investir mais em Petrobras, é uma boa idéia?

JOANA B., OSASCO/SP

Alguma dúvida de que a Petrobras é uma ótima empresa para investir? Empresa de petróleo, com tecnologia de ponta, ainda em fase de descoberta de reservas em sua área de exploração, comercializando uma *commodity* com preços em longa tendência de elevação (ao menos até 2008) e apresentando lucros substanciais e crescimento substancial, ano após ano. Conta também com defeitos, como o fato de ser controlada pelo governo brasileiro. Toda empresa de petróleo sofre forte interferência do governo de seu país, mas não podemos relevar o fato de que o governo que interfere na Petrobras é o brasileiro, com seus vícios de ineficiência e corrupção. Apesar da ressalva, é tão difícil encontrar alguém insatisfeito por ter comprado ações da Petrobras quanto alguém que recomende não comprá-las nos próximos anos. O negócio é inegavelmente bom. Mas o investidor deve estar preparado para sofrer com oscilações significativas no preço do papel.

Porém, isso não quer dizer que você deve investir tudo o que tem em ações de uma empresa como a Petrobras. Nem em um imóvel comercial na Avenida Paulista ou em uma casa na praia. Muito menos em um negócio próprio! A mais básica das lições financeiras deve datar dos tempos das cavernas e nos diz: *nunca ponha todos os seus ovos em uma única cesta*. Se ela cair, você perde tudo.

As maiores empresas brasileiras são fantásticas, mas são administradas por seres humanos que, por sua vez, são falíveis e corruptíveis. Mesmo uma grande empresa pode quebrar. E isso vale para empresas brasileiras, norte-americanas, suíças, japonesas e angolanas. Um imóvel comprado na planta pode ter sua obra embargada. Um bom ponto comercial pode se tornar um ponto decadente, um verdadeiro mico. Uma pequena empresa pode, simplesmente, não decolar. Por isso, quando se trata de montar uma estratégia de investimentos, não se esqueça de diversificar.

## h. Sonegar impostos

> Ouvi dizer que a Receita Federal ainda não faz o cruzamento de dados entre as declarações dos contribuintes e os relatórios gerados pelas corretoras de valores. Se eu ficar sem recolher os 15% de impostos sobre o lucro da venda de ações, terei algum problema?
>
> CLAUDEMIR D., FOZ DO IGUAÇU/PR

Sobre impostos, é preciso ser muito objetivo: se você os deve, pague-os, por maior que seja o trabalho e a burocracia para manter-se em dia com o governo de seu país. Essa é a receita para boas noites de sono tranqüilo. Se os impostos que pagamos são injustos ou não — eu acho que são —, isso é assunto para ser resolvido nas eleições, e não na declaração do Imposto de Renda. Mas as conseqüências do não cumprimento das obrigações fiscais pesam tanto no bolso quanto na honra de muitas famílias. Ao sonegar, você nunca terá a certeza de que o castelo de sonhos que você construiu estará de pé ou não no dia seguinte. Acredito que ninguém gosta de sequer pensar na idéia de ser chamado a prestar contas. Da noite para o dia, uma carta debaixo de sua porta pode lhe tirar títulos nobres como "pai/mãe", "marido/esposa", "empresário(a)" e lhe conferir simplesmente o título de "criminoso(a)". Não vale a pena.



*Se os impostos que pagamos são injustos ou não — eu acho que são —, isso é assunto para ser resolvido nas eleições, e não na declaração do Imposto de Renda.*

Se a Receita Federal cruza ou não dados aqui ou acolá, ou quando passará a cruzar, dificilmente você ficará sabendo. Melhor não saber da pior forma. Por isso, tente se consolar com meu ponto de vista: quanto mais você ganhar, mais impostos pagará; sonhe, portanto, com o dia em que você pagará impostos milionários a nosso governo. Só não espere nada em troca...

## i. Contribuir desnecessariamente para o INSS

> Estou contribuindo para o INSS pelo teto do valor de contribuição, para assegurar uma renda maior para minha aposentadoria. Conto também com um Plano de Previdência Privada oferecido pela empresa, no qual contribuo com 5% de meu salário e a empresa aplica outros 5%. Estou agindo corretamente?
>
> HIDEO T., MOSSORÓ/RN

O Instituto Nacional do Seguro Social, ou simplesmente INSS, é o mecanismo público que assegura aos trabalhadores brasileiros benefícios como o seguro-desemprego, a licença-maternidade e a aposentadoria. Apesar da dificuldade em arrecadar mais do que paga, estudos mostram que o INSS é viável segundo o atual modelo e que ele não deve quebrar tão facilmente como se supunha. Principalmente porque ações conjuntas da Procuradoria Pública, do Ministério da Previdência e da Polícia Federal vêm desmascarando diversas fraudes contra o sistema nos últimos anos, o que dá maior segurança ao trabalhador que conta com esse auxílio público. Em outras palavras, afirmo que não há motivos para duvidar da solidez do INSS. A economia cada vez mais pujante assegura a capacidade de o governo efetuar pequenas correções de rumo no sistema, se necessário.

Por outro lado, não há motivos também para contar com o sistema de previdência pública no Brasil. O mecanismo de acumulação é extremamente ineficiente e a poupança produzida por cada trabalhador é do sistema, e não individual. Isso exige que confiemos na instituição pública pelo resto de nossa vida, o que não faz o menor sentido no Brasil. Se o mesmo recurso que você direciona hoje ao INSS fosse investido de maneira conservadora em fundos de renda fixa ou planos de previdência privada, seu dinheiro se multiplicaria com maior eficiência, segurança e previsibilidade e, nas últimas décadas de sua vida, seria só seu. Mesmo que você confie e se satisfaça com o modelo da previdência pública, sua renda não estará assegurada na aposentadoria. Se contribuir pelo valor máximo (o chamado "teto"), começará a receber uma aposentadoria que será corrigida, ano a ano, por um índice de inflação muito aquém da realidade dos idosos.[20] Ano após ano, o aposentado verá seu poder de compra cair, convergindo para o mínimo pago pelo INSS, que é o salário mínimo — aquele mesmo, que mal paga uma cesta básica.

*Quando você tiver direito a uma aposentadoria pelo INSS, doe-a para alguém querido que confiou apenas na proteção pública.*

Por esse motivo, contribuir para o INSS com cotas maiores do que o mínimo que lhe é imposto é um equívoco daqueles que contam com a Previdência Privada e outras modalidades de investimento. A contribuição coerente para o INSS é a mínima, porque a única garantia que teremos é o salário mínimo. Se você tem mais a poupar, contrate um Plano de Previdência Privada. Se pensou no seguro-desemprego, sugiro não contar com ele; faça sua própria reserva de emergências, equivalente a poupar três ou quatro meses de consumo de sua família — este dinheiro estará rendendo e se multiplicando. Seguindo os conselhos deste livro, provavelmente você nem precisará de um salário mínimo vindo do governo. Fica a sugestão: quando você tiver direito a uma aposentadoria pelo INSS, doe-a para alguém querido que confiou apenas na proteção pública. Essa pessoa querida estará precisando muito desse dinheiro.



## j. Manter o FGTS intocável

> Além do patrimônio que descrevi, tenho também um saldo no FGTS, mas esse eu nem considero em minhas contas.
>
> George S., Londrina/PR

[20] Segundo medições feitas por institutos de pesquisa, a inflação típica de consumidores da terceira idade é sensivelmente superior aos índices de inflação mais utilizados, como IPC-A e IGP-M.

Devemos considerar sim o saldo do Fundo de Garantia por Tempo de Serviço em nosso planejamento pessoal. Não porque você possa contar com ele a qualquer momento, mas sim porque, ao desprezá-lo, você pode estar deixando uma pequena fortuna muito mal aproveitada, rendendo menos do que a Caderneta de Poupança, quando poderia estar rendendo de maneira mais eficiente — e, conseqüentemente, melhorando sua segurança — em um investimento.

Não são muitas as hipóteses que permitem o saque de seu saldo no FGTS. Basicamente, você contará com essa reserva em caso de perda de emprego ou na compra de seu primeiro imóvel próprio.[21] De tempos em tempos, o governo brasileiro analisa a possibilidade de utilizar recursos do FGTS para determinados investimentos, como aconteceu para a compra de ações da Petrobras e da Vale durante o processo de privatização dessas empresas. Muitos achavam que a permissão para comprar ações era uma forma de o governo dar ao povo o direito de manter-se sócio das empresas que, até então, "eram do povo". Na prática, o que definiu se o FGTS poderia ser usado ou não para a compra de ações foi a grande certeza que o governo tinha de que aquelas empresas, quando privatizadas, só tenderiam a melhorar. O FGTS rende pouco, mas é seguro. Jamais um governo colocaria em risco a segurança já garantida de seus trabalhadores. Por isso, sempre que você ouvir falar da autorização de uso do FGTS para qualquer finalidade, aproveite — isso será uma espécie de dica de investimento das autoridades financeiras do país.

Por outro lado, sempre que você tiver uma boa oportunidade para sacar seu saldo no FGTS, faça-o. Seja para a compra da casa própria, seja para a mudança para uma casa maior. O acúmulo de um grande saldo em sua conta na Caixa Econômica[22] pode ser usado como um aviso de que você tem em mãos a oportunidade de melhorar o padrão de sua moradia. A liberação do saldo será viável se a moradia atual for vendida e o saque for solicitado para ajudar a pagar a moradia seguinte.



[21] Há um valor máximo para utilização do FGTS e, se o imóvel custar acima desse valor, não será possível efetuar o saque do fundo.

[22] A Caixa Econômica Federal é a instituição responsável pela administração do FGTS.

## k. Não aproveitar as vantagens de um PGBL

> Pensei em contratar um Plano de Previdência Privada, e me recomendaram um PGBL. Mas, quando reparei nas absurdas taxas de administração e carregamento do plano, desisti e investi em um fundo de renda fixa.
>
> João C., Porto Alegre/RS

Um Plano de Previdência Privada não é barato. Principalmente no Brasil, em que ainda é um produto utilizado por uma minoria da população. No início de 2008, menos de 20% dos brasileiros contavam com um PGBL ou com um VGBL. Quanto mais se popularizarem, maior será a oferta de produtos com taxas de administração e carregamento menores.

Porém, as vantagens oferecidas por um Plano Gerador de Benefícios Livres são para ser desperdiçadas por poucos. Uma das vantagens é a tributação reduzida a apenas 10% após dez anos de plano, para quem optar pela tributação regressiva. Investimentos convencionais sofrem a alíquota de 15%, salvo algumas exceções que abordarei adiante. OK, a maior parte dessa vantagem desaparece na taxa de carregamento, que é a mordida que o plano dá a cada aplicação feita pelo poupador. Mas essa taxa varia muito de plano para plano, existindo tanto planos com taxa igual a zero, quanto planos que cobram mais de 10%.

Porém, a conta a ser feita não é a de qual alternativa rende mais ou menos, ou qual custa mais caro. A maior vantagem de um PGBL está no fato de que toda pessoa física que tem seu Imposto de Renda retido na fonte ou que faz sua declaração de ajuste anual para a Receita Federal pelo modelo completo tem o direito de deduzir em até 12% o valor de sua receita tributável anual se aplicar esses 12% em um PGBL. Em outras palavras, quem tem uma renda de R$ 100 mil pode pagar imposto de renda apenas sobre R$ 88 mil, se aplicar os outros R$ 12 mil. Na prática, deixa-se de pagar imposto sobre a renda que foi aplicada, o que é o mesmo que aplicar um dinheiro que nunca mais seria seu, se fosse para os cofres do governo. Esse imposto será cobrado lá na frente, quando você resgatar o que tiver conquistado, mas perceba que você terá multiplicado por muitos anos um dinheiro que não teria em outra condição. No capítulo 9, tratarei de estratégias com Planos de Previdência e mostrarei, com cálculos, como a contratação de um PGBL é vantajosa.

## l. Hiperatividade ou giro excessivo nos investimentos

> Trabalho no computador e minha estratégia é ficar plugado em meu *homebroker* durante o expediente e acompanhar o mercado. Tenho conseguido faturar uma média de 2% de ganhos por dia em operações de *day-trade*, um ótimo negócio.
>
> GERALDO M., TERESINA/PI

Mergulhar no mundo dos investimentos e ficar totalmente conectado, aproveitando as oscilações para lucrar com operações de *day-trade* e vícios do mercado é uma atividade extremamente prazerosa. Sim, a adrenalina corre no sangue daqueles que vivem intensamente o mercado de ações e de *commodities*. Porém, se o investidor se esquecer de contabilizar corretamente seus investimentos, custos e ganhos, poderá não se dar conta de que tem muitas despesas com os custos de transação, decorrentes das freqüentes negociações. A começar pela tributação, que é maior para lucros em operações de *day-trade* (20% do lucro, contra 15% em operações tradicionais), inclui-se o fato de que cada transação implica corretagens e emolumentos.[23] No acumulado, esses custos puxam sensivelmente para baixo a rentabilidade da carteira de investimentos. Uma estratégia mais passiva, sem tentar bater a média do mercado, implica não precisar dedicar tanto tempo às notícias econômico-financeiras, dispensar relatórios de análises complexos e pagar menos custos nas operações. A economia não é pequena, se você considerar tanto seu tempo quanto seu dinheiro, recursos escassos e preciosos.



[23] Corretagem é a remuneração da corretora de valores, enquanto os emolumentos são os custos cobrados pela bolsa e pela câmara de liquidação e custódia.

Não confie cegamente em seus corretores, sejam de imóveis, sejam de ações. Um dos interesses desses profissionais é incentivá-lo a negociar mais freqüentemente para que eles lucrem com cada compra e venda sua. Isso não quer dizer que eles não sejam competentes e capazes de lhe dar orientações eficientes e brilhantes. Mas, acredite, eles sempre terão a lhe oferecer uma fantástica e lucrativa estratégia envolvendo compras e vendas freqüentes e geradoras de mais comissões. É possível que uma estratégia dessas seja muito lucrativa? Sim, é possível. Mas, para obter ótimos resultados para você e para seu corretor, provavelmente você terá que dedicar bastante tempo ao aprendizado e acompanhamento de seus investimentos. Ainda bem, que, como dizem os *traders*, essa atividade dá prazer.

## m. Paralisia nos investimentos

> Meus investimentos são de longo prazo. Por isso, procuro não dar muita atenção a eles, para não ficar preocupado.
>
> CRISTIANO C., NOVA LIMA/MG



Investimento de longo prazo não é a mesma coisa que investimento passivo, muito menos investimento negligente. Se seus objetivos são de longo prazo, você deve acatar recomendações e análises que indiquem opções com boas perspectivas de sucesso no longo prazo. Porém, não acredite que essas recomendações são eternas. Dificilmente uma boa solução atual para seu dinheiro continuará sendo boa daqui a trinta anos. Investir com visão de longo prazo significa seguir grandes tendências, olhar de longe e ignorar turbulências momentâneas. Mas o investidor de longo prazo deve se dedicar à revisão de sua estratégia de tempos em tempos, ao menos uma vez por ano, para refinar suas escolhas e substituir os ativos que não vêm se desempenhando bem. Também é interessante cultivar o hábito de colher lucros, rebalanceando[24] sua carteira quando determinado investimento render muito mais do que outros e resultar em uma concentração muito grande de sua riqueza. Lembre-se da teoria dos ovos na cesta!

[24] O rebalanceamento será explicado em detalhes no Capítulo 4.

A paralisia nos investimentos não decorre apenas do excesso de tranqüilidade. Há também quem fique paralisado porque não sabe como investir. Se sua carteira de investimentos lhe proporciona muitos momentos de angústia e indefinição, provavelmente é porque você escolheu uma maneira de investir muito complexa para sua capacidade de administrá-la. Talvez um pequeno passo atrás possa lhe dar mais tranqüilidade e segurança. Por exemplo, em vez de manter o investimento em uma loja em um ponto comercial, por que não vendê-la e comprar dois imóveis residenciais pequenos? Em vez de operar ações por meio de corretoras, por que não fazê-lo por meio de um fundo? Você pode começar a investir com somente alguns princípios básicos, optando por alternativas de investimento mais simples, enquanto vai estudando mais sobre alternativas mais complexas.

## n. Alavancagem com possibilidade de perda

> Vejo que o mercado de ações está indo muito bem, rendendo mais de 2% ao mês. Também observei que aqueles que compram um apartamento na planta e o pagam durante a construção, conseguem lucros da ordem de 40% sobre o valor de compra, após dois anos. Com base nisso, pensei em aproveitar uma linha de crédito de minha cooperativa, na qual pago 1,5% ao mês de juros, para tomar dinheiro emprestado e investir em uma dessas alternativas. Meu raciocínio está correto?
>
> ESTEVAN H., BELO HORIZONTE/MG

Tomar dinheiro emprestado para investir, o que é chamado de investimento alavancado, é uma das mais arriscadas estratégias de enriquecimento. Sem dúvida, pode proporcionar ganhos diferenciados, mas é a que mais causará perdas quando suas expectativas — aliás, especulações — não se concretizarem. Foi porque muitos norte-americanos tomaram recursos emprestados a juros elevados, contando com a valorização dos imóveis que compravam, que aconteceu a crise do *subprime* e a recessão norte-americana no início de 2008. De repente, começou-se a falar que os imóveis estavam caros, as pessoas começaram a deixar de comprar e os endividados ficaram sem ter como liquidar suas dívidas.

Trata-se aqui de tentar ganhar dinheiro investindo recursos que não são nossos. Se o investimento vingar ou não, temos que pagar tanto o que tomamos emprestado quanto os juros da operação. A pior situação é quando compramos, com o dinheiro emprestado, um ativo por um preço e o revendemos por um preço menor.

A estratégia até pode ser considerada válida quando o investidor está negociando um valor pequeno, se comparado com seu patrimônio total. Mesmo assim, tornar-se um devedor certo para viabilizar um investimento duvidoso, especulativo, vai na contramão da racionalidade. O correto seria correr atrás de um empréstimo quando você tem em mãos um negócio de lucro certo (contrato na mão, venda garantida), mas não tem o dinheiro para acioná-lo. Quanto mais incerto o ganho, menos recomendável é a alavancagem.

Uma observação importante: quando um empresário toma um empréstimo para injetar recursos em seu negócio próprio, ele está se alavancando e assumindo o risco de não vender. A estratégia é equivocada? Não, se ele tiver sob controle os diversos aspectos de risco do mercado em que atua.

---

*Se informação fosse o único ingrediente importante, todos os milionários de nosso país teriam pós-graduação e aqueles com escolaridade baixa estariam relegados à pobreza.*

---

•

São tantos os exemplos de dúvidas e opiniões que podem embutir armadilhas e equívocos, que eu poderia escrever mais de uma centena de páginas nessa linha. Mas, preferi me ater aos casos mais freqüentes, que surgiram ao menos uma dezena de vezes entre as dúvidas que recebi. O fato é que investir é uma atividade igualmente rica em oportunidades e ameaças, daí a razão de eu continuamente sugerir a informação como principal pilar de seu sucesso.

Porém, se informação fosse o único ingrediente importante, todos os milionários de nosso país teriam pós-graduação e aqueles com escolaridade baixa estariam relegados à pobreza. Felizmente, não é o que observamos. Investir é uma arte, e o investidor precisa desenvolver sua técnica, como faz todo artista. É para escrever sobre esta arte que dedico o próximo capítulo.

# 4. A arte de investir — Qualidades do bom investidor

Quando eu era pequeno, desenhava muito bem. Não eram traços excepcionais, de um grande desenhista, mas eu conseguia expressar no papel qualquer coisa que desejasse, fosse um veículo, um animal, uma caricatura ou uma história em quadrinhos. Foi naquela época que eu ouvi muito falar em dons. "Gustavo tem o dom para o desenho." Na época, eu até acreditava em minha capacidade superior para desenhar, pois realmente esbanjava talento diante dos traços simples de meus colegas de classe.

Porém, por volta de meus treze anos de idade, tive que optar entre manter as aulas de natação ou as aulas de desenho. As duas juntas eram inviáveis, pois havia sido convidado a integrar a equipe de natação de meu clube. Entre meu dom de desenhar, no qual era muito bom, e a prática da natação, na qual eu era medíocre, qual seria a opção mais coerente? Exatamente! Incoerentemente, optei pela natação. Cinco anos depois, estava entre os melhores atletas de meu estado na minha modalidade. Dom também?

Acredito que não. Não foi pouco o treinamento que precisei sofrer — no sentido mais objetivo da palavra — para igualar-me aos melhores. Foi nos tempos de natação que percebi que era um cara de sorte, e que, quanto mais treinava, mais sorte eu tinha. Sorte, para mim, sempre teve o mesmo significado que resultado. Resultado de esforço e foco em meus objetivos. Essa idéia se reforçou quando, já crescido, decidi rever as caixas de minha mãe e encontrei milhares de desenhos guardados. Milhares mesmo! Quando pequeno, quem alimentou meu "dom" — entre aspas, pois já não acredito mais no termo — foi minha mãe, pelo incentivo, e minha prima Maria Cristina, que todo mês me trazia pacotes de formulários contínuos de papel, como aqueles ainda utilizados para impressão de boletos e notas fiscais, usados e descartados pela empresa em que ela trabalhava. Desenhava bem porque gostava, e porque não tive obstáculos para "desenvolver o dom" — também entre aspas, pois acredito muito nessa idéia. Simplesmente, minha família sempre me incentivou a fazer o que gostava.

---

*Para que você pratique, é preciso gostar do que faz.*

---

•

Lancei mão de duas habilidades pelas quais fui reconhecido no passado, mas que hoje, se exercitadas, não chamariam a atenção de ninguém, para introduzir a reflexão de que tudo aquilo que queremos fazer muito bem deve ser praticado intensamente. Para que você pratique, é preciso gostar do que faz. Por isso, não acredite que determinado investimento que está enriquecendo muitos de seus conhecidos servirá como trampolim para seu enriquecimento também, a não ser que você sinta alguma atração pela atividade de investidor naquela área. Quem investe em imóveis precisa curtir o pé no barro; quem investe em ações deve ter ao menos uma quedinha para os estudos da Economia; quem investe em *commodities* agrícolas deve sentir um imenso prazer em madrugar no domingo para assistir ao Globo Rural; e quem investe em compra e venda de bens deve sentir na veia sua alma de negociador.

Não tente ir contra a natureza, pois, se seu investimento não lhe dá prazer, você não dará atenção a ele. Sem atenção, você estará do lado do mercado que satisfaz os bons investidores: será mais um dos que tomam decisões equivocadas, no embalo das emoções do mercado e da euforia provocada pelas matérias jornalísticas.

Investir com qualidade começa na atitude adotada. A atitude correta, somada à informação, conduzem a boas escolhas. Para não deixar dúvidas, decidi escrever também sobre boas escolhas, para facilitar seu caminho. A seguir, listo alguns elementos que foram essenciais em meu projeto pessoal de enriquecimento, e que têm feito parte dos projetos que oriento por meio da minha equipe de consultores.

## a. Perseverança

Quem vive ou viveu do campo — repito, *do* campo, e não simplesmente *no* campo — sabe exatamente o significado da palavra perseverança. Tipicamente sereno, o agricultor é aquele que acaricia a terra com a mesma ternura que dedica a sua amada, planta com zelo grãos aparentemente insignificantes e inertes, irriga sua lavra com a inspiração de quem educa um filho, e colhe com respeito e profundo agradecimento a Deus, como se a obra de seu suor fosse uma bênção divina. Por mais que esse processo demore meses, são meses de carinho pela sua riqueza.

Nem todos que plantam conseguem tirar da terra o que esperam. Nem todos obtêm a mesma produtividade de grãos idênticos. Plantar, simplesmente, não assegura a colheita. Pragas podem atacar a terra, predadores podem devorar a safra, vândalos podem provocar incêndios e a providência divina pode trazer secas e temporais. O agricultor não é ingênuo; ele sabe que essas ameaças existem. Ele planta com risco, sabendo que risco não se evita, mas sim, se administra. E a sabedoria, provavelmente passada de geração em geração, o ajuda a administrar bem seu risco. Se perde a safra em razão de um desastre, reúne a família, expõe o momento de sacrifício, pede a proteção de Deus e começa a preparar a terra para o próximo plantio. Sua cartilha diz que, depois da tempestade, vem a bonança. É o plantar com perseverança que conduz a montanhas de sacas saudáveis na hora da colheita, mesmo que a colheita não seja tão freqüente quanto em seus mais inspirados sonhos.

O investidor iniciante é como o jovem agricultor, sem ferramentas, sem conhecimento, diante de um enorme pasto fértil, mas sem saber por onde começar. Ao buscar orientação, especialistas propõem o uso de ferramentas, a consulta a instituições que parecem distantes e cuidado com fatores externos. Mas o que não falta é má notícia sobre os tais fatores externos: em todos os cantos do país, alguém está sofrendo com o tempo turbulento. Mas quem, com todas as suas dúvidas e inspirações, parte para limpar sua roça, eliminar as ervas daninhas, começar a semear o que tem e com o que tem, tudo com muito carinho e foco no futuro, em pouco tempo estará dando um passo a mais.

Investir nada mais é do que plantar pés de dinheiro. Não espere ter uma fazenda, um trator potente e uma colheitadeira para começar a plantar. Dê aos poucos grãos que você tem em mãos a mesma importância que daria a sacas sendo despejadas de um caminhão. Se tem pouco para investir, comece com o que tem, mas plante com consistência. Imagine cada centavo investido hoje como se fosse uma semente de pé de dinheiro plantada. Mesmo que comece com pouco, cada centavo "plantado" irá se multiplicar por muitos anos. Quanto mais tempo tiver pela frente, mais seus pés de dinheiro se multiplicarão em tamanho, crescendo no ritmo dos rendimentos de seu investimento. Enquanto não colher os frutos de suas árvores de dinheiro (os rendimentos), sua plantação continuará se auto-semeando e dando origem a novos pés de dinheiro. Diferentemente dos frutos gerados por árvores comuns, aqueles gerados por árvores de dinheiro não apodrecem. Eles sempre são replantados para gerar mais frutos no futuro.

*Investir nada mais é do que plantar pés de dinheiro.*

Mesmo que acidentes o impeçam de plantar durante alguma fase de sua vida, ou o obriguem a antecipar a colheita de parte de sua plantação, você estará feliz de ter de onde tirar, e os rendimentos dos pés plantados no passado se encarregarão de continuar plantando e multiplicando sua riqueza. Na pior das hipóteses, lhe será imposta a necessidade de plantar novamente, mas será uma plantação com mais conhecimento e maturidade do que a anterior. Um dia, chegará o momento em que você poderá passar a viver apenas dos frutos de seus pés de dinheiro, pois eles podem vir a ser suficientes para manter seu padrão de vida. Isso é a chamada independência financeira.



## b. Objetivos claramente definidos

Bons investidores sabem por que investem. Eles não querem simplesmente estar entre os cem maiores acionistas da Vale, ou ter a maior rede de postos de gasolina da cidade, ou se tornarem os maiores proprietários de terras do estado. Quem pensa assim, não é investidor, mas sim político, pois persegue o poder e não a independência financeira.

Para investir e colher frutos no futuro, é preciso abrir mão das sementes hoje. Por mais que você adore consumir as sementes! A contenção do prazer imediato é sofrida, pois a vontade está ali, presente. Para suportá-la, precisamos ter algo igualmente apaixonante a perseguir. Se você investe simplesmente para fugir de imprevistos, terá que lutar contra sua falta de vontade, pois nossa mente é otimista e tende a nos fazer acreditar que imprevistos não acontecerão conosco.

Você não deve perseguir a proteção contra imprevistos, mas sim algo que realmente o motive, que instigue sua mente a dar o melhor de si para o sucesso de seu plano. Trocar seu carro por um que você realmente goste é um bom exemplo. Sair do apartamento velho para uma casa saudável para seus filhos, outro. Fazer o MBA dos sonhos na Inglaterra? Ou simplesmente visitar os castelos do Reino Unido? Contar com uma renda espetacular na sua aposentadoria, ou, melhor ainda, com a idéia de sua aposentadoria começar antes da da maioria das pessoas. Há uma forte corrente literária, não muito respeitada por intelectuais, que prega que a energia que você deposita nos seus sonhos é o grande combustível de suas conquistas. Verdade ou não, tenho centenas de casos em minha experiência de consultoria para provar que isso funciona. Quanto mais desejamos algo, mais força temos para derrubar as barreiras que nos separam do que desejamos.

É esse desejo que nos faz assistir a cursos enquanto muitos assistem ao futebol na TV, ou ler um jornal de economia enquanto muitos baixam e-mails. Tudo depende do foco que você dá ao perseguir seus objetivos. Como já fiz em livros anteriores, em vez de explicar o caminho para seus objetivos por meio de fórmulas, prefiro lhe apresentar uma tabela. É assim que meus leitores gostam, e que jornalistas pedem para apresentar em suas publicações. Acho que deve facilitar bastante seu entendimento.

A tabela a seguir mostra os diversos caminhos que você tem para conquistar uma reserva financeira de R$ 1 milhão. O motivo desse número é simplesmente porque o incluí no subtítulo do livro. É bastante simbólico. Todo norte-americano quer ter o seu. E também porque é fácil tirar múltiplos dele. Cada um tem um sonho de valor diferente. Se sua meta vale R$ 2 milhões, o raciocínio é o mesmo, bastando multiplicar por dois os números da tabela a seguir.

| **Prazo para investir (anos)** | 3 | 5 | 8 | 10 | 15 | 20 | 25 | 30 | 35 | 40 |
|---|---|---|---|---|---|---|---|---|---|---|
| Rentabilidade do investimento/mês | | | | | | | | | | |
| 0,40% | 25.778,07 | 14.720,86 | 8.530,80 | 6.483,13 | 3.788,99 | 2.479,66 | 1.723,08 | 1.241,69 | 916,38 | 687,51 |
| 0,45% | 25.535,91 | 14.489,84 | 8.313,81 | 6.274,91 | 3.601,66 | 2.312,11 | 1.574,22 | 1.110,31 | 801,21 | 587,19 |
| 0,50% | 25.295,46 | 14.261,49 | 8.100,93 | 6.071,69 | 3.421,46 | 2.153.54 | 1.435,83 | 990,55 | 698,41 | 499,64 |
| 0,55% | 25.056,73 | 14.035,83 | 7.892,11 | 5.873,44 | 3.248,28 | 2.003,70 | 1.307,50 | 881,74 | 607,04 | 423,62 |
| 0,60% | 24.819,70 | 13.812,82 | 7.687,33 | 5.680,11 | 3.081,98 | 1.862,32 | 1.188,75 | 783,18 | 526,16 | 357,96 |
| 0,65% | 24.584,39 | 13.592,46 | 7.486,58 | 5.491,64 | 2.922,42 | 1.729,12 | 1.079,13 | 694,19 | 454,85 | 301,51 |
| 0,70% | 24.350,77 | 13.374,75 | 7.289,80 | 5.307,99 | 2.769,48 | 1.603,82 | 978,15 | 614,08 | 392,22 | 253,20 |
| 0,75% | 24.118,84 | 13.159,66 | 7.096,98 | 5.129,11 | 2.622,99 | 1.485,11 | 885,32 | 542,16 | 337,40 | 212,02 |
| 0,80% | 23.888,61 | 12.947,19 | 5.908,07 | 4.954,93 | 2.482,81 | 1.375,70 | 800,18 | 477,78 | 289,58 | 177,08 |
| 0,85% | 23.660,06 | 12.737,32 | 6.723,05 | 4.785,40 | 2.348,77 | 1.272,28 | 722,23 | 420,29 | 248,00 | 147,52 |
| 0,90% | 23.433,19 | 12.530,04 | 6.541,88 | 4.620,45 | 2.220,71 | 1.175,54 | 651,02 | 369,10 | 211,96 | 122,61 |
| 0,95% | 23.207,99 | 12.325,35 | 6.364,52 | 4.460,02 | 2.098,47 | 1.085,17 | 586,08 | 323,61 | 180,81 | 101,68 |
| 1,00% | 22.984,47 | 12.123,22 | 6.190,93 | 4.304,05 | 1.981,86 | 1.000,85 | 526,97 | 283,29 | 153,96 | 84,16 |
| 1,10% | 22.542,40 | 11.726,59 | 5.854,92 | 4.005,21 | 1.764,89 | 849,18 | 424,54 | 216,16 | 111,06 | 57,33 |
| 1,20% | 22.106,94 | 11.340,06 | 5.533,51 | 3.723,37 | 1.568,40 | 718,15 | 340,52 | 164,05 | 79,63 | 38,79 |
| 1,30% | 21.678,06 | 10.963,51 | 5.226,37 | 3.457,94 | 1.391,00 | 605,46 | 272,03 | 123,91 | 56,79 | 26,10 |
| 1,40% | 21.255,69 | 10.596,81 | 4.933,12 | 3.208,32 | 1.231,28 | 508,98 | 216,50 | 93,19 | 40,31 | 17,48 |
| 1,50% | 20.839,80 | 10.239,83 | 4.653,41 | 2.973,91 | 1.087,89 | 426,71 | 171,72 | 69,81 | 28,49 | 11,65 |

O uso da tabela é simples. No alto, você encontra o número de anos necessários para seu projeto se concretizar: 3 anos, 5 anos, 8 anos etc. Na primeira coluna à esquerda, está a rentabilidade mensal projetada[25] para o investimento que você escolheu. Nos cruzamentos de cada linha e coluna, está o valor que deve ser poupado, mês a mês e corrigido pela inflação, para conquistar, ao final do prazo esperado (o do topo da coluna), o objetivo de ter uma fortuna equivalente a R$ 1 milhão atuais.

Há três maneiras de utilizar a tabela:

1. *Você sabe o prazo para conquistar seu objetivo.* Se tomar qualquer dos prazos apresentados no topo da tabela, abaixo dele aparecem 18 caminhos diferentes para atingir o objetivo. Por exemplo, a coluna de 20 anos mostra que, para chegar a R$ 1 milhão, você pode tanto investir R$ 2.479,66 mensais em um investimento que lhe renda 0,4% ao mês (primeira linha), quanto investir apenas R$ 426,71 mensais em uma alternativa que renda 1,5% ao mês (última linha). Repare que, quanto mais longo o prazo, maior é o impacto de investimentos mais rentáveis no sucesso de seu plano.
2. *Você conhece a rentabilidade de seu investimento.* Tomando uma rentabilidade média qualquer na coluna da esquerda, você obtém, à direita dela, 10 diferentes caminhos para chegar ao objetivo. Continuo no exemplo grifado, de 0,8% ao mês de rentabilidade. Se tiver pressa, terá que investir R$ 23.888,61 mensais durante três anos, bem mais do que os R$ 177,08 necessários para um jovem que conta com um prazo de 40 anos pela frente. Começar cedo é importante! E repare como o prazo influencia muito mais os investimentos com maiores rendimentos.



•••

[25] A rentabilidade deve ser considerada líquida, ou seja, já deduzido o imposto de renda sobre o investimento, se este for pago antes de atingir o objetivo, e já deduzida também a inflação média mensal, medida por indicadores como IPC-A ou o IGP-M. Se o imposto sobre ganhos for pago apenas no final do plano (imóveis, ações e planos de previdência privada), deduza-o do objetivo final de poupança, e não da taxa para consegui-lo.

3. *Você sabe quanto rende seu investimento e em quanto tempo quer ter seu milhão.* O cruzamento da linha com a coluna lhe mostra quanto poupar por mês. Na tabela, o quadrado assinalado mostra que, se você optar por um investimento que renda 0,8% ao mês durante 20 anos, terá que investir cerca de R$ 1.375,70 para atingir seu objetivo.

Creio que, com base na tabela, o caminho para perseguir sonhos lhe parece, agora, mais palpável. Esse é o mapa do caminho a percorrer.

---

*Persiga, portanto, grandes sonhos. Metas devem ser arrojadas. Como dizia um de meus técnicos de natação, saia da arquibancada da vida!*

---

Persiga, portanto, grandes sonhos. Metas devem ser arrojadas. Você não quer ter uma aposentadoria segura, mas sim uma aposentadoria de muito consumo, lazer e doação. Quanto isso lhe exigirá de renda por mês? R$ 10 mil? R$ 20 mil? O patrimônio necessário para gerar essa renda lhe parece muito? Faça as contas! Para conseguir, terá que investir de maneira arrojada? Então, mexa-se, e vá atrás de oportunidades. Como dizia um de meus técnicos de natação, saia da arquibancada da vida! (todo adolescente precisa ouvir isso em algum momento...)



## c. Planejamento de curto, médio e longo prazos

Eu sempre gostei de viajar. Minhas metas de curto prazo incluem viagens bacanas de final de semana. Minhas metas de médio prazo incluem conhecer algum lugar muito bacana que ainda não conheci. E minhas metas de longo prazo são, basicamente, garantir as condições para que eu continue estabelecendo metas de curto e médio prazos até o fim de minha vida, mesmo que eu viva mais de 120 anos. Quem sabe? E você, busca seus sonhos pessoais da mesma forma?

Contar com objetivos claramente definidos não será suficiente para motivá-lo a se dedicar aos investimentos, se os objetivos não estiverem presentes em sua vida. De nada adiantará passar uma vida de privações, sonhando em peregrinar pelo caminho de Santiago de Compostela[26] quando se aposentar, se antes da aposentadoria você não tiver uma vida a ser revisitada durante sua peregrinação. Se não cuidar de seu corpo, não terá saúde para andar os 800 quilômetros do caminho. Se não viajar, só saberá lá na frente que não pode ir à Espanha, por sofrer de medo de viajar de avião. Se não se socializar e cultivar suas amizades, não terá assunto a compartilhar com seus colegas de peregrinação, e pouco terá a aprender.

Obviamente, nem todos sonham em peregrinar pelo caminho de Santiago. Mas citei o exemplo para que cada leitor reflita sobre sua própria peregrinação para o futuro. O que você está deixando para fazer no futuro, esquecendo que o futuro é a soma dos vários "hoje" que desperdiça? Vai esperar não ter saúde para começar a praticar esportes? Esperar levar um susto para adotar o hábito de se alimentar de maneira mais saudável? Esperar entrar em depressão para então procurar seus velhos amigos? Destruir um casamento para então voltar aos bons hábitos da época do namoro?

Planejamento de longo prazo não funciona, se nele não estiverem incluídos vários planos para curto e médio prazos. Há duas interpretações para o que chamo de planos de curto e médio prazos — e ambas devem fazer parte de seu plano para uma vida longa:

1. *Tenha metas simples, que exijam pouco mas algum esforço para serem conquistadas.* Elas são importantes para que você tenha o que comemorar de tempos em tempos e, principalmente, para que sua mente se acostume à idéia de focar na perseguição de desejos. A maioria das pessoas passa 24 horas por dia focada nos problemas de sua vida profissional, e não consegue focar nas metas de longo prazo, por elas estarem muito distantes. Quer trocar de carro? Faça as contas e comece a mudança des-

[26] O caminho de Santiago de Compostela, na Espanha, na verdade, são vários percursos percorridos por peregrinos desde o século XI, que terminam na cidade de mesmo nome. Essas rotas adquiriram tamanha tradição que, hoje, muitos que decidem percorrê-las o fazem em busca de renovação espiritual, para marcar uma nova etapa de vida.

de já, com pequenos investimentos mensais, para não ter que pagar juros excessivos de um financiamento longo quando a mudança se mostrar necessária. O mesmo vale para o desejo de fazer uma viagem, de cursar uma pós-graduação ou de reformar a sala de casa. Inclua entre suas metas algumas sem caráter financeiro, como assistir a um filme por semana, ler um livro por mês e rever um colega de escola a cada dois meses. Se seu foco está apenas em problemas, adote a iniciativa de distribuir esse foco também entre coisas boas para sua vida.

2. *Estabeleça metas intermediárias para seus projetos de longo prazo.* Se não fizer isso, a falta de resposta de seu projeto pode levá-lo a desistir no meio do caminho. Para quem não detalha seu planejamento a ponto de conhecer um caminho esperado e acompanhar metas parciais, a impressão que fica é a de que o plano não dará certo. Parece que estamos sempre aquém do ritmo ideal de enriquecimento. Essa sensação é comum, causada pelo efeito exponencial dos investimentos — quanto mais acumulamos, mais ganhamos com os rendimentos (lembre-se: o primeiro milhão é o mais difícil), o que joga a maior parte da conquista de nossos objetivos para o final do prazo de poupança. Por exemplo, um projeto para juntar recursos suficientes para um ano de curso no exterior pode ter as seguintes características:

   Valor pretendido: R$ 100 mil
   Tempo de poupança: 5 anos
   Rentabilidade obtida: 0,75% ao mês[27]
   Valor a ser poupado: R$ 1.315,97 por mês[28]

Nessas condições, o fluxo de acumulação dos recursos ao longo do tempo será o seguinte:

PARTE I

•••

[27] Rentabilidade média obtida pelo investimento escolhido, já descontando o efeito do pagamento do Imposto de Renda. Para projetos de grande valor de prazo até cinco anos, pode-se desprezar o efeito da inflação sobre os cálculos.

[28] Valor calculado com base na fórmula matemática de valor futuro, utilizando juros compostos e com paga-

| Data | Valor aplicado na data | Total aplicado até a data | Lucro obtido com os rendimentos | Saldo acumulado até a data |
|---|---|---|---|---|
| Início do plano | 1.315,97 | 1.315,97 | - | 1.315,97 |
| 2º mês | 1.315,97 | 2.631,93 | 29,68 | 2.661,61 |
| 3º mês | 1.315,97 | 3.947,90 | 59,52 | 4.007,41 |
| 4º mês | 1.315,97 | 5.263,86 | 99,44 | 5.363,30 |
| 5º mês | 1.315,97 | 6.579,83 | 149,53 | 6.729,36 |
| 6º mês | 1.315,97 | 7.895,79 | 209,87 | 8.105,67 |
| 7º mês | 1.315,97 | 9.211,76 | 280,54 | 9.492,30 |
| 8º mês | 1.315,97 | 10.527,73 | 361,60 | 10.889,33 |
| 9º mês | 1.315,97 | 11.843,69 | 453,14 | 12.296,83 |
| 10º mês | 1.315,97 | 13.159,66 | 555,23 | 13.714,89 |
| 11º mês | 1.315,97 | 14.475,62 | 667,97 | 15.143,59 |
| 12º mês | 1.315,97 | 15.791,59 | 791,41 | 16.583,00 |
| 13º mês | 1.315,97 | 17.107,56 | 925,66 | 18.033,21 |
| 14º mês | 1.315,97 | 18.423,52 | 1.070,77 | 19.494,29 |
| 15º mês | 1.315,97 | 19.739,49 | 1.226,85 | 20.966,34 |
| 16º mês | 1.315,97 | 21.055,45 | 1.393,97 | 22.449,42 |
| 17º mês | 1.315,97 | 22.371,42 | 1.572,21 | 23.943,63 |
| 18º mês | 1.315,97 | 23.687,38 | 1.761,66 | 25.449,04 |
| 19º mês | 1.315,97 | 25.003,35 | 1.962,39 | 26.965,74 |
| 20º mês | 1.315,97 | 26.319,32 | 2.174,51 | 28.493,82 |
| 21º mês | 1.315,97 | 27.635,28 | 2.398,08 | 30.033,36 |
| 22º mês | 1.315,97 | 28.951,25 | 2.633,20 | 31.584,45 |
| 23º mês | 1.315,97 | 30.267,21 | 2.879,95 | 33.147,17 |
| 24º mês | 1.315,97 | 31.583,18 | 3.138,43 | 34.721,60 |

●●●

mento antecipado. O mesmo cálculo pode ser feito utilizando a tabela do milhão, dividindo o esforço mensal proporcionalmente à meta financeira (se R$ 100 mil são 10% de R$ 1 milhão, seu esforço deve ser de 10% do que precisaria fazer para juntar R$ 1 milhão). Para entender mais sobre matemática financeira aplicada às Finanças Pessoais, sugiro a leitura de meu primeiro livro, *Dinheiro, os segredos de quem tem* (Ed. Gente).

| Data | Valor aplicado na data | Total aplicado até a data | Lucro obtido com os rendimentos | Saldo acumulado até a data |
|---|---|---|---|---|
| 25º mês | 1.315,97 | 32.899,14 | 3.408,71 | 36.307,85 |
| 26º mês | 1.315,97 | 34.215,11 | 3.690,89 | 37.906,00 |
| 27º mês | 1.315,97 | 35.531,08 | 3.985,05 | 39.516,13 |
| 28º mês | 1.315,97 | 36.847,04 | 4.291,29 | 41.138,33 |
| 29º mês | 1.315,97 | 38.163,01 | 4.609,70 | 42.772,71 |
| 30º mês | 1.315,97 | 39.478,97 | 4.940,36 | 44.419,34 |
| 31º mês | 1.315,97 | 40.794,94 | 5.283,38 | 46.078,32 |
| 32º mês | 1.315,97 | 42.110,90 | 5.638,84 | 47.749,74 |
| 33º mês | 1.315,97 | 43.426,87 | 6.006,83 | 49.433,70 |
| 34º mês | 1.315,97 | 44.742,84 | 6.387,45 | 51.130,29 |
| 35º mês | 1.315,97 | 46.058,80 | 6.780,80 | 52.839,60 |
| 36º mês | 1.315,97 | 47.374,77 | 7.186,96 | 54.561,73 |
| 37º mês | 1.315,97 | 48.690,73 | 7.606,05 | 56.296,78 |
| 38º mês | 1.315,97 | 50.006,70 | 8.038,14 | 58.044,84 |
| 39º mês | 1.315,97 | 51.322,67 | 8.483,35 | 59.806,01 |
| 40º mês | 1.315,97 | 52.638,63 | 8.941,76 | 61.580,40 |
| 41º mês | 1.315,97 | 53.954,60 | 9.413,49 | 63.368,08 |
| 42º mês | 1.315,97 | 55.270,56 | 9.898,62 | 65.169,18 |
| 43º mês | 1.315,97 | 56.586,53 | 10.397,26 | 66.983,78 |
| 44º mês | 1.315,97 | 57.902,49 | 10.909,50 | 68.812,00 |
| 45º mês | 1.315,97 | 59.218,46 | 11.435,46 | 70.653,92 |
| 46º mês | 1.315,97 | 60.534,43 | 11.975,24 | 72.509,66 |
| 47º mês | 1.315,97 | 61.850,39 | 12.528,93 | 74.379,32 |
| 48º mês | 1.315,97 | 63.166,36 | 13.096,64 | 76.263,00 |
| 49º mês | 1.315,97 | 64.482,32 | 13.678,49 | 78.160,81 |
| 50º mês | 1.315,97 | 65.798,29 | 14.274,56 | 80.072,85 |
| 51º mês | 1.315,97 | 67.114,25 | 14.884,98 | 81.999,23 |

| Data | Valor aplicado na data | Total aplicado até a data | Lucro obtido com os rendimentos | Saldo acumulado até a data |
|---|---|---|---|---|
| 52º mês | 1.315,97 | 68.430,22 | 15.509,84 | 83.940,06 |
| 53º mês | 1.315,97 | 69.746,19 | 16.149,26 | 85.895,45 |
| 54º mês | 1.315,97 | 71.062,15 | 16.803,35 | 87.865,50 |
| 55º mês | 1.315,97 | 72.378,12 | 17.472,21 | 89.850,33 |
| 56º mês | 1.315,97 | 73.694,08 | 18.155,96 | 91.850,04 |
| 57º mês | 1.315,97 | 75.010,05 | 18.854,70 | 93.864,75 |
| 58º mês | 1.315,97 | 76.326,02 | 19.568,56 | 95.894,57 |
| 59º mês | 1.315,97 | 77.641,98 | 20.297,64 | 97.939,62 |
| 60º mês | 1.315,97 | 78.957,95 | 21.042,05 | 100.000,00 |

Atente para as seguintes características do fluxo acima — as mesmas características que compõem qualquer fluxo de acumulação de longo prazo com a taxa de 0,75% ao mês:

- Ao completar 15 meses, um quarto do plano, o saldo acumulado é de 21% do objetivo total.
- Ao completar 30 meses, metade do plano, o saldo acumulado é de 44,4% do objetivo total.
- Ao completar 60 meses, cerca de 21% dos recursos totais decorrem de lucro do investidor; apenas 79% vêm de recursos efetivamente poupados.

Quanto mais longo o fluxo e maior a taxa, mais intenso é o efeito exponencial, que empurra os resultados para os últimos períodos do fluxo. Veja como fica um fluxo de acumulação de R$ 1 milhão em 20 anos, com rentabilidade de 1% ao mês (o fluxo é apresentado em parciais anuais):

Valor pretendido: R$ 1 milhão
Tempo de poupança: 20 anos
Rentabilidade obtida: 1,0% ao mês
Valor a ser poupado: R$ 1.000,85 por mês

| Data | Valor aplicado a cada mês | Total aplicado até a data | Lucro obtido com os rendimentos | Saldo acumulado até a data |
|---|---|---|---|---|
| 1º ano | 1.000,85 | 12.010,23 | 810,02 | 12.820,25 |
| 2º ano | 1.000,85 | 24.020,47 | 3.245,97 | 27.266,43 |
| 3º ano | 1.000,85 | 36.030,70 | 7.514,05 | 43.544,75 |
| 4º ano | 1.000,85 | 48.040,93 | 13.846,63 | 61.887,57 |
| 5º ano | 1.000,85 | 60.051,17 | 22.505,54 | 82.556,71 |
| 6º ano | 1.000,85 | 72.061,40 | 33.785,82 | 105.847,22 |
| 7º ano | 1.000,85 | 84.071,64 | 48.019,91 | 132.091,55 |
| 8º ano | 1.000,85 | 96.081,87 | 65.582,45 | 161.664,32 |
| 9º ano | 1.000,85 | 108.092,10 | 86.895,55 | 194.987,65 |
| 10º ano | 1.000,85 | 120.102,34 | 112.434,88 | 232.537,22 |
| 11º ano | 1.000,85 | 132.112,57 | 142.736,44 | 274.849,01 |
| 12º ano | 1.000,85 | 144.122,80 | 178.404,19 | 322.526,99 |
| 13º ano | 1.000,85 | 156.133,04 | 220.118,70 | 376.251,74 |
| 14º ano | 1.000,85 | 168.143,27 | 268.646,86 | 436.790,13 |
| 15º ano | 1.000,85 | 180.153,51 | 324.852,80 | 505.006,31 |
| 16º ano | 1.000,85 | 192.163,74 | 389.710,26 | 581.874,00 |
| 17º ano | 1.000,85 | 204.173,97 | 464.316,46 | 668.490,44 |
| 18º ano | 1.000,85 | 216.184,21 | 549.907,80 | 766.092,01 |
| 19º ano | 1.000,85 | 228.194,44 | 647.877,46 | 876.071,90 |
| 20º ano | 1.000,85 | 240.204,67 | 759.795,33 | 1.000.000,00 |



Alguns pontos de atenção para este novo fluxo, mais longo e mais rentável:

- Ao completar 5 anos, um quarto do plano, o saldo acumulado é de pouco mais de 8% do objetivo total.
- Ao completar 10 anos, metade do plano, o saldo acumulado é de pouco mais de 23% do objetivo total.
- O saldo acumulado de R$ 500 mil, ou metade do objetivo, só é atingido após 15 anos.

- Ao completar 20 anos, cerca de 76% dos recursos totais decorrem de lucro do investidor; apenas 24% vêm de recursos poupados.

Não há mágica. Simplesmente, a lógica dos juros compostos, ou juros sobre juros, nos ensina que quanto maior nossa poupança, mais ganhamos com juros. Na prática, contar com prazos longos permite que poupemos parcelas pequenas, pois os rendimentos farão a maior parte do esforço para nosso sucesso. Esse é também um argumento para começar a investir desde cedo. Se, com o passar dos anos, nosso custo de vida aumentar e o ato de poupar ficar inviável, os rendimentos sobre aquilo que poupamos nos primeiros anos já serão suficientes para engordar bastante nossa poupança. Se há uma época ideal para poupar, essa época é a juventude.

•

De qualquer maneira e independentemente de quando você começou a investir, é importante que esteja claro que os planos que lhe custarão menos serão os planos de longo prazo. Quanto mais longo o prazo, mais ganhará com juros, e mais vantajoso será para seu bolso. Porém, quanto mais longo o prazo, menos motivante é a perseguição do objetivo, principalmente diante da percepção — equivocada — de que não estamos indo no ritmo ideal. Por isso, tão importante quanto os objetivos que você quer alcançar, é estabelecer metas parciais, calculadas na lógica dos juros compostos,[29] que lhe mostrarão, em prazos não muito longos, que você está no caminho certo.



Por exemplo, se você estabeleceu que seu principal projeto de vida, no momento, é alcançar uma poupança de R$ 1 milhão, e sabe que terá que poupar R$ 1.001 por mês durante vinte anos (como na tabela anterior), estabeleça também as seguintes metas pessoais (também com base na tabela anterior):

- Juntar R$ 43 mil em três anos.
- Juntar R$ 82,5 mil em cinco anos.
- Juntar R$ 161 mil em oito anos.

•••

[29] Caso você não tenha conhecimentos básicos de matemática financeira, sugiro utilizar o Simulador de Poupança que disponibilizo gratuitamente para download no site www.maisdinheiro.com.br; no link Simuladores.

- Juntar R$ 232 mil em dez anos.
- Juntar R$ 500 mil em quinze anos.

Preferencialmente, estabeleça suas metas por escrito e detalhadamente, para assumir um compromisso consigo e dar mais força a seu plano. As metas parciais lhe darão uma injeção a mais de motivação, acredite. E, mais do que disso, posso lhe garantir que, se não acontecerem grandes imprevistos dos quais você não possa se assegurar, todos os objetivos de curto, médio e longo prazos tenderão a acontecer antes do prazo previsto. Isso acontecerá simplesmente porque, estando próximo a seus objetivos, dificilmente você não se entusiasmará com seus projetos, o que o levará a dedicar uma energia extra às reflexões sobre suas escolhas. Experimente!

*As metas parciais lhe darão uma injeção a mais de motivação, acredite.*

## d. Uso inteligente do tempo



Sobre o uso do tempo, é preciso ser direto: investir de maneira inteligente não deve tomar mais tempo do que o que você dedica a cuidar de sua saúde. A razão para essa orientação está no fato de que o sucesso nos investimentos só poderá ser comemorado se você tiver saúde. Caso contrário, você não estará investindo em um futuro melhor, mas sim em uma herança melhor — o que não faz sentido, ao menos para mim.

Por isso, a não ser que você invista pelo esporte e pela adrenalina, a melhor estratégia para você é aquela que produz mais resultado com menor dedicação de tempo. Se sua superestratégia de investimento consome de você horas e horas de acompanhamento, de preenchimento de documentos de arrecadação de impostos ou de visitas a cartórios, tabeliães e despachantes, é importante que seja muito mais rentável do que os investimentos médios. Eu tenho a mania de contabilizar mentalmente as horas que dedico aos meus investimentos como um custo. E cobro caro pela minha hora! Ao apurar o lucro de meu investimento, deduzo desse lucro o valor do tempo despendido para viabilizá-lo. Se o investimento me parece caro, ou seja, se o lucro não compensa com sobras o tempo que investi, opto por outros investimentos. Ou, simplesmente, passo a dedicar minhas horas à única atividade pela qual não me cobro, que é o convívio em família e o lazer.

*Uma das riquezas mais escassas nos dias de hoje é o próprio tempo. Use-o, portanto, com sabedoria.*

É por essa razão que incentivo o uso de Planos de Previdência Privada, de investimentos programados e de fundos. Não porque essas estratégias são as mais eficientes, mas sim porque a relação custo-benefício oferecida por tais investimentos é bastante atraente. Afinal, acredito que todos os que lêem sobre investimentos sabem que uma das riquezas mais escassas nos dias de hoje é o próprio tempo. Use-o, portanto, com sabedoria.

## e. Organização e disciplina



Sempre ouço falar de escolhas que conduziram a um sucesso incrível, de alguém que comprou determinada ação poucas horas antes de ela começar a disparar, ou que comprou um terreno semanas antes de ser anunciada uma grande obra que aumentaria seu valor.

Geralmente, os titulares das façanhas são pessoas que passarão o resto de suas vidas contando a mesma história — aquela que só aconteceu uma vez. Dificilmente repetirão a escolha de sucesso uma segunda vez na vida. Porém, é mais comum ouvir falar também de investidores que, uma vez tendo dado uma grande tacada uma vez na vida, passaram anos e anos tentando a mesma tacada, e por isso perderam várias vezes o que ganharam na primeira vez.

Isso acontece porque o sucesso não veio de boas escolhas e de um processo de construção bem sedimentado, mas sim do acaso. Quando somos pouco experientes em qualquer tipo de investimento, qualquer situação de compra (lembre-se: investir é comprar barato e vender caro) envolve muita dúvida e um bocado de torcida para que os ventos da sorte soprem a nosso favor. Quando nossa escolha se mostra vencedora, tendemos a acreditar que temos uma capacidade ou faro acima da média para boas escolhas de investimento, e então saímos à caça de novas oportunidades semelhantes. Porém, essa caçada já não conta com a dúvida, a qual se presta a nossa autopreservação. É aí que começam erros que tenderão a se agravar cada vez mais.

*Ouça sempre os pessimistas.*

Para que você não caia na mesma armadilha, em primeiro lugar acredite que será praticamente impossível obter desempenho acima da média nos investimentos antes que você acumule anos e anos de experiência. Se esse desempenho sobrenormal acontecer com você, desconfie, e conte com más notícias nas investidas seguintes. Ao fazer contas e se planejar, creia que seu desempenho será mediano. A bolsa de valores vem acumulando uma média de ganhos de 30% ao ano durante quatro anos seguidos? Planeje-se para obter ganhos bem menores nos próximos anos, mesmo que algumas projeções continuem otimistas. Ouça sempre os pessimistas, e baseie suas escolhas nas projeções deles.

Ao fazer as contas com projeções pessimistas, o prazo para conquistar suas metas se estenderá. Paciência... Siga esse mapa, que é o que o conduzirá pelo caminho menos acidentado. Estabeleça as metas de curto, médio e longo prazos e adote mecanismos que lhe dêem disciplina, para que as metas sejam alcançadas ou superadas com algum grau de certeza. Inclua seus investimentos em débito automático, agende antecipadamente seu DOC para a compra de ações, ou inclua seu plano de previdência em débito automático. A grande arma do investidor disciplinado, com visão de longo prazo, é a regularidade. Investir um pouquinho todos os meses, com disciplina, seguindo um plano de longo prazo. De vez em quando comprará na alta de preços, de vez em quando na baixa, mas, se ele foi seletivo e fez uma boa escolha de investimento, estará pagando o preço médio de uma boa alternativa de enriquecimento.

*A grande arma do investidor disciplinado, com visão de longo prazo, é a regularidade.*

Mantenha-se organizado, com anotações de suas metas por escrito, assim como da carteira de investimentos que você imagina que irá lhe conduzir ao sucesso. Metas por escrito servem como um compromisso, como já afirmei, com você mesmo, para não mudar de planos de uma hora para outra. Simplifique ao máximo seus controles, para que eles possam ser acessados com freqüência, mas que não lhe consumam muito tempo.

Quanto mais organizado estiver seu projeto pessoal, mais prazerosas serão as novas "visitas" a ele, o que lhe permitirá mais reflexões e melhorias. Além disso, a organização nos ajuda a manter a disciplina. O que os olhos não vêem, o coração não sente. Se seu plano fica na gaveta, a chance de abandoná-lo é grande. Se você vive seu plano intensa e cotidianamente, certamente sentirá maior remorso ao menor afastamento dele. Exatamente como acontece com as pessoas que amamos.

## f. Seletividade com diversificação

No capítulo anterior, afirmei que manter um único investimento é um dos erros a serem evitados, e que, por isso, diversificar é fundamental para o sucesso de uma estratégia de investimentos. Agora é o momento de dar um polimento nessa idéia. Mesmo a estratégia de diversificação merece suas ressalvas, uma vez que ela existe para diluir risco — e deve ser utilizada quando o risco realmente se mostrar mais caro do que o próprio custo da diversificação.

A diversificação acaba custando caro quando temos pouco dinheiro investido, uma vez que as transações de menores valores têm menor poder de diluir custos fixos (como as corretagens e emolumentos das operações em bolsa) e os fundos de investimentos cobram taxas de administração mais elevadas para pequenos investimentos. Por isso, prefiro chamar a diversificação ineficiente de dispersão. Seu dinheiro é simplesmente espalhado entre diversas alternativas sem obter vantagem significativa.

Quem está começando um grande projeto de investimentos — ou seja, quem ainda é pequeno como investidor — deve ser seletivo, focar em uma ou duas alternativas, no máximo. Se você pensa em investir de maneira conservadora, que seja em um fundo multimercado, por exemplo. Se for de maneira arrojada, que seja em um fundo de ações e em um fundo multimercado, ou então concentrando 100% dos investimentos em um único multimercado com grande participação da carteira em ações. Isso não fará com que você fuja das taxas de administração elevadas impostas aos pequenos investimentos, mas permitirá que seus investimentos cresçam em um único bolo e possam ser migrados rapidamente para uma segunda alternativa mais eficiente.

Por isso, no início, mais importante do que dedicar tempo à montagem de uma carteira é dedicar tempo ao estudo e à pesquisa daquela que será a única escolha do investidor por um bom tempo. Se você não estiver confiante e satisfeito com esse primeiro degrau, é melhor analisar as alternativas e partir para elas, para que a escada não desmorone quando você estiver lá em cima. Seja, portanto, seletivo; mesmo que, para isso, seu primeiro investimento demore um pouco mais e você fique com dinheiro parado na conta.

A diversificação começa a ser importante à medida que seu patrimônio cresce, por dois motivos:

1. Depois de algum tempo, a tolerância a perder grande parte de suas reservas é menor, pois o tempo necessário para recompô-las, em caso de perdas, será bem maior.
2. Uma vez que seus objetivos de curto e médio prazos forem atingidos, é prudente que você adote medidas para garantir a permanência deles, principalmente porque, se seguir minha sugestão, você já terá feito uma festa para comemorar a conquista deles — deixá-los escapar depois da festa irá pegar mal...

Em termos práticos, não sugiro diversificação em mais de dois investimentos diferentes até que você acumule R$ 50 mil, ou o valor de uma pequena casa. Acima desse valor, recomenda-se ter ao menos dois investimentos bastante distintos (como renda fixa e ações, ou ações e imóveis), ou pelo menos cinco ativos diferentes dentro de uma mesma natureza de investimentos (por exemplo, ações de empresas de cinco setores de negócios diferentes).

Acima de R$ 100 mil, a diversificação passa a ser regra, a não ser que sua opção seja por investir em imóveis. Como imóveis são um tipo de investimento que permite o desfrute e a proteção de seu proprietário até em casos de crises extremas de perda de valor, a concentração nessa modalidade ainda é considerada uma forma de proteção.

Acima de R$ 500 mil, estamos tratando de uma reserva financeira da qual é possível sobreviver, com um mínimo de dignidade, por vários anos. Aplicados com segurança, podem garantir uma renda da ordem de R$ 5 mil mensais por cerca de doze anos. Por isso, ao conquistar esse patamar de reservas, é prudente que seja adotado algum grau de conservadorismo, diversificando ao menos entre três tipos diferentes de investimento, como Títulos Públicos, ações e imóveis. Os mais jovens preferirão concentrar a maior parte de suas reservas em ativos de maior risco, enquanto os mais velhos se sentirão melhor com uma boa parcela de conservadorismo em sua carteira.

Alguns ativos se caracterizam pela certeza na qualidade de preservação ou aumento do valor ao longo do tempo, como o ouro[30] e obras de arte. Porém, o que os torna convenientes apenas a investidores de maior porte é o elevado valor unitário de negociação, fazendo destes ativos alternativas interessantes de diversificação para quando você já tiver conquistado seu primeiro milhão.

*Na dúvida, prefira o meio termo: diversifique pouco, mas diversifique.*

De qualquer maneira, ser seletivo, ou seja, escolher consciente e inteligentemente seu investimento, é um passo anterior à diversificação. Warren Buffet, considerado um dos maiores investidores do mundo por ter se tornado o homem mais rico dos Estados Unidos, sempre defendeu a estratégia de priorizar a seletividade em detrimento da diversificação, independentemente

[30] Alguns especialistas discordam da propriedade de aumento de valor do ouro com sua escassez no mundo, principalmente em função da decrescente atratividade da cultura ocidental por jóias. Apesar de o mercado de ouro ter seus preços controlados com base na limitação de oferta por parte dos produtores, este será um ponto de atenção ao longo do século XXI.

do tamanho de sua fortuna. Obviamente, essa estratégia funciona se você tiver grande capacidade de analisar seu investimento e grande coragem para suportar perdas significativas após anos e anos de sacrifício. Na dúvida, prefira o meio termo: diversifique pouco, mas diversifique.

## g. Rebalanceamento

Acredito que a maioria dos investidores não profissionais depara-se com o mesmo sentimento: nem com anos de experiência ou com a leitura de dezenas de livros, sentir-se-ão confortáveis com as incontáveis minúcias que compõem uma decisão de investimento de longo prazo. Afinal, por mais que investidores profissionais estudem a fundo as melhores técnicas de decisão, é o dia-a-dia do mundo dos investimentos que os certifica para as melhores escolhas. Não há diploma que substitua a experiência quando se trata de mercados de ativos de risco, como é o caso das ações. Eu mesmo afirmo a meus alunos, nos cursos que ministro, que é improvável que alguém aprenda a decidir por boas compras de ações antes de conviver com perdas neste mercado. E mesmo após anos de experiência, as perdas eventuais são inevitáveis. É considerado bom investidor aquele que faz escolhas consideradas boas em pelo menos 75% das situações.



---

*Boas escolhas não dependem de conhecimento técnico.*

---

Uma forma de minimizar perdas é medir o resultado das escolhas no longo prazo. Mesmo que você sempre compre ações de empresas boas e altamente recomendadas, as quedas nos preços serão normais se, logo após a compra, surgir uma crise política ou econômica. Mas, se as empresas continuarem saudáveis e bem geridas, tão normal quanto a queda durante a crise será a forte recuperação quando a poeira baixar. É assim que investidores com visão de longo prazo diminuem suas estatísticas de perdas: medindo o sucesso de sua carteira de investimentos através de várias crises, e não apenas durante uma única crise. A Teoria Econômica explica que países de todos os cantos do mundo se consolidam através de ciclos de bons e maus momentos, como acontece com qualquer empresa ou relacionamento.

Investidores profissionais estudam, durante muitos anos, incontáveis técnicas para tentar prever as altas e baixas dos mercados de investimentos, buscando o óbvio dos bons negócios: comprar nas baixas e vender nas altas — a essência de investir com sucesso. O investidor disciplinado, com visão de longo prazo, nem sempre consegue fazer isso, pois sua arma mais comum é a regularidade. Investir um pouquinho todos os meses, com disciplina, seguindo um plano de longo prazo. Essa disciplina é punida com resultados médios: alguns meses são bons para investimentos, outros são ruins, e o resultado final é uma rentabilidade decorrente da média de ganhos. Fica aquela sensação de "puxa, se eu esperasse um pouco mais, teria ganhado um pouquinho mais...". Quem tem um mínimo de noções de matemática sabe que, de pouquinhos mais em pouquinhos mais, a diferença lá no futuro é grande.

Antes que você, leitor, desanime ao não reconhecer em sua bagagem cultural conhecimentos suficientes em economia, investimentos e negócios para identificar crises e fazer as melhores escolhas, apresento-lhe uma excelente notícia. Há formas "burras" de investir inteligentemente, e talvez a ferramenta que exija menos conhecimento do investidor de longo prazo é a técnica do rebalanceamento. Uma técnica simples, cujas maiores demandas esperadas do investidor são a organização e a disciplina.

O rebalanceamento consiste apenas em estipular uma composição bem definida para uma carteira de investimentos e seguir fielmente esta composição, com prazos definidos para recalibrar a carteira.

A estratégia baseia-se em orientar seus investimentos a partir de uma composição-referência para sua carteira, de acordo com seu perfil de investidor. A maioria dos bancos e corretoras de valores oferece questionários na Internet para que você identifique seu perfil e monte uma carteira adequada para ele. Eu não concordo totalmente com a interpretação dada a esses perfis, uma vez que as interpretações tendem a se moldar aos produtos oferecidos pela instituição. Mas, suponhamos que você decidiu investir de forma moderada, que, segundo seu banco, equivale a ter uma carteira de investimentos contendo 80% dos recursos em renda fixa e 20% em renda variável. Isto é o que eu quis dizer com composição bem definida para sua carteira.

Seguir fielmente esta composição significa alocar seus recursos a cada rodada de investimentos, respeitando a composição da carteira. A cada R$ 1.000 aplicados, R$ 800 irão para a renda fixa e R$ 200 para a renda variável. Não é preciso raciocinar muito para perceber que, por mais fiel que você seja a seu perfil, dificilmente você terá uma carteira com a composição exata a que se propôs. O motivo: a rentabilidade da renda fixa será diferente da obtida pelos recursos em renda variável.

A fidelidade à carteira somente será mantida se for criada uma regra de prazo de redistribuição ou rebalanceamento de recursos, como, por exemplo, "a cada 12 meses", "a cada aniversário" ou "no meu último dia útil do ano". Rebalancear significa chegar a uma data específica e reequilibrar a carteira, vendendo algumas ações se a proporção favorecer a renda variável ou resgatar parte da renda fixa se houver excesso de peso nessa parcela mais conservadora da carteira.

Em um ano de queda nas ações, mesmo que nosso investidor moderado aplique 20% dos recursos na Bolsa, ao final do ano ele terá mais que 80% de seus recursos em renda fixa e menos de 20% em ações, pois terá perdido dinheiro na renda variável. A proposta é vender o excedente em renda fixa para comprar mais ações. Contrariamente, em um ano excepcional para a Bolsa, o cliente terá muito mais do que 20% de sua carteira em ações, devendo então vender parte delas e investir em renda fixa.

Por que vender ações em um bom ano? Por que resgatar recursos da renda fixa quando as ações vão tão mal? O motivo para essas escolhas forçadas é único: vender na alta e comprar na baixa. Se ao final de cada ano ruim o investidor forçar-se a comprar ações e ao final de cada ano bom ele forçar-se a vender, inevitavelmente estará fazendo boas escolhas, em média. Isso vale mesmo que ocorram sucessivos anos bons para a Bolsa, pois, neste caso, o investidor estará evitando concentrar demais sua carteira em algo que pode sofrer uma forte queda diante de turbulências econômicas.

Estudos sobre o rebalanceamento de carteiras no Brasil já mostram que, na pior das hipóteses, o investidor de longo prazo teria ganhos sensivelmente superiores aos do CDI se optasse por rebalancear, ao longo de pelo menos dez anos, carteiras com menos de 25% investidos em ações. Boas escolhas sem grandes conhecimentos técnicos, não é uma boa idéia?

## h. Plano B

Pense nesta hipótese: tudo o que você imaginava deu errado. E agora, o que fazer? Espero que você não tenha que responder a essa pergunta em nenhum momento de sua vida. Mas, se tivesse, qual seria a resposta? Recorrer a parentes? Endividar-se? Entregar-se à sorte? Prestar o primeiro concurso público que lhe aparecesse à frente?

E se acontecer exatamente o oposto? Você tinha um belo plano de investimentos de longo prazo, investia com uma disciplina incrível e sabia que, dentro de vinte anos, poderia se aposentar e viver tranqüila e seguramente pelo resto da vida. De repente, justamente a empresa de maior participação em sua carteira de investimentos sofre uma supervalorização, e seu patrimônio se multiplica por vinte de uma semana para outra. Ou, então, aquela fezinha feita no Título de Capitalização deu certo, e você ganhou um bom prêmio. Seu patrimônio passa a ser exatamente o dobro do que você imaginava ter daqui a vinte anos. O que fazer? Jogar tudo para o alto? Começar a curtir a vida? Praticar um gigantesco ato de generosidade?

As duas hipóteses apresentadas parecem muito extremistas, mas sugiro fortemente que você pense a respeito. É por não pensar nisso que muitas famílias perdem o rumo tanto diante da dificuldade quanto da fortuna. Como consultor, chegaram a mim casos como o de um ex-milionário que teve que procurar emprego aos 65 anos, depois de 25 anos vivendo apenas de investimentos. Conheci também famílias que se desestruturaram completamente após uma herança ou um prêmio de loteria, porque justamente o que mantinha a família unida era o sacrifício de todos para conter a falta de dinheiro. Com a abundância financeira, os conflitos começaram, pois cada um queria um rumo diferente para sua vida.

Problemas desse tipo vêm da falta de planos. Não apenas planos de valores a poupar durante um período, como os que citei neste capítulo, mas também planos para situações aparentemente inexeqüíveis que precisam de muito dinheiro para acontecer. Sim, é bom fazê-los desde já, mesmo que eles venham a mudar significativamente no futuro. Ao planejar quando eles parecem distantes, você estará sendo totalmente racional. Se deixar para pensar nisso quando o fato acontecer, o lado emocional do cérebro falará mais alto, acredite.

Planos para a dificuldade envolvem: a quem recorrer, o que vender, para quem vender e onde obter uma atividade remunerada, entre outros. Quem cresce na carreira já construindo uma segunda carreira alternativa está, de longe, com uma paz interior muito maior do que quem foca completamente em um determinado cargo.

Sinto-me à vontade para falar de como isso aconteceu em minha carreira. Quando já estava estabelecido como professor, até então minha única atividade, percebi que meu primeiro livro fazia algum sucesso e, junto com minha poupança, me trazia garantias razoáveis de conseguir me manter, por um bom tempo, se deixasse de dar aulas. Foi nessa época que decidi colocar em prática meu sonho de montar uma empresa fora do país, e fui com um casal de amigos e a Adriana, minha companheira de todos os momentos, para o Canadá. Mas, a chance de o negócio não prosperar era grande, e eu corria o risco de voltar alguns meses depois, sem aulas agendadas e com o risco de o primeiro livro ter despencado nas vendas, devido a minha ausência da mídia. Foi exatamente o que aconteceu. Mas, na época, meu Plano B era o de voltar e, na falta de trabalho, escrever o segundo livro. Foi daí que nasceu *Casais inteligentes enriquecem juntos*, meu maior sucesso até então.

Da mesma forma, até então meu maior projeto de vida era conquistar meu primeiro milhão até os 41 anos de idade. Precisava apenas continuar poupando no ritmo que estava antes de minha mudança para o exterior, e continuar obtendo rendimentos líquidos da ordem de 0,95% ao mês. Não foi o que aconteceu. Minhas reservas acumuladas antes da viagem estavam em ações e começaram a se multiplicar em um ritmo até então inimaginável, de mais de 2,5% ao mês. Oito meses após o lançamento do *Casais inteligentes enriquecem juntos*, o livro entrou para o ranking dos mais vendidos nas principais revistas do país, e meu patrimônio superou o milhão ainda aos meus 31 anos de idade. Poderia parar de trabalhar? Poderia! Mas esse não era o plano, até porque eu fazia o que gostava. Meu objetivo era de, ao conquistar a independência, passar a fazer apenas o que gostasse e quando gostasse. É por isso que hoje chego a trabalhar 80 horas em uma semana. O chefe sou eu mesmo...

*Não esqueça o salva-vidas.*
*Nem a cerveja.*

Mesmo sabendo que estarei sendo repetitivo, insisto: ao fazer planos, recomendo que eles sejam conservadores. Se são planos de construção de riqueza, imagine que seu dinheiro irá render da mesma forma que rendeu nos momentos de crise, e não nos momentos de bonança. Esteja sempre preparado para o pior, mas saiba o que fazer se o melhor acontecer antes ou em maior intensidade do que o previsto. Tenha combustível extra e uma bóia salva-vidas para sobreviver ao mar revolto, mas não se esqueça de levar o protetor solar e colocar a cerveja na geladeira de seu barco, para o caso de uma boa brisa sob sol deslumbrante. Investir não é nada, se você não souber o que fazer com a colheita.



## i. Inteligência tributária

Quando tratei de objetivos claramente definidos, espero tê-lo convencido de que diferenças sutis na rentabilidade de seus investimentos podem resultar em diferenças brutais no seu saldo após vários anos. Porém, quanto mais a economia brasileira se desenvolve, mais os rendimentos de nossos investimentos se aproximam daqueles obtidos em países de economia estável. Em outras palavras, mais nossas rentabilidades se achatam em níveis reduzidos e com pouca diferenciação entre ativos de pouco e de muito risco. Isso pode acabar por desanimar aqueles que buscam rendimentos diferenciados para vitaminar seu plano de enriquecimento.

Porém, é curioso ver como muitos saem à caça de rentabilidades diferenciadas, mas ignoram os aspectos tributários dos diversos investimentos, onde podem estar escondidos os grandes diferenciais de algumas alternativas do mercado. Por exemplo, ao consultar uma tabela de rentabilidades de fundos, como as divulgadas pelos grandes bancos, muitos ignoram que as rentabilidades informadas são brutas, antes de descontar o Imposto de Renda. Levando em consideração que fundos de renda fixa têm uma tributação elevada no curto prazo, e que, mesmo que seus planos sejam de esquecer o dinheiro no fundo, a retenção na fonte é semestral, o número informado na tabela pode induzi-lo a acreditar que um fundo de renda fixa seja muito mais rentável do que a Caderneta de Poupança.[31] O mesmo motivo leva a maioria a descartar a hipótese de contratar um Plano de Previdência, pois a única informação que salta aos olhos da maioria são as elevadas taxas de carregamento e de administração desses planos.

---

*Conheça melhor seus deveres, para dever menos.*

---

Dar aos tributos a devida atenção, talvez tão grande quanto a dispensada à pesquisa das alternativas de investimento, não é excesso de zelo. Uma boa estratégia tributária, além de preservar em suas mãos recursos preciosos, dá um destino mais nobre a seu dinheiro do que daria se fosse para as mãos do Governo, que já tem tradição no uso irresponsável dos recursos que arrecada. Falo aqui não como especialista em tributos, que não sou, mas sim como administrador público, área em que me graduei.



Não quero criar a ilusão de que o Governo deixará de ser o maior sócio de seus rendimentos — você continuará pagando muitos impostos, mesmo com uma boa estratégia tributária. Porém, pode fazer grande diferença o momento em que você paga: ao postergar o pagamento de impostos, seu capital pode se multiplicar mais vezes antes de alimentar os cofres públicos. Ou, se um pouco de organização pessoal ajudá-lo a obter alíquotas de impostos mais generosas, sua disciplina estará sendo recompensada.

Não sendo especialista em impostos, não pretendo me dedicar a este tema além do básico que pode ser aproveitado pela maioria dos investidores. Por isso, preferi abordar o assunto juntamente com cada modalidade de investimento que será analisada nos capítulos seguintes, salientando, no momento adequado, as vantagens e desvantagens tributárias que as alternativas oferecem.

•••

[31] O que não é verdade, pelo menos no início de 2008, quando este livro foi escrito.

## j. Seus parceiros

Aprendi, desde meu primeiro investimento, que ninguém obtém sucesso investindo sozinho, e procurei deixar isso claro no início deste livro, onde fiz meus agradecimentos. Por mais que eu me esforçasse em estudar e aprender sobre diferentes investimentos, praticamente todas as minhas decisões foram tomadas após consultar alguém. Esse alguém não era necessariamente um especialista em investimentos, mas era certamente uma pessoa em quem eu confiava, bem informada e de bom senso. Alguém que pudesse ouvir uma idéia maluca e, dependendo de ela fazer sentido ou não, ajudar-me a descartá-la rapidamente ou alimentá-la com informações que eu ainda desconhecia.

*Duas cabeças pensam melhor que uma.*

Quando você parte para um mundo desconhecido, seja mudando para outro país ou investindo seus primeiros centavos em algo que nunca investiu, sua jornada será muito mais fácil se você tiver alguém por perto para fermentar suas idéias. Não importa se você mora no lugar mais remoto deste mundo. Estando conectado à Internet, o acesso a diferentes oportunidades de investimentos é instantâneo. Mas será mais fácil se você conseguir convencer algum amigo a investir com você, acompanhá-lo em cursos *on-line* e trocar opiniões freqüentemente. Não acredito que descobrir esse parceiro seja difícil, afinal, quem não quer tomar o rumo do enriquecimento? Melhor ainda se esse parceiro de jornada for a pessoa que você ama!

Se você puder contar com um grupo de pessoas queridas ou de confiança, o benefício da companhia pode deixar o mundo das idéias e partir para a prática: com pelo menos três participantes já é possível abrir um Clube de Investimentos, através do qual se pode tomar decisões conjuntas e investir o dinheiro do grupo como se fosse um fundo particular de investimentos. A vantagem está na motivação que o grupo encontrará para se reunir e conversar sobre investimentos, afinal todos estarão comprometidos a buscar conjuntamente o melhor caminho para seu dinheiro.

Esse é um dos motivos de muitos começarem no mercado de ações por meio de clubes de investimento. Duas cabeças pensam melhor do que uma. Três ou mais cabeças pensam muito mais. Abordarei mais sobre Clubes de Investimento nos capítulos seguintes.

•

Os ingredientes que apresentei neste capítulo não são, obviamente, os únicos necessários para que você se torne um bom investidor. Mas, não tenho dúvida, são aspectos dos mais relevantes que certamente o ajudarão a melhorar a qualidade de seus investimentos e a sensação de segurança de seu plano, caso você se lembre de revisar cada um deles ao longo de seu projeto de longo prazo.

Tratei até aqui, basicamente, da atitude necessária para investir. Acredito que seja suficiente para conversarmos mais tranqüilamente sobre as várias alternativas que você poderá escolher como base para sua riqueza. Vamos, então, a elas.

# 5. A pergunta de um milhão de dólares

Quem não gostaria de saber qual é o melhor investimento para seu dinheiro? Essa é uma das questões mais freqüentes em meus cursos, seminários e palestras, comum também entre os vários e-mails enviados a minha equipe de consultores, principal motivo de este livro ter sido escrito. O e-mail mais freqüente em minha caixa postal costuma ter uma ou duas linhas e conter uma redação semelhante a esta: "disponho de R$ 1.000 e gostaria de saber qual a melhor alternativa para aplicar meu dinheiro." Uma pergunta simples deveria merecer uma resposta igualmente simples, mas, infelizmente, essa resposta não existe — ao menos, com a simplicidade que a maioria das pessoas espera.

O fato é que jamais existirá o melhor investimento. Se houvesse uma única alternativa superior às demais, isso simplesmente se faria perceber por todo o mercado e os demais produtos deixariam de existir. Existem, sim, alternativas que são mais adequadas a um certo momento. Outras, mais adequadas a quem quer menos riscos. Outras, adequadas para quem tolera e sabe administrar riscos.

Não se trata de onde investir, mas sim de como investir. Uma revendedora de cosméticos ganha 30% de tudo que ela vende. Um imóvel comprado na planta pode valorizar entre 25 e 70% em dois anos. Ao participar de um leilão de imóveis ou de bens da Polícia Federal, você pode fazer aquisições pagando até 50% do valor de mercado. E ainda tem quem questione se é viável ou não conseguir, ao longo de vários anos, uma rentabilidade líquida superior a 1% ao mês! Tudo depende de como você trata os ganhos de cada lucro que obtém.

O melhor investimento é aquele que atende a suas necessidades, sua capacidade de investimento, sua tolerância ao risco, o prazo que você tem de investimento e, principalmente, seu nível de conhecimento sobre o produto. Jamais o investimento em ações, por exemplo, lhe será adequado se você não buscar conhecimentos mínimos sobre o mercado, seu comportamento e características peculiares. Quanto mais você se envolver em um mercado, mais conhecerá dele, encontrando nele as melhores alternativas. É por isso que, enquanto muitos ganham dinheiro com ações, outros preferem as opções, outros não largam o porto seguro da renda fixa e outros preferirão mercados não financeiros, como imóveis, obras de arte e leilões de bens.

O que costuma assustar investidores de boas alternativas são idéias prontas e equivocadas a respeito dos investimentos ou dos fatos que os cercam. São mitos geralmente construídos pela falta de informação ou por matérias sensacionalistas elaboradas por jornalistas mais mal informados do que mal intencionados. Na sociedade atual da democracia da informação, qualquer pessoa pode dizer o que pensa, e se o pensamento errado for inocentemente plantado em um veículo de mídia de massa, a idéia distorcida passa a ser vendida como verdadeira.

Procurei identificar os mitos mais freqüentes entre os investidores inexperientes, e cheguei aos sete que listo a seguir.



## a. Mito 1: O Brasil é um lugar em que se ganha dinheiro facilmente

Esse é o argumento do apaixonado otimista — um personagem que, reconheço, tem muito a ver comigo. Já viajei e li muito e realmente acredito que não existe lugar no mundo com mais oportunidades do que o Brasil para multiplicar dinheiro. Há muitas qualidades a serem exploradas, muito potencial latente, muitos mercados ainda em fase de organização e regulamentação. Se você pensou em oportunidades igualmente abundantes em países do mesmo nível político e econômico que o Brasil, como Rússia, Índia e China, está parcialmente correto. Desses quatro países, o que menos cresceu nos primeiros cinco anos do milênio foi o Brasil, por motivos que vão desde nossa limitada infra-estrutura até a falta de gente capacitada para completar as vagas de emprego disponíveis. Esse atraso, por si só, já é sinal de que temos muito a crescer, pois esperamos os colegas de classe fazerem a lição de casa para então copiar deles.

Sem dúvida, vivemos em um país em que as oportunidades esbarram em nós todos os dias — e feliz daquele que estiver preparado para aproveitá-las. Porém, considero esse ponto de vista um mito porque, diante de muito otimismo, podemos nos esquecer de seguir as orientações do mapa e perder o rumo.

Ainda vivemos em um país em que a corrupção avança no ritmo de cada carimbo batido por um burocrata, em que os impostos são arrecadados para garantir o bem-estar da corte real e não de quem os paga, em que os tributos aumentam com a mesma naturalidade que a inflação, em que regras mudam da noite para o dia para atender a interesses parciais, em que a imoralidade é tolerável entre as autoridades e em que os justos precisam provar que o são para não serem presos.

Em outras palavras, temos inúmeras oportunidades batendo à nossa porta, mas um número igualmente grande de oportunistas tentando nos passar a perna, de estelionatários nos oferecendo oportunidades que não existem e burocratas criando regras impossíveis de serem seguidas, além de empresas que escondem sob marcas respeitadas inúmeras infrações ao Código de Defesa do Consumidor.

Se temos argumentos para justificar que o Brasil é um dos melhores lugares para se ganhar dinheiro, o contrário pode ser justificado com número igualmente grande de motivos.



## b. Mito 2: O Brasil é um lugar difícil para se ganhar dinheiro

Contrapondo-se ao apaixonado otimista, o alarmado pessimista é aquele que, traumatizado com alguma perda passada que resultou de sua confiança em alguma instituição, prega intensamente que o melhor lugar para seu dinheiro é debaixo do colchão ou em algum paraíso fiscal perdido no globo terrestre.

Não faltam motivos para o trauma. Desde que o Brasil começou a se entender como uma nação próspera, patrimônios familiares foram despedaçados para atender a interesses de poderosos ou para bancar a ganância de poucos. Da chegada da família real portuguesa em 1808, que fomentou o seqüestro de imóveis para abrigar os nobres recém-chegados, aos casos mais recentes e igualmente graves de quebras de bancos e tomada da Poupança, que fulminaram economias familiares construídas durante décadas, sobram motivos para o brasileiro desconfiar de uma oportunidade inovadora para seu dinheiro.

Porém, não se pode desprezar a evolução do conhecimento e a maturidade que conquistamos com os erros do passado. Planos de Previdência quebraram no século passado porque sofriam com a participação limitada de contribuintes e não contavam com regras como as que, hoje, exigem que os recursos investidos estejam em um fundo exclusivo de previdência, menos suscetível a corridas bancárias em momentos de crise. Bancos quebravam facilmente quando não havia as duras regras de hoje, que exigem que todo tipo de risco assumido por cada instituição seja coberto por dinheiro parado em caixa, o que reduz sensivelmente a exposição da instituição aos humores do mercado. Nossas bolsas de valores quebravam quando eram pequenas e muito manipuláveis por um pequeno grupo de pessoas, risco que se diluiu bastante com o grande crescimento no número de investidores brasileiros e estrangeiros. A Poupança foi lamentavelmente bloqueada pelo Presidente Collor como uma tentativa desesperada para conter a inflação, monstro que está hoje sob controle.

Além das regras criadas para dar solidez ao mercado financeiro brasileiro, temos que reconhecer os benefícios da estabilidade conquistada após o bem-sucedido Plano Real. Com ela, criou-se a possibilidade de desenvolver a educação financeira no Brasil e de popularizar investimentos antes restritos a investidores de grande porte. Está mais fácil investir no Brasil, apesar de toda dificuldade para acreditar nisso.



## c. Mito 3: Investimentos de risco são bons até que apareça uma crise

O investidor com nenhuma tolerância para o risco sofre de um trauma diferente do citado no mito anterior. Ele não perdeu dinheiro por uma atitude de ganância ou leviandade de alguém em quem confiou, mas sim por ter tomado uma decisão precipitada em algum momento de crise. Ou, se nunca perdeu dinheiro nessas condições, aprendeu a investir sob orientação de quem o fez.

Crises dificilmente podem ser evitadas, e todo investimento de risco está sujeito a algum tipo de crise. Então, como lidar com elas? Este é o caso em que se encaixa perfeitamente o ditado: *se você não pode contra o inimigo, então junte-se a ele*. Se você não é como os megainvestidores, que, sob o menor sinal de crise, conseguem se desfazer instantaneamente de toda sua carteira de investimentos ao toque de um botão, é importante que aprenda a conviver com ela.

É nas crises que nos lembramos de que investimentos em ações, por exemplo, embutem elevado risco. É nas crises também que são feitas as projeções mais pessimistas, importantes elementos de um plano conservador. É nas crises que o pessimismo generalizado leva muitos a repetirem um erro clássico: arrependidos por terem investido em algo que gerou perdas, novos investidores vendem suas ações e prometem a si mesmos nunca mais voltar a pensar nessa alternativa.

Mas, como acontece em toda crise, depois de um tempo vem a recuperação e o esquecimento dos momentos tristes. Bons investimentos envolvem risco, e esse risco se traduz na alternância de períodos de fortes ganhos com períodos de perdas, mesmo que as perdas sejam resultantes de uma simples realização de lucros — quando, após fortes ganhos, há uma queda nos preços resultante da liquidação de papéis feita pelos grandes investidores.

Quem direcionar suas fichas para mercados de risco deve estar preparado para as crises. Não apenas preparado para suportá-las, mas principalmente para evitar a euforia de investir quando muitos já estiverem comemorando lucros, e ter paciência e disciplina para aguardar novas crises — que são a situação ideal para investir de maneira concentrada em ativos baratos. Afinal, é nas crises que os preços despencam e o investimento em ações mostra-se como um grande negócio. Crises, na verdade, deveriam ser um alívio para quem investe. Pelo menos, é aliviado que eu me sinto quando me deparo com uma crise.

*É nas crises que começam as belas histórias de investidores de sucesso.*

Quando todos estiverem comemorando o bom momento dos investimentos, segure seus impulsos e invista de maneira conservadora. Nas crises, abandone seu conservadorismo e faça escolhas que permitam bons saltos em seu patrimônio. É nas crises que começam as belas histórias de investidores de sucesso.

## d. Mito 4: Risco deve ser evitado ou minimizado

Você já deve ter percebido que não são poucas as alternativas para investir bem seu dinheiro. Tentando ser o mais preciso possível na resposta à pergunta "qual o melhor investimento?", eu diria que existe um investimento diferente para cada pessoa, ou mesmo para cada situação de vida de uma mesma pessoa. Ao planejar seu enriquecimento, é natural que o investidor faça reflexões a respeito das alternativas existentes para remunerar seu capital disponível.

Ele poderia, por exemplo, aplicar seu capital disponível em títulos públicos emitidos pelo governo e, sem nenhum risco significativo ou dor de cabeça, aguardar seu dinheiro crescer com segurança e consistência a juros reais superiores a 6% ao ano, no Brasil.[32] Uma alternativa que oferece risco bastante reduzido é o investimento em fundos de renda fixa, cuja rentabilidade, em alguns casos, supera a dos títulos públicos, uma vez que os gestores podem optar por investir os recursos do fundo tanto em títulos públicos quanto em títulos emitidos por empresas privadas, mais rentáveis que os papéis do governo. Se o investidor não tiver outra fonte de renda, pode viver dos juros reais de uma aplicação financeira desse tipo.

Se não estiver satisfeito com os consistentes, porém reduzidos, ganhos da renda fixa, esse mesmo investidor pode optar por investimentos conside-



●●●

[32] A rentabilidade líquida obtida nos investimentos é aquela calculada após o desconto dos impostos sobre os ganhos e já subtraído o efeito da inflação.

rados mais arrojados, como ações ou fundos de ações de grandes empresas. Em razão da possibilidade de auferir maiores ganhos, esse investidor precisa correr maiores riscos, pois, para um mercado em equilíbrio, quanto maior o risco, maior o retorno.

Se investir em ações, por exemplo, fosse uma alternativa tão segura quanto investir em renda fixa, porém mais rentável, nenhum investidor investiria em renda fixa. A relação entre o retorno e o risco dos diversos investimentos disponíveis em um mercado pode ser descrita por um gráfico como o mostrado a seguir, que leva em consideração que:

- existe um investimento de risco praticamente nulo, cuja rentabilidade é superior à de outras alternativas de risco também desprezível. No Brasil, a rentabilidade dos títulos públicos, refletida pela taxa Selic, é acessível a qualquer investidor e é superior a alternativas de risco igualmente desprezível, como cadernetas de poupança e CDBs, oferecidas por grandes bancos;
- quanto maior o retorno médio que cada alternativa de investimento traz, maior é o risco que o investidor está assumindo;
- investidores conscientes não optariam por alternativas menos rentáveis se existissem opções mais eficientes para o mesmo nível de risco assumido. Por exemplo, um investidor bem informado sobre Caderneta de Poupança e sobre Títulos Públicos certamente investiria na alternativa mais rentável. Da mesma forma, negócios que oferecem rentabilidade abaixo da média do mercado tendem a deixar de existir, pois supõe-se que o investidor, mais cedo ou mais tarde, optará pela melhor alternativa para si;
- negócios cuja rentabilidade está muito acima da média obtida por outras opções de mesmo risco tendem a atrair outros investidores, e a resultante competição elevaria os preços, tendendo a comprimir suas margens de lucros e reduzindo sua rentabilidade;
- das duas idéias anteriores deduz-se que, numa visão de longo prazo, todas as alternativas de investimento de um mercado estarão posicionadas em cima da curva risco × retorno desse mercado, nem acima nem abaixo.

Assim, podemos levar em consideração que a alternativa que traz maior risco ao investidor somente será aceita como opção de investimento se efetivamente puder gerar resultados melhores, como mostrado no gráfico a seguir.

**CURVA RISCO *VERSUS* RETORNO DE UM MERCADO**

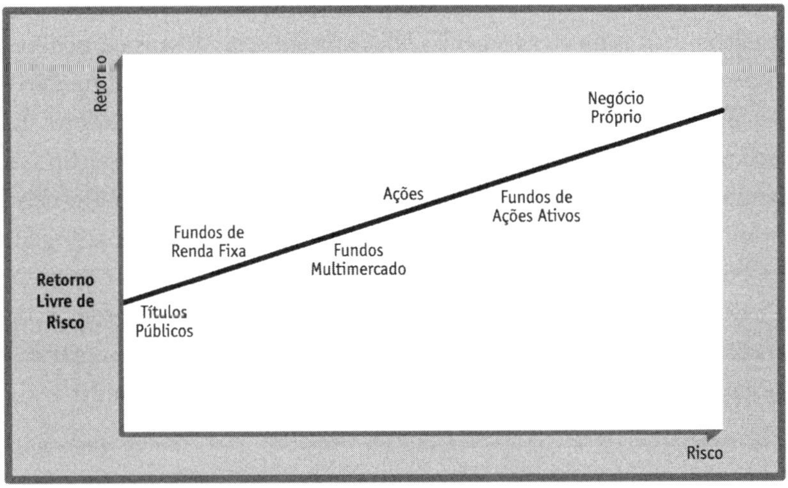


Negócios cuja rentabilidade está acima da obtida por outras opções de mesmo risco tendem a: 1) atrair muitos investidores e, conseqüentemente, 2) perder rentabilidade em função da maior competição. Veja abaixo:

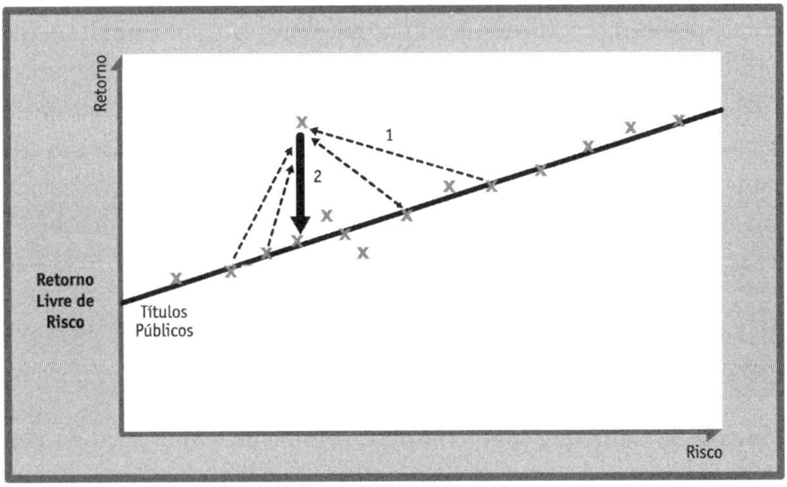


PARTE I

Dentre as diversas formas de investir, aquela que é considerada de maior risco é o investimento em um negócio próprio, com seu risco superando até mesmo o nível de risco dos investimentos em ações. Ao entender o porquê dessa característica, fica mais fácil entender o real conceito de risco. Ao investir em ações, você estará adquirindo parte do capital de uma empresa de grande porte, normalmente com anos de tradição, significativa participação em seu mercado, com suas finanças organizadas, transparência em seus números e em suas operações, administradas por profissionais com alto grau de formação técnica e com atividades fiscalizadas por todo um mercado de investidores. Essas qualidades todas não eliminam a possibilidade de empresas desse tipo quebrarem, mas diminuem esse risco sensivelmente. Ao investir em um negócio próprio, você terá de administrar os riscos com recursos humanos, exigências legais, burocracias fiscais, papelada exigida pelo contador e pelo governo, qualidade de produtos e/ou serviços, satisfação de clientes, riscos de fornecedores e concorrência. Por mais que empreendedores administrem com garra seus negócios, sabemos que a maioria das empresas vai fechar suas portas.

*Riscos não devem ser evitados, mas sim administrados.*

Isso não quer dizer que o investimento em ações é melhor do que o investimento em um negócio próprio. Para montar um negócio, o investidor precisa ter perfil empreendedor. E empreender é justamente assumir riscos, na maioria das vezes, sensivelmente maiores do que alternativas de investimentos padronizadas, como os produtos financeiros. *Riscos não devem ser evitados, mas sim administrados.* Investidores, por sua vez, não correm riscos, mas sim administram riscos. O melhor investimento para você será aquele com o qual você se sinta mais à vontade para administrar e para buscar novas informações.

## e. Mito 5: Seu perfil não combina com certos investimentos

Se você acredita que seu perfil de investimento é um traço da personalidade que nasce junto com você, influenciado por seu mapa astral ou signo do zodíaco, sugiro rever seus conceitos o quanto antes, para não ter uma velhice tão conservadora quanto seus investimentos. Muitas instituições financeiras nos apresentam questionários que supõem que dados como número de filhos, idade e escolaridade definem se o investidor é conservador, moderado e arrojado.

Pessoalmente, não acredito nesses questionários. Na melhor das hipóteses, o resultado oferecido por eles pode ser um primeiro chute para a definição do melhor investimento para nós, mas a aproximação é grosseira. Um questionário eficiente deveria identificar, pelo menos: seu conhecimento sobre investimentos, o conhecimento de quem o orienta, suas fontes de informação, seu tempo disponível para estudar seus investimentos, o grau de proteção assegurado para sua família, sua estabilidade no emprego e suas expectativas de consumo e prazos para conquistá-las. Não é tarefa simples identificar as condições limitantes para seus investimentos.

Nos últimos anos, deparei com vários casos de indivíduos com particularidades que conflitavam com o perfil que acreditavam ter para investimentos. Eis alguns deles:

- Amanda R. é uma jovem de 18 anos que, ao pesquisar seu primeiro investimento, assegurou não ter perfil para risco. Porém, poucas situações são tão propícias quanto a juventude para investimentos arrojados, considerando a propensão ao aprendizado, a disponibilidade de tempo para aprender e se organizar e a certeza de contar com um bom prazo para suportar as oscilações dos mercados. No mínimo, um jovem deve buscar se informar sobre as boas alternativas de longo prazo, e investir nelas.
- Jeremias C. é um chefe de família com 58 anos, três filhos na faculdade, bons conhecimentos financeiros, sem reservas financeiras significativas, que quer começar agora seu projeto de investimentos e que, para tirar o atraso, prefere investimentos arrojados. As condições, porém, demandam desse investidor a contratação de um seguro de vida, em primeiro lugar, e depois a constituição de uma reserva financeira segura e previsível, com investimentos conservadores. Apesar de seu conhecimento, a falta de segurança da família

seria motivo para grande desconforto e risco à saúde em caso de fortes oscilações de seus investimentos.

- Alceu T. é um trabalhador com carreira estável, doze anos na mesma empresa, com dez meses de renda aplicados na Caderneta de Poupança e contribuindo para um bom plano de previdência, em que a empresa aplica 8% de seu salário e ele 4%. Seu objetivo era partir para Fundos de Renda Fixa, para melhorar a rentabilidade de suas reservas sem deixar o perfil conservador. Porém, a segurança oferecida pelo bom plano e pelo FGTS é tanta, que a recomendação de investir ao menos 50% das reservas em investimentos de risco seria uma boa sugestão para "vitaminar" os ganhos de longo prazo de sua carteira de investimentos.
- Sebastião F. é um aposentado de 77 anos com um patrimônio que lhe rende duas vezes o que ele gasta por mês em consumo pessoal, constituído após anos de bons investimentos em ações. Sua experiência o intitula a manter um perfil arrojado, porém seu elevado grau de independência financeira levaria qualquer consultor a sugerir maior conservadorismo em sua carteira, visando assegurar e estabilizar a renda mais que suficiente que ele obtém. Talvez, com o objetivo de continuar o dignificante processo de aumento da riqueza, uma boa sugestão seria manter apenas uma parte reduzida do patrimônio em renda variável.



Talvez a única situação que determine uma característica constante na forma de investir seja uma vida sem qualquer tipo de mudanças, tanto na renda familiar, quanto nas perspectivas para as metas pessoais do investidor. Em outras palavras, a não ser que você seja um filho de magnata ou um príncipe de uma linhagem muito rica, seu perfil deve variar ao longo da vida. Deveria, ao menos.

Enquanto você tem patrimônio reduzido, muito tempo pela frente e flexibilidade em relação aos prazos para colocar seus sonhos em prática, você deve ser mais arrojado. Em outras palavras, quanto mais jovem você for, maior deve ser a participação de investimentos de risco em sua carteira, pois você terá mais tempo para absorver os altos e baixos do mercado e terá mais oportunidades para ver seu patrimônio deslanchar, se fizer boas escolhas. À medida que for atingindo metas de formação de riqueza e priorizando datas para utilizar parte de sua fortuna, seus investimentos devem passar a ser mais conservadores. Exemplos de priorização de datas são o compromisso de casar em uma data já agendada, o nascimento de um filho, o pagamento da faculdade dos filhos e a celebração de 25 anos de casamento. No dia em que a data chegar, seu dinheiro não poderá esperar a recuperação de uma crise; é importante que ele esteja protegido. Por isso, sugiro que, uma vez que um compromisso esteja a menos de dois anos de ser concretizado, todo o dinheiro que será gasto com ele seja investido em alternativas conservadoras — esteja esse dinheiro já poupado ou em fase de acumulação, não importa. Essa atitude é para lhe dar paz, com a certeza de que o que já foi conquistado não será mais perdido.

*Desprendimento* é o termo que utilizo para identificar a condição ideal para investir em ativos de risco, aqueles que podem gerar resultados diferenciados após altos e baixos. Por exemplo, se você tem uma festa de formatura agendada para daqui a dez meses, a situação não é de desprendimento, mas sim de comprometimento. Porém, se seu objetivo é o de trocar de carro assim que acumular um saldo nos investimentos igual ou superior a R$ 100 mil, a situação é típica de desprendimento. Seu carro pode ser comprado antes ou depois do que seria com investimentos na renda fixa — se o vento soprar a favor, provavelmente você atingirá sua meta antes do prazo —, mas o tempo não será seu inimigo na perseguição desse sonho.

Independentemente de seu grau de aceitação ao risco, é recomendável ter ao menos uma pequena participação de seus investimentos em ações ou outros ativos de risco, pois o atual momento econômico é positivo para as empresas brasileiras. Com o passar do tempo, provavelmente seus projetos de vida irão se aproximar da concretização, o que lhe demandará mais previsibilidade e segurança nos investimentos. Da mesma forma que recomendo àqueles que me trazem fortunas para serem administradas, à medida que o tempo passa meus investimentos vão ficando mais conservadores, o que vai limitando o espaço para o erro. Espero, portanto, errar cada vez menos e comemorar cada vez mais.

Uma maneira simples de seguir essa recomendação é adotar regras simples vinculadas a nossa idade. Especialistas norte-americanos recomendam a regra dos 100 para compor sua carteira de investimentos. A idéia é simples: subtraia sua idade de 100, e esse deverá ser o percentual recomendável para investimentos em ações. Por exemplo, se você tem 40 anos, deveria investir 100 menos 40, ou seja, 60% de seu patrimônio em ações. Quanto mais velho, menor a participação de investimentos de risco em sua carteira.

No Brasil, especialistas recomendam ajustar essa fórmula para a regra dos 70 ou dos 80, devido ao maior risco dos investimentos no Brasil. Provavelmente, o motivo desse maior conservadorismo seja uma combinação de maior risco de nosso mercado de ações e de uma menor expectativa de vida. Se você não quer correr riscos excessivos, sugiro ajustar a formulação para a regra dos 80, um número razoável para a expectativa de vida da classe média brasileira. Segundo essa regra, uma pessoa de 20 anos deveria investir 60% de sua poupança em ações, e reduzir essa participação à medida que envelhece. Obviamente, essa regra supõe que o investidor será passivo em sua estratégia, e não se tornará um investidor ativo ou um profissional do mercado de investimentos.

**A Regra dos 80**

**80 - sua idade**

**=**

% de renda variável em sua carteira

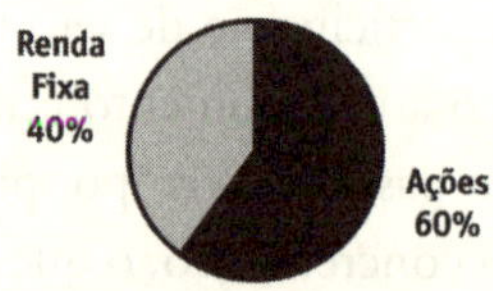


Não posso deixar de comentar o caso daqueles que evitam investimentos de risco por não suportar o sobe-e-desce dos preços do mercado, que alterna a sensação de perda à de euforia. O problema, aqui, não está com o investimento, mas sim com o investidor e com a sua ansiedade. Minha sugestão, que é inclusive a que eu pratico, é olhar com menor freqüência para seus investimentos e, quando olhar, atentar para o que realmente importa. Quem investe em ações deve estar mais preocupado com a continuidade dos lucros da empresa, e não com os preços das ações no mercado, pois os preços variam com o humor dos investidores.

Em minha planilha de controle dos investimentos, não incluo o valor das ações. Meu principal controle da evolução de meus investimentos em ações está no acompanhamento dos dividendos pagos anualmente. A cada mês, somo em minha planilha todos os dividendos recebidos nos últimos doze meses.

Há quem questione esse tipo de controle, mas minha sensação é de absoluta segurança nos investimentos, por uma razão muito simples: como escolho empresas com bom potencial de crescimento e minhas escolhas são pouco ousadas, a conseqüência é que, desde meu primeiro investimento em ações, a soma dos dividendos anuais que contabilizo mês a mês sempre cresceu — não tive sequer um mês de queda em relação ao anterior. Para quê se preocupar com os preços das ações, se é dos dividendos que pretendo tirar meu sustento?



## f. Mito 6: É preciso ter *timing* para investir bem

Outra má interpretação que afasta novos investidores de mercados mais ativos é a falsa idéia de que é preciso ter *timing* para se tornar um bom investidor. A expressão em inglês é utilizada para definir pessoas de raciocínio rápido e pronta ação diante de uma situação oportuna, ou pessoas com boa sintonia cerebral com o ritmo necessário para certo tipo de ação. Por exemplo, o *timing* é essencial para quem deseja ser um bom contador de piadas; sem ele, não damos o devido tempo para que a platéia reflita sobre as ironias das palavras ou não damos o devido intervalo para gargalhadas que alimentam o clima de humor. Como eu não tenho bom *timing*, limito-me a ouvir piadas e evito contá-las.

No mundo dos investimentos, o *timing* é uma qualidade essencial para quem pretende viver de operações diárias — os já referidos *day-trades* — ou para quem adota a estratégia de tomar decisões com base em gráficos — a chamada Análise Técnica ou Análise Grafista. É uma qualidade típica de um *trader*, que, somada à percepção visual, ajuda a fazer escolhas rápidas. É inimaginável que um *trader* possa tomar decisões escolhendo aleatoriamente gráficos de preços de ações e estudando cada movimento de alta e baixa. Uma pessoa de boa percepção visual bate o olho em um gráfico e já enxerga a oportunidade; no máximo, faz pequenas e ágeis análises para confirmar seu palpite, e em questão de segundos já tem uma opinião formada sobre a qualidade do investimento. É também inimaginável que, somente diante de uma oportunidade, o *trader* corra atrás de verificar se tem recursos para investir, se o sistema de seu banco está disponível para fazer uma transferência ou se seu *homebroker* está funcionando. Ao buscar uma oportunidade, um bom *trader* já tem engatilhado o recurso, o palpite de investimento, o grau de risco a assumir e a estratégia para desistir do investimento em caso de má escolha. Isso é *timing* nos investimentos.

Quem não tem tempo para configurar diariamente e antes de qualquer decisão sua auto-organização, deve evitar estratégias muito ativas de investimento. Se fizer isso, provavelmente irá se desgastar com a dificuldade de arrecadar tributos, de providenciar o envio de recursos para a conta da corretora no momento certo, de organizar a papelada de compra e venda e de esclarecer dúvidas junto a especialistas. Quem está envolvido cotidianamente com seus investimentos tira de letra essas importantes atividades.

Diferentemente do mundo das piadas, porém, quem não tem *timing* não está sem opções. É possível investir sim, adotando um comportamento passivo mas não menos eficiente do que o investimento ativo. Utilizando recomendações feitas por especialistas com base na chamada Análise Fundamentalista, que prevê a colheita de resultados ao longo de meses, é possível adquirir investimentos com boas perspectivas e sem a preocupação de comprar ou vender logo, pois se espera que um papel com bons fundamentos mantenha bons resultados por muito tempo.

## g. Mito 7: Sou um investidor bem-informado

Esse é o lema do investidor arrogante que, por excesso de confiança, pode acabar perdendo tudo um dia na vida. Jamais acredite que você sabe o suficiente para não precisar mais de cursos, de leituras ou do conselho de um especialista. Mesmo que seu conhecimento possa ser considerado acima da média, não conte com isso.

Cultive o hábito de pesquisar sempre, de ler e de buscar conselhos. O motivo é a grande dinâmica do mercado de investimentos. Quando seus conhecimentos estiverem gerando bons frutos, considere-os ultrapassados, pois muita gente estará colhendo também e, em pouco tempo, seus ótimos investimentos serão investimentos medianos. É por isso que, mesmo rebalanceando sua carteira e tornando-a cada vez mais conservadora ao longo dos anos, sempre haverá a oportunidade de trabalhar uma parcela de risco dela. Esta parcela de risco deverá caçar oportunidades, mas as oportunidades terão diferentes nomes ao longo dos anos.

Por isso, encare os investimentos como um esporte em que a experiência refina sua técnica de tentar, errar, acertar e acumular mais experiência. Com o tempo, não espere ter os melhores ativos, mas sim uma melhor condição de buscá-los. Mas não deixe de perseguir melhorias em sua carteira.

•

Feito o esclarecimento de que não existe melhor forma de investir, nem melhor investimento, cabe a você decidir qual será seu meio para multiplicar riquezas. Se o melhor investimento é aquele com o qual nos sentimos mais à vontade ao aprender sobre ele, provavelmente você tenderá a ter uma queda pelos investimentos com os quais pessoas próximas a você estão acostumadas a lidar.

É por isso que aqueles que vivem em cidades interioranas tendem a optar pela negociação de terras e *commodities* agrícolas, enquanto aqueles que já trabalharam em bancos tendem a optar por investimentos em fundos e títulos. Porém, essa característica não é regra, é apenas uma tendência. Com a Internet interligando negociadores e bolsas, nada impede que um estudante de uma grande metrópole faça boas negociações com sacas de milho, assim como não há qualquer impedimento para que um morador do interior da selva amazônica opere na Bolsa de Valores de São Paulo. Basta o acesso à Internet e a vontade de aprender.

Assim, acredito que o que foi lido até agora lhe dá uma boa visão de suas condições de trabalho. É hora de partir para as ferramentas, e discutir as estratégias que podem tanto simplificar quanto tornar mais eficientes suas escolhas de investimento.

# PARTE II

# NÃO LHE FALTAM ALTERNATIVAS

As instituições autorizadas a negociar a intermediação de produtos e serviços financeiros costumam ser vistas, equivocadamente, como empecilhos ao nosso enriquecimento. É comum a associação do aperto orçamentário à cobrança de tarifas bancárias, ou do baixo rendimento de nossos investimentos aos impostos retidos. É igualmente comum a percepção de que nossos investimentos estão mal alocados em razão da falta de vontade ou de conhecimento de nosso gerente de conta bancária.

Vejo, porém, as instituições financeiras e regulatórias de mercado com um papel diferente, muito mais próximo de nossos interesses do que percebe a maioria das pessoas. O entendimento da função dessas instituições no complexo jogo do sistema capitalista é essencial para que o seu papel, nesse jogo, ganhe importância.

Em todas as palestras que ministro para empresas, por exemplo, faço questão de alertar os trabalhadores para seu papel na companhia. Um assalariado não é pago por caridade; ele é pago porque é capaz de gerar lucros para os donos ou acionistas da empresa para a qual trabalha, cuidando bem da riqueza desses acionistas. Quanto maior sua capacidade de gerar lucros para a empresa, maior o salário que ela lhe pagará. Como, em essência, um trabalhador dedica entre oito e dez horas diárias de sua inteligência e experiência para enriquecer os outros, o ideal é que ele encontre alguém para trabalhar para sua pequena riqueza, aquela poupança que ele consegue fazer, a fim de um dia conseguir acumular capital suficiente para poder se aposentar ou para atingir outros objetivos. Não importa quem trabalha para você. Podem ser bancos, corretores de imóveis, corretores de ações, leiloeiros ou parentes que tocam seu negócio. O que importa é que trabalhem bem. Esse é o papel das instituições em sua vida e no jogo do capitalismo.

Ter uma instituição trabalhando para você não é uma simples metáfora ou força de expressão. Por mais que um banco seja um gigante do mundo corporativo, é a sua atitude em relação a ele que irá determinar se ele trabalhará para você ou se você é quem trabalhará para pagar as contas impostas por ele. Devemos ser menos clientes e mais patrões daqueles que cobram para trabalhar para nós. Não aceite qualquer resposta de seu banco quando pedir informações; exija respostas claras e que resolvam seu problema. Não aceite a primeira oferta de seu corretor de imóveis. Exija a que traz a melhor oportunidade. Se precisar, agrade de vez em quando, com presentes, o seu "funcionário". Mas não deixe de exigir um bom trabalho. Afinal, essa pessoa dedica a maior parte do tempo dela a cuidar de seu capital.

Se existe a percepção de que o serviço que nos prestam é ruim, essa percepção vem da massificação dos serviços, que impõem aos gerentes de conta, corretores e atendentes a adoção de argumentos e orientações adequadas para a maioria dos clientes. Se a maioria dos usuários dos serviços é formada por pessoas sem qualquer conhecimento no assunto e sem a menor tolerância ao risco, a orientação padrão será aquela que mais protege a instituição. Se a orientação por um investimento de risco assustar ao cliente, será uma conta a menos na instituição. Por isso, o atendimento que você receberá será medíocre enquanto você demonstrar que tem conhecimentos medíocres. Para inverter essa regra, exija soluções diferenciadas, cobre mais de seu gerente ou corretor, questione informações pouco transparentes. Sempre há atendimento diferenciado para clientes diferenciados.



---

*Tão importante quanto a escolha do investimento*
*é a escolha de quem o ajudará a acessá-lo.*

---

Não é exagero afirmar que, tão importante quanto a escolha do investimento, é a escolha de quem o ajudará a acessá-lo. A negligência nessa escolha pode levá-lo a pagar desnecessariamente mais tarifas e mais impostos, além de limitar seu acesso a alternativas realmente diferenciadas. Importante também é ter uma carteira adequada de prestadores de serviços à sua disposição, previamente pesquisada e selecionada, para não ter que recorrer a eles apenas no momento em que a oportunidade surgir.

A partir do momento em que você decidir dar um rumo inteligente a seu dinheiro (acredito que já tenha feito isso, antes de começar a leitura deste livro), recomendo que você procure ter, pelo menos:

1. uma conta-corrente ou conta poupança aberta em um grande banco, objetivando a movimentação diária;
2. uma segunda conta-corrente, objetivando manter nela seus investimentos e serviços que exijam bom relacionamento, como cartões de crédito;
3. cadastro feito e documentado em pelo menos duas corretoras de valores, objetivando a compra de ações e de títulos públicos;
4. contato com um corretor de seguros e previdência experiente e de confiança, ou bem recomendado.

Se você quiser contar com mais probabilidades de fazer bons negócios, seria prudente ter à mão os contatos previamente pesquisados e selecionados de uma boa administradora de consórcios, um bom advogado, um consultor financeiro e uma boa imobiliária ou corretor de imóveis independente. São serviços fartamente disponíveis e dos quais não é difícil obter indicações de conhecidos. O contato prévio com esses prestadores pode significar a certeza de um rápido atendimento quando a oportunidade de investimento surgir e não puder esperar.

Explico, nos capítulos seguintes, os motivos de minhas recomendações, com dicas para bom uso dos serviços sugeridos. Como meu propósito, nesta obra, é o de focar nas estratégias de investimentos, a ênfase será dada nelas e não nas características técnicas dos produtos.

# 6.
# Estratégias inteligentes em renda fixa

Com a queda nos juros brasileiros para patamares mais saudáveis, o investidor-agiota brasileiro passou a se sentir mal remunerado. Pudera... Juros da ordem de 25% ao ano, suficientes para dobrar um investimento em cerca de três anos, eram comuns no final do século passado. Na época, a outrora popular Caderneta de Poupança só não estava na berlinda devido à tradição de uso e ao reduzido grau de consciência financeira do brasileiro. Cabe lembrar que saíamos de um longo período inflacionário, em que a noção de valor fora devastada pela intensa mudança nos preços.

A queda nos juros da economia não só reduziu o poder multiplicador da renda fixa (a juros de 11% ao ano,[33] precisamos de mais de seis anos para dobrar nosso capital), como também equiparou os diferentes investimentos nessa modalidade. Saímos de uma situação em que os bons fundos de renda fixa chegavam a render o dobro da Poupança, para uma nova realidade em que até os melhores fundos chegam a perder para a mais popular das alternativas, dependendo do prazo aplicado e do imposto devido.

Ainda é possível ganhar dinheiro com segurança e previsibilidade, porém sem aquela intensidade que tanto orgulhava aos conservadores. Quem optar por construir sua riqueza com a segurança da renda fixa, perceberá pouca diferença de desempenho entre as alternativas disponíveis; porém, essa diferença existe e terá impacto significativo em duas situações: quando você investir muito dinheiro, ou quando contar com muito prazo pela frente. Perceba a diferença em um cálculo simples: se você aplicar R$ 100 por

[33] No início de maio de 2008, a Taxa Selic, referência para os juros da economia, estava em 11,75% ao ano.

mês, durante 35 anos, em uma alternativa que lhe garanta uma rentabilidade média conhecida e previsível, poderá ter resultados acumulados tão diversos como estes, ao final do período:

- R$ 143.183, se seu investimento lhe render 0,5% ao mês;
- R$ 164.735, se o rendimento médio for de 0,55% ao mês;
- R$ 190.056, se você conseguir manter uma média de 0,6% ao mês

A diferença, no saldo final, é de 33% de recursos a mais entre a melhor e a pior alternativa, nada desprezível, se considerarmos que nasceu de 0,1 ponto percentual de rentabilidade. Esses cálculos não consideram a tributação, mas a comparação é válida se o processo de retenção do Imposto de Renda for idêntico nas três modalidades. Apenas a título de comparação — e de incentivo ao risco —, os mesmos R$ 100 mensais submetidos a uma rentabilidade média de 1,0% ao mês acumulariam um saldo de R$ 649.527.

Em essência, a renda fixa sempre será um empréstimo, diferentemente dos investimentos de maior risco, que envolvem compras e vendas. Quem investe em Títulos Públicos, empresta ao Governo. Em debêntures, empresta às empresas. Em CDBs, aos bancos. Como nos empréstimos que tomamos quando precisamos, é a saúde financeira desses agentes a quem emprestamos que assegura que receberemos os juros que esperamos. Se o governo ou essas empresas quebrarem, você perderá seu dinheiro. Porém, quanto mais baixos os juros que as instituições pagam, menos provável é a hipótese de quebra.

Apesar de o conceito de renda fixa ser extremamente simples, existem diversas formas de renda fixa, às quais dedico as próximas páginas.



## a. Pré ou Pós?

O nome renda fixa tende a nos passar a ilusão de que o rendimento que podemos obter com ela é completamente previsível ou conhecido. Nem um, nem outro. Essas conclusões são apenas parcialmente verdadeiras. Uma vez decidido a investir em renda fixa, você tem uma importante escolha a fazer: seu dinheiro será remunerado a taxa pré-fixada ou pós-fixada?

A diferença é simples:

**Taxa pré-fixada:** ao contratar o investimento, você já sabe antecipadamente qual taxa irá receber pelo prazo que deixar seu dinheiro "aplicado" (o termo correto deveria ser "emprestado"). Por exemplo, ao pesquisar os CDBs que seu banco lhe oferece para uma aplicação de R$ 1.000, uma das opções é investir durante 12 meses, a juros de 10% ao ano. Ao optar por este investimento, você sabe que receberá, antes do pagamento do Imposto de Renda, um montante de R$ 1.100 ao final de um ano.

**Taxa pós-fixada:** normalmente, a remuneração que lhe é proposta está vinculada ao desempenho de algum índice que pode variar ao longo do tempo. Por exemplo, digamos que, para os mesmos R$ 1.000 que você deseja aplicar, o banco lhe oferece dois CDBs; um deles pagará 90% do CDI,[34] enquanto o outro pagará 6% ao ano acima da inflação medida pelo IPC-A. Nestes casos, você não sabe de antemão quanto terá ao final de 12 meses, pois seu resultado dependerá da evolução dos indicadores. Se, na primeira opção, o CDI acumulado em 12 meses for de 10%, você receberá 90% desse índice, ou 9% antes do imposto. Na segunda opção, se a inflação for de 3,5%, você receberá 9,5% antes da retenção do imposto.

*Qual é melhor?* Cada opção é melhor em situações diferentes. Se a tendência dos juros da economia é de queda, você fará melhor negócio optando por taxas pré-fixadas, que garantirão rentabilidades próximas às atuais por mais tempo. Por outro lado, se a queda nos juros de mercado for certa, seu banco lhe oferecerá uma taxa menor na renda fixa pré-fixada. Se o futuro é incerto, as taxas pós-fixadas são melhores, pois, em caso de inflação, o Governo tende a elevar juros para desaquecer a economia, e seu dinheiro crescerá mais.



[34] CDI, ou simplesmente DI, é a sigla para Certificado de Depósito Interbancário, que é o empréstimo realizado entre grandes bancos. O banco que empresta demais toma emprestado dos que captam demais, pagando a taxa negociada no dia entre bancos. Em uma situação normal, o CDI costuma estar próximo aos juros base da economia (Taxa Selic), tanto acima quanto abaixo.

*Qual é mais segura?* A opção mais conservadora é a renda fixa pós-fixada, por assegurar que seu patrimônio irá render mais em caso de desequilíbrio da economia. A pré-fixada é mais especulativa, pois tende a gerar diferenciais apenas se a previsão de queda nos juros se concretizar. Para o investidor conservador, significa assumir muito risco para um pequeno diferencial de ganho. Afinal, se você tem certeza de que os juros vão cair, fará melhor negócio investindo em ações.[34]

*Qual devo escolher?* Se você opta pela renda fixa em razão da segurança, sua opção deve ser pela pós-fixada. É a alternativa que lhe protegerá principalmente nas crises e que renderá de maneira previsível nos períodos de calmaria. A renda fixa pré-fixada é para investidores que contam com uma boa análise econômica para fazer suas escolhas, pois, em determinados períodos, como será explicado no item sobre Títulos Públicos, a renda fixa pré pode resultar em remuneração negativa (perda de dinheiro).

## b. Caderneta de Poupança

Grande parte da popularidade da Caderneta de Poupança se deve a sua simplicidade. Nascida para levantar fundos para o financiamento imobiliário, funciona como uma espécie de convênio entre os bancos e o Banco Central do Brasil, que determina que todas as instituições sigam exatamente as mesmas regras. Em outras palavras, as características da Caderneta de Poupança são exatamente as mesmas em qualquer banco a que você confiar seu dinheiro:

- Rendimentos equivalentes à variação da Taxa Referencial (TR)[35] mais 0,5% de juros ao mês.
- A remuneração é feita a cada mês completado. Recursos resgatados antes da chamada data de aniversário perdem a remuneração do mês em curso.
- Não há incidência de Imposto de Renda sobre os rendimentos, para Pessoas Físicas.



[34] Juros mais baixos incentivam o consumo e os financiamentos, que, por sua vez, incentivam o crescimento dos negócios das empresas.

[35] A Taxa Referencial (TR) é calculada com base na remuneração mensal média dos CDBs emitidos a taxas de mercado prefixadas pelos bancos, deduzida por um fator redutor estabelecido pelo Banco Central.

- Não há incidência de Imposto sobre Operações Financeiras — IOF. Na prática, isso não é nenhuma vantagem, pois o IOF só costuma incidir sobre rendimentos de recursos resgatados antes de 30 dias após a aplicação. Como a Poupança não rende nada se resgatada nesse período, o IOF não se aplicaria em qualquer hipótese.
- Depósitos em cheque contam desde o dia do depósito, e não da compensação, desde que o cheque não volte por falta de fundos.
- É possível efetuar depósitos de pequeno valor.
- Recursos aplicados estão protegidos pelo Fundo Garantidor de Crédito,[36] até o limite de R$ 60 mil por CPF.
- Recursos aplicados na Caderneta de Poupança da Caixa Econômica Federal estão totalmente garantidos pela União, por decreto-lei.

Um pequeno cuidado pode fazer a diferença nos resultados que você obtém ao aplicar na Caderneta de Poupança: evite sacar em data diferente da do aniversário. Se a data de aniversário de sua Caderneta de Poupança não cair em dia útil, evite sacar no dia útil anterior, para não perder o rendimento do mês sobre o valor sacado. Espere para sacar no primeiro dia útil após o aniversário.

O grande diferencial da Caderneta de Poupança, além da simplicidade, é seu rendimento previsível, com reduzida oscilação, pois o principal componente da rentabilidade está nos 0,5% de juros fixos. É a alternativa recomendada tanto para quem tem poucos recursos a investir, quanto para aqueles que pretendem manter o dinheiro aplicado com segurança por um prazo inferior a dois anos.

## c. Títulos da Dívida Pública, ou, simplesmente, Títulos Públicos

Títulos são instrumentos de dívida. Diferentemente da contração de dívida via mercado bancário (por meio de empréstimos e financiamentos), quem emite um título está contraindo uma dívida via mercado de capitais.

•••

36 O FGC é um fundo mantido compulsoriamente para dar segurança aos aplicadores, assegurando a preservação de até R$ 60 mil por CPF nas aplicações em caderneta de Poupança, CDBs, Letras Hipotecárias e Letras de Câmbio.

Ao comprar títulos privados (como debêntures), você está emprestando dinheiro a uma empresa; ao comprar títulos públicos, seu empréstimo é para uma entidade governamental. Como você sabe, dinheiro não dá em árvores; os juros que você ganha em suas aplicações são pagos, portanto, por alguém que precisa de seu dinheiro. Quanto mais a instituição precisar de dinheiro, mais elevados serão os juros oferecidos para os potenciais compradores de títulos. Pela lógica do mercado, você receberá os juros contratados — que podem ser pré ou pós fixados — enquanto mantiver a posse do título.

Os chamados títulos da dívida pública são emitidos pelos governos federal, estadual e municipal com a finalidade de captar recursos e financiar as diversas atividades do orçamento público. Se você não sabia, em tempo: ao praticamente eliminar sua dívida externa, o governo brasileiro passou a deter apenas uma dívida interna, que se constitui principalmente nos recursos devidos a quem investiu em títulos públicos.

Qualquer pessoa residente no Brasil pode comprar títulos públicos através do Tesouro Direto, um programa do Ministério da Fazenda que permite a negociação de títulos da dívida pública federal sem a necessidade de intermediários. A principal exigência do programa é o cadastramento do investidor junto a um agente de custódia, que pode ser um banco ou uma corretora de valores, o qual ficará responsável pela guarda dos títulos.

A grande vantagem do programa Tesouro Direto é permitir investimentos a partir de cerca de R$ 200,[37] viabilizando a negociação dos títulos da dívida pública para pequenos investidores. No passado, somente investidores de grande porte tinham acesso a esse tipo de título, em função do elevado investimento até então necessário para adquiri-los.

Outra vantagem, que é o principal atrativo desta modalidade, está nos reduzidos custos em relação às taxas de administração de fundos. Enquanto fundos populares, para captação de pequenos valores, costumam praticar taxas da ordem de 3 a 4% ao ano para administrar a compra e venda de títulos para você, no Tesouro Direto a conta pode sair mais barata. A cada compra, são cobrados:

[37] Na verdade, o mínimo não é de R$ 200, mas sim a quantidade equivalente a 0,2 vezes o valor de face de um título. Normalmente, um título público é emitido pelo valor de face de R$ 1.000, e seu valor de renegociação no mercado irá variar de acordo com a atratividade deste título e da rentabilidade embutida nele. O valor mínimo de negociação de um título valendo, por exemplo, R$ 900, é de R$ 180 ou 0,2 vezes 900.

- 0,40% sobre o valor do investimento a título de taxa de custódia, ao ano. O pagamento do primeiro ano é feito no ato da compra. Esse valor não é devolvido caso o investidor decida resgatar o título antes de completar um ano. Nos anos seguintes, a taxa passa a ser proporcional ao prazo de investimento e será abatida dos rendimentos e pagamentos de juros. Não vale a pena, portanto, comprar Títulos Públicos se você pensa em se desfazer deles em pouco tempo;
- os bancos e as corretoras que negociam os títulos, chamados de agentes de custódia, costumam cobrar uma sobretaxa de serviço que, apesar de raramente passar de 0,5%, há casos em que chega a 2%.

Com a devida pesquisa de seu agente de custódia, seu custo pode se restringir a cerca de 1% ao ano, no mesmo nível das taxas de administração cobradas por fundos que atendem apenas a grandes valores. Como todo processo de compra é padronizado pelo site do Tesouro Direto, a pesquisa do agente de custódia deve levar em consideração, primordialmente, a taxa total cobrada pela custódia.

Sua primeira compra de títulos públicos deve ser feita pela Internet, no site do programa.[39] É nele que você encontrará as regras detalhadas do programa, o passo-a-passo de uma compra, a lista dos agentes autorizados a custodiar títulos, as estatísticas do mercado (incluindo preços e vencimentos dos títulos) e respostas às perguntas mais freqüentes. A negociação, apesar de intermediada por um agente de custódia, é feita essencialmente pelo site do Tesouro Direto, por meio de um sistema seguro que só dá acesso à área exclusiva mediante validação do CPF e senha.

Apesar de o processo ser extremamente simples, as exigências burocráticas para abrir uma conta em um agente de custódia — informações patrimoniais e de renda e documentos que as comprovem — costumam espantar muitos interessados. Uma pena, pois, passada a burocracia do cadastro e rompida a barreira da primeira escolha, as compras posteriores passam a ser feitas num piscar de olhos. Para quem está acostumado a investimentos mais convenientes como a Caderneta de Poupança e fundos de renda fixa, há o trabalho adicional de ter que selecionar, entre os diversos títulos disponíveis, o tipo mais adequado e o prazo de vencimento compatível com seus objetivos.

[39] www.tesourodireto.gov.br.

Os principais títulos negociados são os títulos federais:

**Letra do Tesouro Nacional (LTN):** título pré-fixado, com rentabilidade definida no momento da compra. Se o comprador mantiver o título até o vencimento, ganhará exatamente o que investiu mais a rentabilidade determinada pela taxa da época da compra. Essa aparente segurança esconde um grande risco: se as taxas de juros da economia subirem, seu título perderá valor; se caírem, você ganhará. Quem precisar vender seu título antes do vencimento, quando as taxas de juro da economia estiverem muito acima da taxa embutida no título, receberá bem menos do que esperava ganhar. Por exemplo, imagine que você compre hoje um título que lhe pagará 11% ao ano durante dez anos. Mas, um ano depois, precisa de recursos e decide revendê-lo. Porém, naquela época, suponha que os juros estejam em 20% ao ano. Quem gostaria de comprar um título que paga 11% ao ano, se o mercado está pagando 20%? Para compensar essa diferença, o título é revendido com um desconto enorme, a ponto de compensar nesse desconto a diferença de rentabilidade entre os juros do título e os juros do mercado. LTNs são, portanto, bom negócio para quem se sentir satisfeito com sua rentabilidade e puder esperar até o vencimento. Especuladores que acreditam na queda dos juros também se sentirão atraídos por este tipo de título.

**Letra Financeira do Tesouro (LFT):** título cuja rentabilidade acompanha a taxa de juros básica da economia (taxa Selic), com o pagamento do valor investido mais os rendimentos apenas no final do prazo contratado ou na data de resgate antecipado. Se o Comitê de Política Monetária (Copom) elevar a Taxa Selic, a rentabilidade do título também aumenta. O mesmo vale para quedas na taxa. Por isso, a LFT é considerada um investimento de baixíssimo risco, uma vez que protegerá o investidor em caso de desequilíbrio da economia — o contrário do que ocorre ao investir em uma LTN. LFTs são, portanto, um ótimo negócio para investidores extremamente conservadores.

**Nota do Tesouro Nacional — Série B (NTN-B):** título cuja rentabilidade acompanha a variação do IPC-A,[40] acrescida de juros previamente definidos no momento da compra (por exemplo, IPC-A + 6%, ou 6% ao ano acima da variação apurada para o IPC-A). Sua principal característica é o pagamento semestral dos juros, ficando para a data de vencimento apenas a devolução do valor investido e os juros do último semestre de investimento. Também é considerado um investimento bastante conservador, por proteger o investidor da perda de poder de compra causada pela inflação. Pelo mecanismo de pagamento dos juros, é um título interessante para quem quer viver de rendimentos semestrais e manter seu patrimônio protegido de riscos. Atente, porém, para o fato de que os primeiros pagamentos semestrais sofrerão maior tributação sobre a renda, conforme a tabela regressiva de imposto de renda sobre a renda fixa, que será explicada ao final deste capítulo.

**Nota do Tesouro Nacional — Série C (NTN-C):** título idêntico à NTN-B, porém com rentabilidade atrelada à variação do IGP-M, ao invés do IPC-A. Pelo fato de o IGP-M medir uma inflação que inclui a oscilação do câmbio, seu comportamento tende a ser mais volátil, ou seja, com maior oscilação tanto para mais quanto para menos. No longo prazo, tende a equivaler ao IPC-A.

**Notas do Tesouro Nacional — Série B Principal (NTN-B Principal):** título idêntico à NTN-B, porém sem o pagamento semestral de juros. Toda a rentabilidade é acumulada até a data de vencimento ou de resgate antecipado e paga juntamente com a devolução do valor investido. É importante destacar que, devido ao acúmulo dos juros, o título proporciona o efeito de juros compostos ou juros sobre juros, favorecendo a disciplina de longo prazo. Por suas características, é um investimento bastante conservador e interessante para formação de poupança de médio e longo prazos.

**Notas do Tesouro Nacional — Série F (NTN-F):** título com rentabilidade pré-fixada a partir de juros definidos no momento da compra, como a LTN, porém com pagamento semestral dos rendimentos. Suas características tornam este título uma alternativa interessante



[40] Índice de Preços ao Consumidor – Amplo, que é o índice mais utilizado para avaliar a variação dos preços dos itens consumidos pela classe média, apurado pelo IBGE (Instituto Brasileiro de Geografia e Estatística – www.ibge.gov.br).

para quem tem como objetivo obter uma rentabilidade conhecida a partir de um determinado patrimônio, exatamente como faz quem compra um imóvel objetivando a renda de aluguel.

Veja abaixo um exemplo dos títulos negociados em 28/03/2008:

| Título | Vencimento | Taxa (a.a.) | | Preço Unitário Dia | |
|---|---|---|---|---|---|
| | | Compra | Venda | Compra | Venda |
| **Indexados ao IPCA** | | | | | |
| NTNB 150509 | 15/05/2009 | 7,89% | - | R$ 1.716,55 | - |
| NTNB 150810 | 15/08/2010 | 8,20% | - | R$ 1.646,98 | - |
| NTNB 150511 | 15/05/2011 | 8,21% | - | R$ 1.651,25 | - |
| NTNB 150812 | 15/08/2012 | 8,14% | - | R$ 1.595,64 | - |
| NTNB 150513 | 15/05/2013 | 7,99% | - | R$ 1.614,32 | - |
| NTNB Principal 150515 | 15/05/2015 | 7,75% | - | R$ 1.006,69 | - |
| NTNB 150515 | 15/05/2015 | 7,80% | - | R$ 1.589,34 | - |
| NTNB 150517 | 15/05/2017 | 7,69% | - | R$ 1.569,25 | - |
| NTNB Principal 150824 | 15/08/2024 | 6,90% | - | R$ 575,92 | - |
| NTNB 150824 | 15/08/2024 | 7,14% | - | R$ 1.544,59 | - |
| NTNB 150535 | 15/05/2035 | 7,00% | - | R$ 1.550,77 | - |
| NTNB 150545 | 15/05/2045 | 6,90% | - | R$ 1.552,00 | - |
| **Prefixados** | | | | | |
| LTN 011008 | 01/10/2008 | 11,94% | - | R$ 943,89 | - |
| LTN 010109 | 01/01/2009 | 12,33% | - | R$ 914,37 | - |
| LTN 010409 | 01/04/2009 | 12,67% | - | R$ 886,28 | - |
| LTN 010709 | 01/07/2009 | 12,96% | - | R$ 858,29 | - |
| LTN 011009 | 01/10/2009 | 13,17% | - | R$ 829,39 | - |
| LTN 010110 | 01/01/2010 | 13,26% | - | R$ 803,01 | - |
| LTN 010710 | 01/07/2010 | 13,35% | - | R$ 754,31 | - |
| NTNF 010110 | 01/01/2010 | 13,27% | - | R$ 975,48 | - |
| NTNF 010710 | 01/07/2010 | 13,35% | - | R$ 963,60 | - |
| NTNF 010111 | 01/01/2011 | 13,34% | - | R$ 951,83 | - |
| NTNF 010112 | 01/01/2012 | 13,34% | - | R$ 931,81 | - |
| NTNF 010113 | 01/01/2013 | 13,34% | - | R$ 914,12 | - |
| NTNF 010114 | 01/01/2014 | 13,34% | - | R$ 898,02 | - |
| NTNF 010117 | 01/01/2017 | 13,31% | - | R$ 862,49 | - |
| **Indexados à Taxa Selic** | | | | | |
| LFT 070312 | 07/03/2012 | -0,02% | - | R$ 3.402,27 | - |
| LFT 070314 | 07/03/2014 | -0,02% | - | R$ 3.403,63 | - |

Fonte: www.tesourodireto.gov.br.

Da tabela anterior, podemos fazer as seguintes observações:

- Os números ao lado do nome do título correspondem à data de vencimento do papel.
- No caso da NTN-B com vencimento em 15/05/2009, podemos perceber que:

  – Quem investiu nesse título em 28/03/2008, assegurou uma rentabilidade de 7,89% ao ano mais o IPC-A. Se o IPC-A em 12 meses for de, por exemplo, 3%, o investidor irá obter 10,89% nesses 12 meses, menos 0,4% da taxa de custódia da CBLC[41] e menos a taxa do agente de custódia. O resultado será de 10,49% em 12 meses, menos a taxa do agente.
  – O valor unitário do título era de R$ 1.716,55. Como o mínimo para investimento equivale a 0,2 vezes o valor de um título, o valor mínimo que o investidor precisaria ter para investir nesse título em 28/03/2008 era de R$ 343,31.

- Dentre as várias opções de NTN-B, a mais rentável era a com vencimento em 15/05/2011, com juros de 8,21% ao ano acima do IPC-A até o vencimento.
- Repare que, em março de 2008, existia a possibilidade de você garantir uma rentabilidade de 6,9% ao ano acima do IPC-A até 2045. Juros suficientes para transformar um investimento de R$ 1 mil em R$ 11.940 (mais a inflação) nesse período. Apesar de o brasileiro estar pouco acostumado a esse padrão de rentabilidade, ele é elevado para os padrões mundiais.
- Entre os títulos pré-fixados, as maiores rentabilidades obtidas estavam na LTN e na NTN-F com vencimento em julho de 2010, ambas prometendo juros de 13,35% ao ano, sendo uma com acúmulo dos rendimentos e a outra com pagamento semestral de cupom de juros.



[41] Companhia Brasileira de Liquidação e Custódia, responsável pela guarda da propriedade dos títulos negociados. www.cblc.com.br.

- Um investidor com apenas R$ 150,86 (0,2 x R$ 754,31) disponíveis já poderia investir em uma fração de LTN com vencimento para 01/07/2010.
- Quem investisse em LFTs em 28/03/2008 conseguiria assegurar uma rentabilidade de 0,02 pontos percentuais abaixo da Taxa Selic. Se a taxa de 11,25% ao ano, vigente à época, fosse mantida durante todo o prazo de investimento no título, o investidor obteria uma taxa de 11,23% ao ano nesse período.

São diversas possibilidades de investimento que, acredito, à primeira vista podem parecer demais para quem queria só investir de maneira conservadora. Mas convido-o a visitar o site do programa Tesouro Direto, estudar as alternativas, ler os regulamentos e experimentar investir alguns trocados. Após dois ou três investimentos feitos, qualquer investidor estará familiarizado com o sistema.

Uma limitação encontrada neste tipo de investimento está na liquidez semanal. Se você precisar resgatar seu dinheiro antes da data de vencimento do título, o Tesouro Nacional efetua a recompra todas as quartas-feiras, sem limitação de quantidade ou valor. Em outras palavras, não importa se você "solicita o resgate" (revende) na quinta ou na terça-feira; em qualquer dos casos, o dinheiro entrará em sua conta apenas na quarta-feira. Outro ponto negativo do Tesouro Direto é a necessidade do reinvestimento dos títulos, sem nenhuma automação nesse processo, sempre que há algum vencimento ou pagamento dos juros semestrais, chamados de cupons. No caso de fundos de investimento, o gestor faz esse trabalho por você, economizando seu tempo. Porém, para que o investidor tenha mais facilidade para controle do vencimento de títulos e pagamentos de proventos, é possível cadastrar um endereço de e-mail junto à CBLC, para o qual são disparadas essas informações com alguma antecedência.

*Para escolher qual fundo de renda fixa é melhor para você, também é preciso saber qual tipo de rendimento quer para seu investimento.*

Um pouco de organização pessoal e tempo para as primeiras operações através do Tesouro Direto podem ser recursos preciosos para que você se sinta à vontade na negociação de Títulos Públicos e, com isso, economize uma boa rentabilidade ao deixar de pagar taxas de administração para fundos de renda fixa. Afinal, para escolher qual fundo de renda fixa é melhor para você, também é preciso saber qual tipo de rendimento quer para seu investimento (pré ou pós-fixado). No Tesouro Direto, você apenas refina essa escolha.

Destaco que outro fator fundamental na escolha da melhor alternativa de renda fixa para você é o impacto dos impostos. A complexidade deste assunto mereceu uma discussão à parte, mais ao final deste capítulo.

## d. Certificados de Depósito Bancário — CDBs

Conforme afirmei no início deste capítulo, um CDB é um empréstimo concedido a uma instituição financeira por seus clientes. Em grandes bancos, a padronização da captação de recursos é tamanha que a impressão que fica é a de que o banco nos está oferecendo algo, quando, na verdade, ele é o agente passivo da operação. Na verdade, ele está é nos pedindo recursos, ao oferecer uma "taxa de aluguel" pelo nosso dinheiro. É com os juros propostos pela instituição que ela tenta seduzir investidores a confiarem recursos a sua administração.

É através do CDB que fica claro que a sobrevivência de um banco depende da credibilidade de que ele desfruta perante seus clientes. Sem captação de recursos, os bancos não teriam dinheiro para emprestar nas operações de empréstimos e financiamentos. Quanto maior a credibilidade do banco, mais os clientes depositam seus recursos na instituição, mais ela consegue emprestar e, com isso, mais ela lucra e se fortalece. É um mecanismo sensível que constrói gigantes da intermediação financeira.

As taxas de juros dos CDBs podem ser pré ou pós-fixadas. No CDB pré-fixado, adequado para quem se satisfaz ao garantir uma taxa fixa para seus rendimentos, sabemos já na contratação qual taxa de juros irá remunerar nosso investimento até o vencimento do papel. Por exemplo, se você aplicar R$ 10.000 por 365 dias com juros de 8% ao ano, receberá, no vencimento, R$ 10.800 menos o imposto de renda sobre seu ganho de R$ 800. Neste caso, a tributação será de 17,5% ou R$ 140, resultando em um montante de R$ 10.660. Diferentemente dos Títulos Públicos pré-fixados, não existe, no CDB pré-fixado, risco de perda de valor, uma vez que este não é um papel negociável em mercado. O risco do CDB pré está em contratar uma taxa e os juros da economia subirem, proporcionando a seu investimento rendimentos inferiores aos do mercado, mas sempre positivos.

Os CDBs pós-fixados, adequados para quem teme o aumento da inflação e/ou dos juros da economia, costumam ter sua rentabilidade vinculada a dois tipos de indicadores: a taxa de mercado (CDI) ou a inflação. Na contratação, o investidor deve optar por um dos indicadores. De qualquer maneira, ele só saberá ao certo o resultado de seu investimento ao final do período.

Exemplos:

- CDB pós-fixado, taxa de 80% do CDI para aplicações de R$ 1.000 por 12 meses (sempre como um percentual do CDI).
- CDB pós, taxa de IPCA + 5% para aplicações de R$ 20.000 por 12 meses (sempre com juros acima do indicador de inflação).
- CDB pós, taxa de 96% do CDI para aplicações de R$ 100.000 por 24 meses (mais dinheiro e maior prazo, maior rentabilidade).



A taxa dos CDBs, ou juros propostos para remunerar a aplicação dos clientes, é definida de acordo com a necessidade de caixa do banco e com o volume aplicado pelo cliente. Bancos que gozam de grande credibilidade desfrutam de enxurradas de recursos de seus clientes aplicadores e, por isso, oferecem taxas menos atrativas em seus CDBs. Bancos de menor porte, chamados de segunda linha, têm um número reduzido de clientes e, por isso, precisam se esforçar para captar recursos, oferecendo juros normalmente mais elevados em seus CDBs. Taxas muito acima de 100% do CDI significam que você está aplicando recursos em um banco que tem dificuldades de captação para cobrir os empréstimos que ele concede.

É importantíssimo destacar que a taxa de juros oferecida pelos bancos dependem diretamente do volume investido pelo cliente na instituição. Quanto maior o volume aplicado, ou seja, quanto mais dinheiro o cliente tiver para efetuar em uma única aplicação em CDB, melhor (mais rentável) para o cliente é a taxa oferecida, uma vez que clientes de peso facilitam a tarefa da mesa de captação de recursos da instituição. Vale ressaltar que, diferentemente do que acontece nos fundos, você não acumula saldo investido em um CDB. Cada aplicação feita é um contrato individual entre banco e cliente, que terá um prazo específico para se manter aplicado. Uma vez vencido esse prazo, o dinheiro cai na conta do cliente e é preciso negociar novamente a taxa do CDB. Por isso, CDBs são uma alternativa bastante vantajosa para quem quer fazer uma grande aplicação de uma só vez.

O diferencial dos CDBs perante os fundos de renda fixa está no mecanismo de tributação. Enquanto nos fundos o recolhimento de impostos é semestral, nos CDBs a tributação só é descontada no resgate ou ao final do contrato. Isso permite que o dinheiro "não mordido" em impostos continue se multiplicando e nos gerando lucros.

Além dos CDBs, uma modalidade menos utilizada mas também disponível nos bancos é o RDB (Recibo de Depósito Bancário), que tem as mesmas características de um CDB, porém sem a possibilidade de negociação (resgate) antes da data do seu vencimento. Em outras palavras, uma vez negociado o prazo, que costuma variar entre 30 e 180 dias, você não pode resgatar seu dinheiro antes do vencimento. Esse "castigo" costuma ser recompensado com uma rentabilidade ligeiramente maior.

Uma característica do CDB que o investidor deve ter em mente é sua maior atratividade em períodos de recessão econômica, em que o dinheiro fica escasso no mercado e os bancos têm que se esforçar mais para conseguir captações. Em períodos de abundância, são comuns taxas baixas como 80 a 85% do CDI.

Não esqueça: CDBs são uma negociação entre o banco e o cliente. Brigue por taxas competitivas, acima de 90% do CDI, principalmente se você tem um bom relacionamento com o banco. Vale a pena consultar também bancos concorrentes ao que você tem conta aberta, para levantar argumentos para a hora da barganha com seu gerente.



## e. As falsas poupanças

Se a Caderneta de Poupança é igual em qualquer banco e o cliente estiver insatisfeito com ela, certamente estará mais sensível à propaganda de produtos de bancos em que ele não tem conta. Com o objetivo de cativar uma parcela de seus clientes que se mostravam insatisfeitos com a rentabilidade da Caderneta de Poupança, os grandes bancos criaram uma categoria de produtos cujo propósito é o de iludir o cliente, mas com o intuito único de beneficiá-lo, a fim de não perdê-lo para um banco concorrente.

Esse movimento começou quando um grande número de insatisfeitos com a popular Caderneta foi ao balcão do banco e solicitou informações sobre alternativas mais rentáveis. Pelos critérios de risco e simplicidade, a primeira opção seria o investimento em CDB. Porém, aqueles acostumados à simplicidade da Poupança espantaram-se com a suposta complexidade de siglas envolvendo um CDB: ao próprio nome somavam-se IR, IOF, CPMF, CDI e IGP-M, entre outros, que formavam uma sopa de letrinhas incômoda ao limitado conhecimento. A insatisfação com a Poupança, que não tinha diferenciais de um banco para outro, criava a possibilidade de os clientes começarem a pesquisar outras instituições, em busca de produtos tão simples quanto eficientes.

Nesse contexto, começou a surgir uma espécie de Caderneta de Poupança vitaminada, que recebeu nomes diferentes em cada instituição: Superpoupança, Hiperpoupança e similares foram nomes criados para um produto que realmente propunha um diferencial. Normalmente, era vendido como um investimento simples como a Caderneta de Poupança, mas com rendimento superior, como 9% ao ano mais TR. Cada banco praticava sua própria taxa, mas todas superavam a rentabilidade da Caderneta de Poupança. Em alguns casos, a rentabilidade não batia a Caderneta, mas os poupadores concorriam a prêmios. Lembre-se que a Poupança limita-se a 6% ao ano, divididos em 0,5% ao mês mais TR.

De Caderneta de Poupança, porém, esses produtos não têm nada. Eles nada mais são do que CDBs disfarçados, ou Títulos de Capitalização com um apelo diferente. A propaganda é enganosa? Sim, mas o propósito é nobre. Foi justamente a ilusão da nomenclatura que atraiu muitos poupadores para produtos mais rentáveis — ao menos, eram destacadamente mais rentáveis quando os juros da economia estavam mais elevados. Sem perceber, muitos passaram a pagar impostos sobre os rendimentos, e, mesmo assim, saíam no lucro. Em um segundo momento, quando insatisfeitos com a rentabilidade de sua ultra-mega-poupança, eram apresentados novamente a um CDB, e então o gerente esclarecia que o cliente já estava acostumado ao produto e que poderia passar sem problemas para alternativas mais eficientes.

Hoje, com os juros baixos achatando as diferenças entre os diversos produtos, essa categoria está menos atrativa. Mesmo assim, sugiro cuidado com as ofertas de Poupanças do tipo premiada, mais, super etc... Em geral não são Caderneta de Poupança, que é igual em qualquer banco. Compare as vantagens desse produto com as da Caderneta, de CDBs e de fundos, particularmente a liquidez (há punição para resgates antecipados?) e o resultado após pagar Imposto de Renda. Por não ser isento de imposto, a rentabilidade pode perder todo seu diferencial após a retenção do tributo.

## f. Debêntures

O negócio dos bancos é a intermediação de recursos; seu lucro vem de tomar emprestado a juros baixos e emprestar a juros elevados. Para isso, precisam captar recursos para emprestá-los a outros clientes, e o fazem através dos CDBs. Empresas lucram ao injetar recursos em sua atividade, para produzir bens e serviços e venderem a um preço maior do que custou. Entre as diversas formas de uma empresa captar recursos, estão a injeção de capital pelos sócios e a solicitação de empréstimos e financiamentos aos bancos.

Em geral, empresas recorrem aos bancos para captar seus recursos, pagando juros maiores do que o CDI. Financiamentos são inviáveis abaixo do CDI, pois bancos com recursos disponíveis preferirão emprestar dinheiro a outros bancos (recebendo a taxa do Depósito Interbancário) em vez de emprestar a juros baixos a seus clientes. E, pela natureza de sua atividade, que é a de lucrar com a intermediação, os bancos embutem uma margem acima do CDI nas operações de empréstimos, que é de onde virá seu lucro. Quanto maior e melhor o cliente, menor a margem, pois o ganho acaba vindo do volume de negócios. A ilustração abaixo objetiva tornar mais visual esta interpretação.

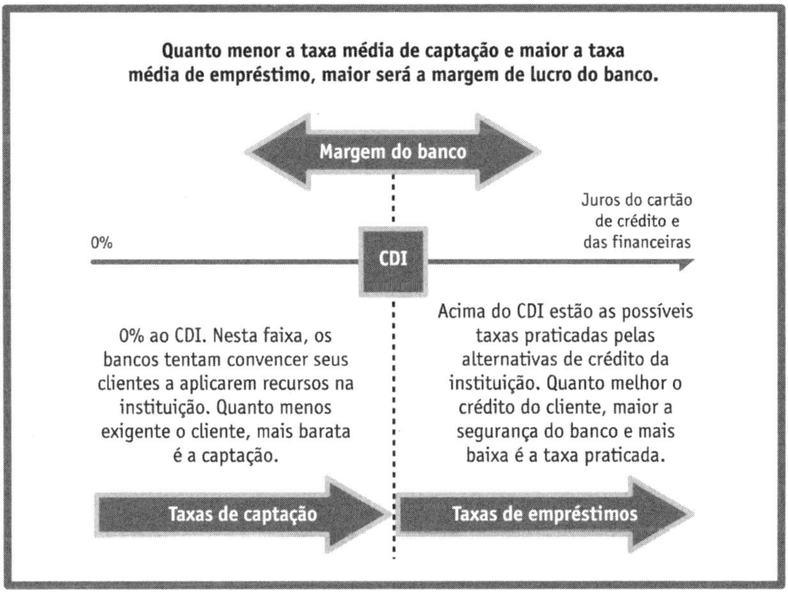




Mesmo as grandes empresas possuem limites para operar com bancos. A partir de um certo volume de empréstimos, os juros não podem ser mantidos em patamares baixos e começam a ficar pouco vantajosos para a empresa. Porém, grandes empresas contam com uma grande vantagem: sua credibilidade perante o público investidor. Essa credibilidade permite que as empresas emitam títulos que interessam aos investidores. Pagando pouco acima do CDI, os títulos remuneram mais do que os investimentos tradicionais do mercado (lembre-se de que o CDI costuma orbitar em torno da Taxa Selic) e proporcionam à empresa um canal de captação de recursos mais barato do que os canais dos bancos. Todos ganham: o investidor, que lucra mais; a empresa, que capta mais barato; e até os bancos, que participam da operação como emissores dos títulos. Títulos dessa natureza são chamados de Notas Promissórias,[42] quando têm vencimento em prazo inferior a um ano, ou de Debêntures, quando vencem em prazo maior.

•••

[42] Também conhecidas pelo nome em inglês, *commercial papers*, com funcionamento similar ao das debêntures, com exceção do prazo de vencimento.

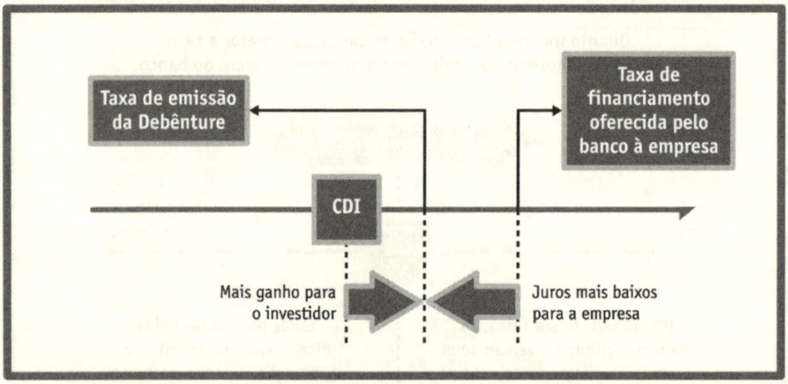


É característica das debêntures a emissão por prazo certo e remuneração certa, pré ou pós-fixada. Além dos juros, há também a possibilidade de ganho pela valorização do título no mercado. A garantia está nos ativos da empresa, mas, para tornar suas debêntures mais atrativas aos investidores, algumas empresas definem claramente garantias na emissão, como a possibilidade de converter as debêntures em ações no vencimento. Neste caso, o investidor passa de credor a sócio após o vencimento. Por serem apenas títulos de dívida, as debêntures não dão direito aos lucros ou bens da empresa.

**Como comprar debêntures?** A negociação é feita por bancos ou corretoras de valores. Quando a debênture é emitida por meio de oferta pública, o título pode ser renegociado entre investidores no chamado mercado de balcão, que você pode acessar pela sua instituição financeira. É comum também a emissão por venda direta, caso em que a renegociação não é possível e o investidor fica com a posse do papel até o vencimento. Os prazos de vencimento costumam variar entre dois e três anos. A possibilidade de renegociação de uma debênture no mercado depende essencialmente do interesse de outro comprador, por isso os papéis de grandes empresas têm maior liquidez.

A negociação de debêntures se dá em títulos de grande valor, normalmente a partir de R$ 100 mil, o que faz dela uma alternativa de diversificação em renda fixa atrativa apenas para grandes investidores e fundos, os chamados investidores qualificados.

## g. Letras Hipotecárias e Letras de Crédito Imobiliário

Outro tipo de título que desperta interesse devido aos ganhos diferenciados proporcionados ao investidor são as Letras Hipotecárias (LHs) e as Letras de Crédito Imobiliário (LCIs). Ambos são títulos de funcionamento similar ao dos CDBs, com prazos de vencimento variados e rentabilidades normalmente vinculadas ao desempenho do CDI/Selic ou a uma margem sobre algum índice de inflação.

Diferentemente das debêntures, o diferencial desse tipo de título não está na rentabilidade, mas sim no fato de os rendimentos serem totalmente isentos de Imposto de Renda para a pessoa física, como acontece na Caderneta de Poupança. Isso acontece porque os recursos captados por meio desses tipos de títulos são utilizados exclusivamente para fins de financiamento de imóveis, o que motiva o incentivo fiscal por parte do governo, a título de estímulo à construção de moradias e empreendimentos.

Um país em crescimento, com sua população em processo de enriquecimento, é terreno fértil para a expansão do setor imobiliário, o que favorece a segurança de títulos dessa natureza e os torna muito atraentes para investidores.

A principal diferença entre os dois tipos de títulos está no fato de a Letra Hipotecária (LH) ser lastreada em hipotecas imobiliárias,[43] enquanto a Letra de Crédito Imobiliário (LCI) é lastreada em alienação fiduciária[44] de imóveis. Na prática, as captações feitas por meio de LHs servem de fundos para empréstimos garantidos pelo imóvel do tomador, enquanto os fundos das LCIs alimentam o mercado de financiamento de imóveis.

**Como comprar LHs e LCIs?** Títulos dessa natureza são normalmente emitidos por bancos com grande carteira de financiamento imobiliário, seja para financiamento de moradias (normalmente bancos de varejo), seja para financiar grandes empreendimentos (bancos especializados).



•••

[43] A hipoteca imobiliária acontece quando um cliente que precisa de dinheiro emprestado oferece seu imóvel como garantia. Uma LH, portanto, serve para o banco captar recursos para emprestar a outros clientes que possam oferecer um imóvel como garantia, ou seja, que possam hipotecar um imóvel.

[44] A alienação fiduciária ocorre quando o banco oferece recursos para um cliente adquirir um imóvel. O banco paga à vista pelo imóvel e recebe a prazo do cliente, permanecendo o imóvel em nome do banco (alienado) até que o cliente salde sua dívida. LCIs são emitidas pelos bancos; portanto, para gerar fundos para o financiamento imobiliário.

Fazendo parte do mesmo mercado das LHs e LCIs, porém de natureza diferente quanto a sua origem, é o Certificado de Recebíveis Imobiliários (CRI), título de renda fixa que costuma pagar um retorno de IGPM mais juros, lastreado em recebíveis imobiliários (ou seja, originado em negociações no mercado imobiliário), garantido por alienação fiduciária dos imóveis. É emitido por Companhias Securitizadoras de Créditos Imobiliários e sua negociação é livre em mercado de balcão, o que pode ser feito por meio de uma corretora de valores.

Da mesma forma que ocorre no mercado de debêntures, a negociação de LHs, LCIs e CRIs é feita em títulos de grande valor, normalmente a partir de R$ 50 mil, o que também faz desta uma alternativa de diversificação em renda fixa atraente apenas para grandes investidores e fundos.

## h. Operações compromissadas

Uma alternativa oferecida pelos bancos a seus investidores conservadores está nas chamadas operações compromissadas. Na prática, é uma modalidade de aplicação financeira com rentabilidade mais atrativa do que a do CDB, definida desde o início da operação (taxa pré ou pós-fixada) por meio de negociação pactuada entre as partes (banco e cliente).

A operação é caracterizada pela venda não definitiva de um ou mais títulos, públicos ou privados, com o compromisso de recompra por parte do banco e compromisso irreversível de revenda por parte do cliente. No vencimento do compromisso, o investidor recebe de volta os recursos investidos mais o rendimento pactuado na contratação. A tributação segue o mesmo padrão de incidência dos produtos de renda fixa, como Títulos Públicos e CDBs.

Um tipo bastante comum de operação compromissada é a venda, pelos bancos a seus clientes, de títulos emitidos pela empresa de *leasing* do grupo financeiro do qual o banco faz parte. Assim, o banco obtém recursos para viabilizar a compra de bens que serão repassados a outros clientes por meio de contratos de *leasing*.

As operações compromissadas são vantajosas para o cliente quando oferece rendimentos acima de alternativas de características similares, como a compra de CDBs. Para os bancos, a vantagem está em disponibilizar fundos para outras operações, tanto no exemplo citado do *leasing*, como em casos em que o caixa do banco está investido em títulos de longo prazo. Ao repassar esses títulos por meio de operações compromissadas, o banco passa a dispor de caixa (o dinheiro investido pelo cliente) para operações de prazo mais curto que se mostrem vantajosas no momento.

Como o risco das operações compromissadas é assumido totalmente pelo banco, a única probabilidade de o investidor não receber o que foi pactuado é em caso de dificuldades financeiras do banco. Em função disso, a recomendação ao investidor é de analisar criteriosamente a saúde financeira da instituição quando esse tipo de operação for pactuada com um banco que não seja de grande porte.

## i. Ouro

Durante séculos, o ouro foi uma das principais referências de valor e lastro para os países emitirem seu papel moeda. No século XX, o papel de lastro foi abandonado e o ouro passou a ser apenas mais uma *commodity* negociada nas bolsas de mercadorias e futuros do mundo. Mas a tradição se encarregou de confiar ao ouro o papel de porto seguro diante das turbulências, fazendo dele o ativo preferido de investidores durante crises econômicas agudas, principalmente aquelas com forte impacto no sistema financeiro.

O investimento em ouro pode ser feito através da compra de contratos futuros negociados na Bolsa de Mercadorias e Futuros (BM&F), através da compra de certificados representativos de ouro emitidos por bancos autorizados e através da compra da própria mercadoria física.

Os contratos negociados na BM&F são vendidos em valores múltiplos de R$ 100 mil, ou então em minicontratos, negociados em múltiplos de R$ 50 mil. A negociação é feita necessariamente por meio de corretoras de valores autorizadas a operar ativos negociados na BM&F. A relação das corretoras autorizadas a operar pode ser obtida no próprio site da bolsa.[45]



[45] www.bmf.com.br.

A compra de certificados representativos é feita por meio de bancos autorizados a emitir tais certificados, normalmente lastreados por barras de ouro mantidas nos cofres da instituição. Em 2008, já existia no mercado a opção de comprar certificados de ouro por menos de R$ 1 mil. Essa alternativa elimina o antigo rótulo de que o investimento em ouro era opção apenas para grandes investidores.

Quem pensa em investir em ouro através da compra do metal em barras deve ponderar entre a segurança de manter o ativo em casa ou pagar pela taxa de custódia, e levar em consideração que jóias não são revendidas pelo preço de aquisição, pois, nas joalherias, a maior parte do preço das jóias deve-se, normalmente, ao trabalho artesanal e não ao metal.

Por sua característica de ser negociado em bolsa, o ouro não é considerado um investimento em renda fixa, uma vez que a especulação do mercado provoca oscilações em seu preço. Porém, o fato de ser um ativo real o torna um investimento adequado para quem se preocupa com a preservação de valor no longo prazo, sendo uma alternativa interessante para quem pensa em preservar o poder de compra de sua riqueza ao longo de vários anos.

Uma vez que o ouro não é considerado renda fixa, os lucros nas operações com ele são tributados pelo Imposto de Renda à alíquota de 15% sobre os ganhos, o que é uma vantagem diante das alíquotas mais elevadas praticadas para os ganhos em renda fixa resgatados antes de dois anos da data de aplicação.

## j. Fundos de Renda Fixa

Tenho a convicção pessoal de que fundos não são alternativa de investimento, mas sim um serviço de investimento. Se você não se sente à vontade ou com tempo para montar uma estratégia e selecionar os melhores títulos para investir, deve contratar alguém que faça isso por você, em troca de uma taxa de administração cobrada pelo serviço. Esse alguém está na figura do gestor de fundos, profissional altamente qualificado que se propõe a seguir a estratégia que lhe é informada no prospecto e no regulamento do fundo. O prospecto é o documento que informa a estratégia do fundo, suas regras, histórico e aspectos tributários, para que você esteja ciente do serviço que está contratando.

Lembre-se de que um dos pontos negativos da compra de Títulos Públicos é a necessidade do reinvestimento dos títulos, sempre que há algum vencimento ou pagamento de cupons de juros. No caso de fundos de investimento, o gestor faz esse trabalho por você, simplificando sua vida financeira.

Se você contrata um fundo por meio de um banco, normalmente encontrará no site da instituição os prospectos dos diferentes fundos oferecidos. Via de regra, você deve buscar no site a seção de pessoa física, depois a seção de investimentos e então a seção de fundos, onde se abrirá para você um universo de informações. Se você prefere investir em fundos por meio de corretoras de valores ou de agentes autônomos de investimento, deve solicitar ao seu agente um folder com informações completas sobre o produto.

Uma vez selecionada a estratégia que você prefere seguir em renda fixa (pré ou pós, curto ou longo prazo e qual indicador acompanhar, em caso de pós-fixado), as diferenças de desempenho dos fundos dessa categoria resumem-se a duas qualidades: taxa de administração competitiva e boas escolhas de prazos de vencimento feitas pelo gestor.

A questão da taxa de administração é óbvia. Com juros baixos eliminando as grandes diferenças entre as alternativas de renda fixa, é inadmissível trabalhar com taxas de administração da ordem de 3 ou 4% ao ano, como alguns bancos ainda cobravam no início de 2008. Enquanto seu patrimônio reduzido impedir o acesso a fundos que cobrem menos de 2% ao ano, suas opções estão limitadas à Caderneta de Poupança e aos Títulos Públicos. Se você está se perguntando sobre o CDB, há grandes chances de ele ser também uma má escolha; se seu banco lhe cobra caro em taxas de administração, certamente não oferecerá taxas competitivas no CDB.

Quanto às escolhas de prazos de vencimento, é a experiência do gestor que determinará um bom balanceamento de títulos com diferentes vencimentos na carteira do fundo. Se a carteira contar com títulos com vencimentos muito distantes, o fundo poderá ter seu desempenho impactado negativamente em relação à concorrência quando surgirem adversidades econômicas que consumam o caixa do Governo e o obriguem a lançar títulos mais rentáveis. Títulos com vencimento muito curto obrigam o gestor a negociar intensamente a recompra de títulos, o que expõe mais a carteira do fundo aos humores do mercado.

Atente, portanto, para as taxas cobradas e não deixe de analisar o histórico do desempenho do fundo ao longo de pelo menos 12 meses. Esse histórico é sempre informado pela instituição que vende o fundo.

Existem três principais estratégias praticadas pelos fundos de renda fixa: pós-fixados, pré-fixados e índices de preços. Quem busca segurança prefere os fundos pós-fixados, chamados também de Fundos DI, por acompanharem o sobe e desce do CDI. Aqueles com alguma experiência a mais investem parte de seus recursos em fundos pré-fixados, os chamados Fundos RF, que se dão bem quando há queda dos juros da economia. E aqueles que buscam proteção de longo prazo preferem os fundos de índices de preços, que investem em títulos que acompanham a inflação.

Cabe destacar que a natureza do fundo não significa que ele investe somente em títulos de mesma natureza, mas sim que o investimento é feito predominantemente naquela categoria. Um Fundo DI, por exemplo, pode conter papéis pré-fixados, de acordo com a percepção do gestor, até um limite estabelecido no prospecto do fundo.

A aparente segurança oferecida por fundos de renda fixa é limitada. Para a surpresa de muitos, é importante destacar que o investimento em renda fixa não está livre de perdas. Para saber se seu fundo de renda fixa é seguro ou não, você deveria solicitar a seu banco uma descrição da carteira de investimentos do fundo, ou seja, uma relação de onde esse fundo investe seus recursos.

Os gestores de fundos de grandes bancos optam por investir a maior parte dos recursos em títulos públicos, ou seja, optam por emprestar seu dinheiro ao Governo. Essa é a prática mais comum. A outra parte é investida em títulos privados, como debêntures de empresas e CDBs de bancos. Na prática, seu dinheiro é emprestado a uma empresa. Se o governo ou essas empresas quebrarem, você perde seu dinheiro. Como atualmente o Governo e as grandes empresas são consideradas instituições extremamente sólidas, é impensável que um bom fundo de renda fixa pós-fixado perca dinheiro.

Quando você encontrar um Fundo RF, por exemplo, com rentabilidade média sensivelmente acima da média dos fundos concorrentes de taxas similares, tenha a curiosidade de consultar a carteira desse fundo. Provavelmente, existirão debêntures de empresas de médio porte entre os papéis do fundo, o que eleva sensivelmente o risco de inadimplência. A prática de incluir papéis de risco é comum entre fundos oferecidos por instituições financeiras de segunda linha, normalmente ávidas por atrair investidores para seus produtos.

Para sua segurança, não custa checar de tempos em tempos onde está seu dinheiro e pedir esclarecimentos a seu banco.

## k. Impostos: um dos principais diferenciais na renda fixa

De nada adianta você ter feito uma boa escolha estratégica para na renda fixa se você descuidar de analisar os aspectos tributários de seu investimento. Independentemente do valor a investir, uma má escolha na data de resgate ou entre as alternativas de investimento pode lhe causar uma perda bastante significativa.

À exceção da Caderneta de Poupança e dos títulos que lastreiam financiamentos imobiliários, a regra de tributação para a renda fixa é a mesma para todos os produtos. Os impostos que impactam seu investimento em renda fixa no Brasil são apenas dois, por enquanto: Imposto sobre Operações Financeiras (IOF) e Imposto de Renda (IR). Ambos são retidos na fonte, ou seja, pela própria instituição que administra ou intermedeia seu investimento, o que dispensa o investidor de uma burocracia significativa.

O IOF incide apenas sobre o lucro (nunca sobre o principal investido) das aplicações que tiverem resgate dentro de um prazo de até 30 dias após a contratação do investimento, seguindo a seguinte tabela:



| Nº Dias | Alíquota | Nº Dias | Alíquota | Nº Dias | Alíquota |
|---|---|---|---|---|---|
| 1 | 96% | 11 | 63% | 21 | 30% |
| 2 | 93% | 12 | 60% | 22 | 26% |
| 3 | 90% | 13 | 56% | 23 | 23% |
| 4 | 86% | 14 | 53% | 24 | 20% |
| 5 | 83% | 15 | 50% | 25 | 16% |
| 6 | 80% | 16 | 46% | 26 | 13% |
| 7 | 76% | 17 | 43% | 27 | 10% |
| 8 | 73% | 18 | 40% | 28 | 6% |
| 9 | 70% | 19 | 36% | 29 | 3% |
| 10 | 66% | 20 | 33% | 30 | 0% |

Se os números da tabela o assustam, é com razão. Por exemplo, se você mantiver seu dinheiro aplicado por apenas dez dias, terá que deduzir 66% dos ganhos a título de IOF. Do que sobrar, pagará 22,5% de Imposto de Renda. Na prática, após dez dias você terá apenas 26,35% do que lucrou em suas mãos. Felizmente, a voracidade de arrecadação do IOF só dura um mês...

Com relação ao Imposto de Renda, a alíquota a ser cobrada do lucro obtido dependerá do prazo de permanência no investimento. Quanto mais tempo seu dinheiro ficar investido, menos imposto pagará,[46] de acordo com a seguinte tabela de tributação regressiva:

- 22,5% do lucro em aplicações com prazo de até 180 dias;
- 20% do lucro em aplicações com prazo de 181 dias até 360 dias;
- 17,5% do lucro em aplicações com prazo de 361 dias até 720 dias;
- 15% do lucro em aplicações com prazo acima de 720 dias.

A exceção à regra acima é o investimento nos chamados Fundos DI de Curto Prazo, que investem em uma carteira de títulos com prazo médio igual ou inferior a 60 dias, sendo que título algum pode vencer em mais de 375 dias. Nesse tipo de fundo há incidência da tabela regressiva de IR, porém limitada a 22,5% para aplicações de até 180 dias, e de 20% para aplicações acima desse prazo.

O motivo de eu recomendar atenção à data de resgate reside na mudança brusca de alíquota de um dia para outro, dependendo do prazo em que você manteve sua aplicação. Por exemplo, imagine que você investiu R$ 20 mil há seis meses, e pretende resgatar seu investimento hoje, após ter reconhecido um lucro de 5%, que resultou em um saldo de R$ 21 mil. Se hoje for o 180º dia de seu investimento, a alíquota de imposto a pagar será de 22,5% sobre o lucro de R$ 1 mil, equivalente a R$ 225. Se, por outro lado, hoje for o 181º dia de investimento, o imposto cairá para 20% e você pagará apenas R$ 200.

[46] A lógica da tributação regressiva é uma iniciativa do Banco Central do Brasil e da Receita Federal para estimular a poupança de longo prazo, ainda incipiente no Brasil.

A diferença, de apenas R$ 25, não pode ser desprezada por apenas um dia, a não ser que você necessite urgentemente do dinheiro. E quanto maior o valor investido, maior o impacto.

Dentro dessa lógica, o investimento em Notas do Tesouro Nacional, com pagamento semestral de cupons de juros, terá os rendimentos dos primeiros cupons prejudicados por alíquotas mais altas, uma vez que os pagamentos serão feitos antes de completar dois anos de investimento.

No caso do investimento em debêntures, a tributação também segue a tabela regressiva de Imposto de Renda para os juros recebidos, mais 15% de imposto de renda sobre o rendimento líquido do título — lembre-se de que debêntures negociáveis no mercado variam de valor ao longo do tempo. Há também incidência regressiva de IOF no caso de resgate antes de 30 dias.

Há um aspecto tributário que penaliza especificamente os fundos de renda fixa em relação às demais alternativas de renda fixa, que é o chamado come-cotas. Por esse mecanismo, os fundos são obrigados a recolher semestralmente[47] 15% dos lucros obtidos até então, ou 20% no caso de fundos de curto prazo. Se, após essa data, o investidor decidir resgatar seu dinheiro, pagará apenas a diferença do imposto devido, referente aos dias de ganhos após a data do come-cotas e à diferença de alíquota, caso o resgate seja com menos de dois anos de investimento.

PARTE II

Imagine que você investiu R$ 50 mil em um Fundo RF em março deste ano. Em 31 de maio, você tinha R$ 51 mil e, por isso, o imposto retido foi de R$ 150 (ou 15% do lucro de R$ 1 mil). O saldo ficou em R$ 50.850. Em 30 de junho, decidiu resgatar todo o saldo, que então era de R$ 51.350. Nessa data, a alíquota de IR é de 22,5% e o imposto a recolher é o seguinte:

- 7,5% sobre R$ 1 mil, que é a diferença entre os 22,5% e os 15% que já foram recolhidos = R$ 75
- 22,5% sobre o lucro de R$ 500 obtido entre o come-cotas e a data de resgate = R$ 112,50
- Imposto total a recolher = R$ 187,50

[47] No último dia útil de maio e de novembro.

Portanto, você irá resgatar, em 30 de junho, o valor líquido de R$ 51.350 - R$ 187,50 = R$ 51.162,50.

Para exemplificar o efeito dos impostos sobre seus investimentos em renda fixa, decidi comparar a projeção da evolução do saldo e do resultado obtido pelo investimento de R$ 100.000 em diferentes produtos de renda fixa com base de rentabilidade idêntica de 1% ao mês, sendo:

- CDB com rentabilidade de 95% dos 1% dos demais produtos, resultando em 0,95% ao mês.
- Letra Hipotecária, com rendimento de 92% da taxa de mercado, ou 0,92% ao mês.
- Fundo DI, com rendimento acompanhando o das NTNs e taxa de administração de 1% ao ano.

Ao final de três anos, os resultados foram os seguintes:

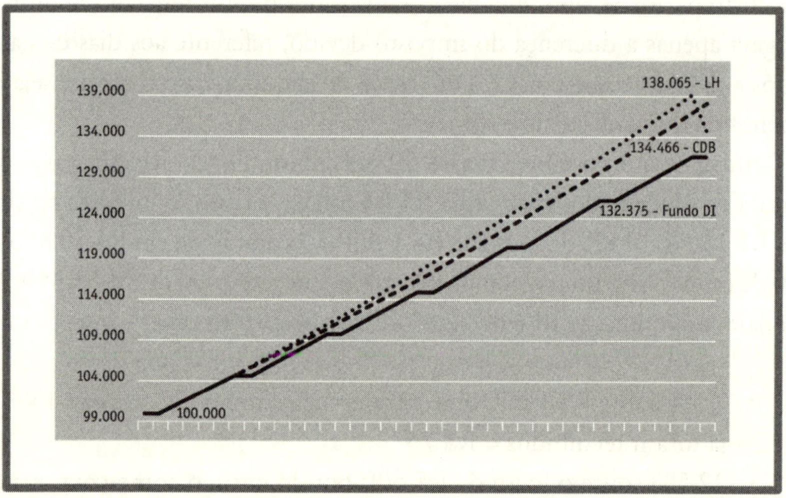


Repare que:

- A LH, mesmo com a menor rentabilidade entre as três alternativas (como você encontrará no mercado), é a opção que proporciona o maior ganho, em razão da isenção no pagamento de Imposto de Renda.

- O Fundo DI tem seu resultado prejudicado tanto pela taxa de administração quanto pela tributação semestral do come-cotas, representada no gráfico pelos "degraus" na evolução da rentabilidade.
- O CDB, apesar de se destacar pela ausência de taxa de administração, tem a retenção na fonte de 15% dos ganhos, o que o traz para um patamar mais próximo do obtido pelo Fundo DI do que pela LH.

Você deve estar se perguntando: "nessa comparação, como se sairia um Título Público?" Provavelmente para sua surpresa, o desempenho de uma NTN Principal, no período, seria inferior ao obtido pelo CDB. Na mesma simulação, o resultado obtido por uma NTN com rendimento médio de 1% ao mês seria de apenas R$ 133.751. Preferi excluí-lo da comparação, pois seu gráfico se sobrepunha ao do CDB. Os motivos da ineficiência são dois: a tributação idêntica à do CDB e os custos de custódia. Em minha simulação, considerei os 0,4% ao ano de praxe, mais 0,5% ao ano, que é uma média da taxa cobrada pelos agentes de custódia. Na prática, o investimento em Títulos Públicos possui uma taxa de administração nada desprezível, como a dos bons fundos, mas uma vantagem em relação aos fundos apenas na tributação sem come-cotas. Todo o imposto é pago no final.

Se, com seu patrimônio, você acessa fundos de renda fixa que cobram taxas de administração abaixo de 1%, provavelmente você estará mais bem servido por um fundo, que conta com um gestor profissional, do que com suas próprias escolhas.

**Vale a pena aplicar dinheiro por poucos dias?** Sim. Apesar da incidência da tabela regressiva do IOF, é possível garantir algum ganho sobre recursos que você sabe que ficarão parados por alguns dias, o que não acontecia enquanto a CPMF[48] estava vigente. Nesse caso, a melhor opção estaria entre os fundos de Renda Fixa pré ou pós e os CDBs. A Caderneta de Poupança não oferece rentabilidade antes de completar o primeiro mês de aniversário, o que a exclui como opção de curtíssimo prazo.



[48] A CPMF, ou Contribuição Provisória Sobre Movimentações Financeiras, era um tributo que mordia, até 2007, uma pequena parcela de qualquer movimentação financeira efetuada entre contas de diferentes titularidades.

# 7. Estratégias inteligentes com ações

Diferentemente do que acontece nos investimentos em renda fixa, em que o lucro é pactuado entre tomadores e aplicadores durante um prazo conhecido, nos investimentos em renda variável o lucro é determinado pela diferença entre o preço de venda, mais os benefícios (dividendos, no caso das ações, ou aluguéis, no caso de imóveis), menos o preço de compra. O nome *renda variável* vem justamente da incerteza em relação aos ganhos futuros, decorrentes da incerteza — ou risco — em relação ao futuro desse tipo de investimento.

Lucro = Preço de Venda + Benefícios - Preço de Compra

A dinâmica de funcionamento do mercado acionário é bastante diferente dos investimentos em renda fixa. Uma variação diária de, por exemplo, 1% no Índice da Bolsa de Valores de São Paulo, o Ibovespa, não significa que todos aqueles que investem em ações ganharam 1% no dia. O índice é composto por uma média ponderada das ações mais negociadas na Bovespa, e uma alta de 1% pode tanto conter grandes elevações quanto grandes quedas nos preços de diferentes papéis que compõem o índice. Todos os dias, algumas ações se valorizam, e outras perdem valor. Você ganha ou perde de acordo com as empresas que escolhe para ter como suas.

Comprar ações é adquirir o direito de participar do sucesso — e também do insucesso — de empresas que optaram por abrir seu capital a investidores anônimos;[49] quanto melhor o desempenho das empresas, mais as ações

[49] Daí o nome de Sociedades Anônimas (S/As).

se valorizam e maior é a participação nos lucros (dividendos) recebida pelos acionistas. Independentemente do tipo da ação — se ordinária (ON), com direito a voto, ou se preferencial (PN), com preferência na hora de receber os dividendos —, todo acionista é, de alguma maneira, dono da empresa. Os detentores de ações ON têm direito a interferir, com seu voto, nos rumos da companhia; porém, esse privilégio só se faz realmente crível quando o investidor detém a maioria do capital ordinário da empresa. Os detentores de ações PN têm o privilégio de receber dividendos antes daqueles que têm as ON — algumas empresas até criam diferentes categorias de ações desse tipo, como PNA, PNB, PNC, para ter regras específicas de distribuição de dividendos para ações emitidas em condições específicas.

Não é preciso ser um *expert* em economia ou finanças para saber em quais empresas vale a pena investir. Se você se admira com notícias sobre os lucros dos bancos, sobre os negócios que empresas brasileiras fazem no exterior ou sobre o potencial de crescimento de alguns negócios, é com base nessas notícias que você pode fazer boas escolhas.

Quem pensa em começar a investir em ações provavelmente teme não entender ou não acompanhar o ritmo do mercado de capitais, com seu nervosismo, seus altos e baixos e uma suposta urgência nas decisões. Felizmente, a idéia que a maioria das pessoas que não investem faz sobre o mercado de ações está equivocada. Quem tem ações precisa acompanhar as informações diariamente? Não. Ter bons contatos para obter dicas? Também não. Ter acesso a informações exclusivas para ter sucesso? Idem. Acredite, tudo isso é bobagem, se você pensa em simplesmente investir em ações, e não viver da atividade de operador de mercado, também conhecido como *trader*.



*Quem tem ações precisa acompanhar as informações diariamente? Não. Ter bons contatos para obter dicas? Também não.*

A diferença entre investidor e *trader* não é clara, porque as atitudes de muitas pessoas que se autodenominam investidores são, na verdade, atitudes de *trader*. Investidores compram coisas para mantê-las por um longo prazo, com a idéia de que, durante esse prazo — talvez dias, talvez meses, talvez anos —, seus investimentos aumentem de valor. Compram coisas concretas, participações em empresas, não títulos.

Investidores compram o que a ação representa: um pedaço da propriedade da empresa em si, com seu time gerencial, sua linha de produtos e presença de mercado. Eles não se importam se o mercado de ações talvez não reflita o valor "correto" para suas empresas. Compram empresas quando elas valem muito mais para eles do que o preço pelo qual estão sendo negociadas na bolsa de valores. Fazem isso se baseando em estudos sobre a projeção de lucros das empresas, a chamada Análise Fundamentalista. Toda grande corretora envia relatórios de análise fundamentalista a seus clientes.

*Traders* não compram coisas concretas como empresas, grãos, ouro ou energia. *Traders* compram ações, contratos futuros e opções. Eles não se importam muito com times gerenciais, com as perspectivas de consumo de álcool ou com a produção global de minérios de ferro. *Traders* importam-se com o preço, pois negociam essencialmente risco. Infelizmente, para quem começa a se envolver com o mercado de ações, a maioria das pessoas que atuam na Bolsa de Valores são *traders*.

Por isso, evite ouvir demais o mercado. O mercado compete com você. Na hora de buscar informações sobre ações, leia sobre a empresa, em vez de preocupar-se com o mercado financeiro. Procure entender mais sobre empresas para investir nelas, pois investidores normalmente ganham em bloco, sem competir entre si.

*O aparente preconceito, nos parágrafos anteriores, em relação aos* traders *ou operadores de mercado, minimizando sua percepção em relação aos papéis em que investem, deve-se a apenas um fator: eu, Gustavo Cerbasi, sou tipicamente um investidor, com visão de longo prazo e atitudes passivas em relação a meus investimentos. Afirmo isso somente a esta altura do livro porque meus investimentos, até o instante em que escrevo este texto, estão predominantemente concentrados em ações. Não estarão mais, quando chegar a hora de apenas administrar e dar segurança à minha riqueza. Porém, para salvaguardar eventuais percepções que menosprezem o papel dos* traders, *é importante destacar o papel desses profissionais, alguns com atuação mais especulativa do que outros, na construção de um mercado justo e saudável. É pelo fato de existir um número gigantesco de investidores que tentam tirar seus ganhos de diversas operações diárias que o mercado tem um nível saudável de liquidez, ou seja, que você pode se desfazer de suas ações a qualquer instante, pois sempre haverá alguém ofertando um preço para ter seus papéis.*

*Se todo investimento fosse de longo prazo, não teríamos noção do valor dos papéis no dia-a-dia, pois não haveria um grande número de negociações para nos informar o valor de mercado desses papéis — exatamente como acontece com o investimento em imóveis em cidades pequenas. Se todos comprassem pensando em não vender, não haveria estímulo a mais pessoas entrarem no mercado, o que espantaria os compradores. Com menos compradores, os investidores de longo prazo temeriam não ter para quem vender seus investimentos quando chegasse o momento apropriado, o que os espantaria desse tipo de investimento. Ou seja, sem liquidez, não haveria mercado.*

## a. Por onde começar



Não caminhe no escuro. Primeiro, entenda para onde irá seu dinheiro, e depois invista. Se você não tem nenhum conhecimento sobre ações e Bolsa de Valores, o melhor lugar para entender mais é na própria Bovespa, que, em seu site,[50] oferece orientações específicas para iniciantes, com um link específico. Meu objetivo, com este livro, não é fornecer um glossário de termos técnicos ou um compêndio de normas, mas sim abordar algumas estratégias que se mostram coerentes e vencedoras. Se você sentir falta de uma interpretação mais profunda de termos técnicos, não hesite em esclarecer sua dúvida realizando uma pesquisa na Internet. A informação é farta.

Consciente do mundo em que você está entrando, o próximo passo é agir. Para começar a investir, você precisará:

[50] www.bovespa.com.br.

1. Definir quanto de sua carteira total de investimentos estará alocada em ações. Você pode fazer isso com base nas orientações sobre risco abordadas no Capítulo 5.
2. Definir se investirá comprando ações via uma corretora de valores, ou se contará com os serviços de um fundo ou de um Plano de Previdência Privada. A seguir, abordarei a compra de ações por meio de corretora. As estratégias com fundos e previdência serão abordadas nos dois capítulos seguintes.
3. Escolher uma corretora de valores, caso sua escolha seja por comprar papéis.
4. Traçar uma estratégia de investimentos, como as que apresento neste capítulo.
5. Selecionar duas ou três fontes de informação para consulta periódica, para manter-se atualizado e para rever sua estratégia. Os boletins eletrônicos de corretoras de valores e de agências de notícias econômicas são suficientes. Jornais especializados, como valor Econômico e Gazeta Mercantil, são mais do que suficientes.



Independentemente de você optar pela negociação por meio de corretoras ou pelos serviços de investimentos de fundos e previdência, acredito que as informações a seguir lhe serão muito úteis para administrar a parcela de renda variável de seus investimentos.

## b. Corretoras

As Companhias Corretoras de Títulos e Valores Mobiliários (CCTVMs) ou, simplesmente, corretoras de valores, são as empresas autorizadas a negociar nas bolsas de valores e de mercadorias e futuros, através das quais os investidores podem comprar e vender títulos negociados nessas bolsas.

A abertura de conta em uma corretora é simples e passa pelo preenchimento de cadastro e envio de informações sobre seu patrimônio (uma exigência da CVM). O lucro das corretoras vem das taxas de corretagem cobradas para cada operação de compra e venda, da mesma forma que imobiliárias ganham na negociação de imóveis, e também das taxas de custódia, um custo fixo cobrado de clientes que negociam, para remunerar a emissão de relatórios e a guarda dos ativos na CBLC. Normalmente, não são cobradas taxas para manter-se apenas cadastrado, sem efetuar negociações. Por isso, sugiro que você se cadastre ao menos em duas delas, para passar a receber informação de alto nível elaborada por profissionais que estudaram muito e ganham a vida avaliando qual é o melhor investimento para você. As corretoras sabem disso e se esforçam nessa atividade, com o intuito de convencê-lo a operar no mercado por meio delas.

Não é difícil escolher a que melhor lhe atenda, quando você se propõe a conhecer em detalhes o trabalho das corretoras. Mas cadastre-se em pelo menos duas diferentes, pois os serviços oferecidos variam bastante entre as instituições. A relação completa das corretoras autorizadas a operar na Bovespa e na BM&F está nos sites das bolsas, assim como os links para acessar os sites de cada uma delas e conhecer melhor os serviços oferecidos.

Bons investimentos começam ao escolher com carinho a corretora de valores com que você irá operar. A maioria dos iniciantes começa com a corretora do próprio banco em que tem conta. Boa escolha, mas que tende a ficar cara à medida que o volume de suas compras aumenta, pois a maioria das corretoras vinculadas a bancos trabalha com a tabela de corretagem sugerida pela Bovespa, que é a seguinte:



| Valor Negociado | Percentual | Adicional |
|---|---|---|
| Até R$ 135,07 | - | R$ 2,70 |
| R$ 135,08 até R$ 498,62 | 2,00% | R$ 0,00 |
| R$ 498,63 até R$ 1.514,69 | 1,50% | R$ 2,49 |
| R$ 1.514,70 até R$ 3.029,38 | 1,00% | R$ 10,06 |
| R$ 3.029,39 em diante | 0,50% | R$ 25,21 |

Pela tabela, se você comprar R$ 100 em ações, pagará R$ 2,70 em corretagem. Se comprar R$ 10.000, o valor da corretagem sobe para R$ 75,21 (0,50% de R$ 10.000 mais R$ 25,21), valor elevado se comparado com as corretagens fixas cobradas por muitas corretoras, algumas abaixo de R$ 20 por operação, independentemente do valor negociado. Além da corretagem, existe também a cobrança padrão de emolumentos, que remuneram a Bovespa e a CBLC, no percentual de 0,035% do valor da operação.

Não existe a melhor corretora do mercado. Existem qualidades que você deve pesquisar antes de começar a operar. A primeira referência é o preço. Há corretoras que cobram corretagem fixa para cada operação, independentemente de quanto se negocia (bom para quem opera grandes volumes) e há aquelas que cobram um percentual do valor negociado, seguindo a tabela anterior. No segundo caso, devemos questionar se a corretora oferece descontos para quem opera com freqüência. E há aquelas que nos isentam de cobrança da taxa de custódia, com regras variando para cada instituição.

O custo de operação, que tem impacto direto em sua rentabilidade, não é o único aspecto a ser analisado ao escolher uma corretora. Os seguintes aspectos devem ser levados em consideração na sua escolha (a ordem não reflete nenhum critério de relevância):

1. Como é cobrada a corretagem de cada operação? É fixa ou segue a tabela da Bovespa? A corretora oferece descontos para operadores freqüentes?
2. A corretora absorve a taxa de custódia? Qual o critério para isso?
3. A corretora oferece diferenciação de custo de corretagem para operar no mercado fracionário?[51] Como as operações no fracionário envolvem pouco dinheiro, é interessante contar com descontos para reduzir o impacto em sua rentabilidade.
4. A corretora conta com o serviço de *homebroker*, para você operar direto de casa, pela Internet, sem a interveniência direta do corretor? Ou ela efetua negociações apenas com contato direto com o cliente, por telefone? A primeira opção é mais interessante, pois você "dirige" seus investimentos, mas a segunda normalmente costuma incluir a recomendação do corretor e deixa os iniciantes ou menos experientes mais seguros.



[51] Veja explicação sobre mercado fracionário neste mesmo capítulo, adiante.

5. Quais as ferramentas do *homebroker*? É possível fazer algum tipo de análise gráfica instantânea por meio dele? É possível agendar *stops* dinâmicos?[52] É possível visualizar o desempenho de minha carteira total no sistema?
6. Quem faz a análise dos investimentos? Grandes corretoras fazem suas próprias análises, por isso cobram mais por seus serviços. As pequenas corretoras costumam comprar relatórios de outras corretoras ou de escritórios independentes. Vantagem das grandes, que podem antecipar boas dicas a seus clientes antes de divulgar em seus relatórios.
7. Quais são os canais de dúvidas existentes (chat, telefone, visita pessoal, fórum, e-mail)? Qual a agilidade do canal? Dúvidas complexas são esclarecidas de maneira didática e completa? Por exemplo, uma dúvida sobre aluguel de ações é respondida a ponto de me motivar a adotar a estratégia? Uma boa maneira de escolher sua corretora é sentindo-se confortável com o canal de esclarecimentos.
8. A corretora divulga regularmente sua carteira de papéis recomendados? Divulga sua opinião (comprar/vender/manter) para os papéis mais negociados do mercado?
9. São fornecidas orientações estratégicas específicas para clientes que investem com regularidade, visando ao longo prazo? E para clientes conservadores? E para *day-traders*? E para operadores de opções?
10. É possível operar *commodities* na BM&F através da corretora?
11. A corretora oferece a conveniência de acessar fundos? As taxas e/ou desempenho dos fundos oferecidos são competitivos?
12. A corretora atua em diferentes mercados, como ações, opções, *commodities*, mercado de balcão, fundos imobiliários, Tesouro Direto?



•••

[52] *Stops* dinâmicos são ofertas automáticas de revenda de papéis caso sua cotação sofra uma queda ou alta significativa dentro de um mesmo pregão ou após atingir um pico de valorização.

13. A corretora fomenta a criação de Clubes de Investimento?
14. A corretora me auxilia no cálculo de impostos a pagar? E no preenchimento do DARF?
15. Existem mecanismos proativos, para que eu seja informado imediatamente de notícias relevantes sobre meus papéis de interesse (telemensagem, e-mail, contato telefônico)?
16. São oferecidos cursos, presenciais ou *on-line*, para o autodesenvolvimento dos clientes? Os clientes possuem condições diferenciadas (descontos, isenção, brindes) para assistir aos cursos oferecidos e/ou patrocinados pela corretora?

Nenhum dos serviços que listei é imprescindível para que a corretora seja considerada adequada a sua necessidade. Também não conheço nenhuma corretora que ofereça todos os aspectos positivos listados em minha relação de sugestões. Para mim, uma boa corretora deve apresentar uma avaliação positiva em pelo menos nove ou dez dos dezesseis itens listados.

Para evitar práticas irregulares ou fraudes, antes de comprar ou vender ações verifique sempre se as instituições (corretora, distribuidora de valores ou banco de investimentos) são registradas na CVM (Comissão de Valores Mobiliários) e, portanto, autorizadas pelo Banco Central. A CVM é o órgão que, no Brasil, fiscaliza o mercado de capitais. Quem mantém a custódia (controle da propriedade) das ações é a CBLC, Companhia Brasileira de Liquidação e Custódia. Questões relativas ao mercado acionário e às companhias que dele fazem parte podem ser feitas à Bovespa. A conferência da posição acionária pode ser feita através do site da CBLC.[53] Reclamações sobre quaisquer irregularidades operacionais junto à corretora devem ser encaminhadas à CVM. A maioria das dúvidas, contudo, poderão ser esclarecidas pelos próprios operadores e consultores da corretora em que o investidor está cadastrado.

Procure sempre um intermediário financeiro autorizado a negociar no mercado de capitais, para aumentar a segurança de seus negócios. No site da CVM,[54] na pasta "Cadastro Geral" você encontra a relação das institui-

•••

[53] www.cblc.com.br.
[54] www.cvm.gov.br.

ções financeiras autorizadas para a negociação das ações. No espaço chamado "Alertas ao Mercado", está disponível uma lista de pessoas e instituições que estão impedidas de atuar no mercado de ações brasileiro, por haver evidências de que o faziam de forma irregular.

Se você já lidou com corretoras e não gostou, não desista. Experimente e mude, pois mudar não custa nada.

## c. O uso de *homebrokers*

Até o final do século passado, as operações em bolsas eram feitas através da transmissão das ordens de compra e venda dos clientes pelo telefone ou por e-mail. Os corretores recebiam as ordens dos clientes, processavam-nas e os operadores as transmitiam para a bolsa. Com a popularização da Internet, a maioria das corretoras aderiu ao sistema de *homebroker*,[55] passando a operar ligadas diretamente ao sistema eletrônico da Bovespa, o chamado MegaBolsa.

Com isso, os investidores passaram a poder colocar suas ordens de negócio diretamente no sistema, a distância, entrando na fila de compras e vendas do papel que desejam negociar. Basta, para isso, ter acesso à Internet e estar devidamente cadastrado para operar junto a uma corretora. Todo o processo de utilização do *homebroker* costuma ser ensinado em minicursos *on-line* através dos sites das próprias corretoras.

O surgimento do sistema eletrônico não só simplificou, como também tornou mais eficientes as escolhas dos investidores, pois a operação pode ser feita no instante em que o investidor detecta oportunidades. Além disso, o acesso aos mercados tornou-se mais eficiente, pois a adoção do *homebroker* possibilita também que o horário de negociações se estenda, podendo até vir a ser ininterrupto futuramente.

Atualmente, os investidores têm a opção de investir no *after-market*, que é um horário extra, definido pelo Conselho de Administração da Bovespa, para transmissão de ordens fora do horário de pregão. Nesse período, são



[55] Traduzindo para o português: *corretora em casa*.

aceitas novas ordens e a negociação de alguns papéis é realizada dentro de alguns limites de preços com relação à cotação do fechamento:

- os preços das ordens enviadas não podem exceder à variação máxima positiva ou negativa de 2% em relação ao preço de fechamento do pregão diurno;
- os papéis mais líquidos têm limite de quantidade por negócio fixado como um percentual da média diária registrada nos últimos 30 pregões;
- os demais papéis têm limite de quantidade por negócio fixado em 50% da média diária registrada nos últimos 30 pregões.

Com a adoção do *after-market* pela Bovespa, investidores que antes não podiam operar no horário normal passaram a ter acesso ao pregão, o que contribuiu sensivelmente para o aumento do número de investidores em bolsa nos últimos anos. Além disso, o *homebroker* permite que ordens de negociação sejam transmitidas de qualquer lugar do mundo, eliminando a barreira geográfica — e de fuso, para os notívagos — para investir.



## d. Estratégias — cada um com a sua

O mercado de ações é suficientemente variado, a ponto de atender aos mais diversos perfis e necessidades de investidores. Conforme você notará após a leitura deste tópico, existem tanto maneiras arrojadas quanto maneiras conservadoras de se investir em ações, e ambas são vencedoras, quando bem administradas.

Porém, independentemente de seu apetite para o risco, se você decidir investir em ações, terá que aprender a respeitar algumas verdades que são universais nesse mercado. Eis as que considero mais relevantes:

- no longo prazo, ações apresentarão rendimentos acima dos juros de mercado, porém, desde que você tenha feito boas escolhas na hora de investir nelas;
- se você diversificar de maneira eficiente, no longo prazo dificilmente ganhará mais do que a média do mercado de ações (Índice Bovespa);

- por serem administradas por seres humanos, todas as empresas são passíveis de quebrar;
- após grandes altas no Ibovespa, sempre haverá uma queda, mesmo que seja uma simples realização de lucros;
- após grandes quedas no Ibovespa, sempre haverá uma recuperação de preços, afinal o mundo não pára e as empresas sobrevivem (principalmente as boas empresas);
- empresas saudáveis aumentam seu faturamento, em média, entre 15 e 20% ao ano.[56] A contabilidade explica que o faturamento vem do aumento nos investimentos feitos na própria empresa. Isso significa que, no longo prazo, a tendência é que o crescimento da empresa seja acompanhado do crescimento na rentabilidade, em proporção igual ou maior que o aumento nas vendas. Ações de boas empresas rendem, portanto, entre 15 e 25% ao ano,[57] em média;
- para obter ganhos diferenciados, você precisa de informação. Com a informação em mãos, você precisa ser mais rápido do que o mercado. Quem você acha que será mais rápido: você, com a leitura do jornal diário pela manhã, ou o investidor profissional de grande porte, com anos de estudo e experiência e seis telas de computador acompanhando mercados e agências de notícia? Não acredite, portanto, que você será capaz de bater o mercado. Satisfaça-se com a média.



As verdades que acabo de citar compõem uma realidade imutável do mercado, na qual você deve acreditar quando fizer suas escolhas de longo prazo e moldar sua estratégia a ela de maneira definitiva. É diferente de situações específicas que, se exigem adaptação de sua estratégia, é em caráter temporário, como a onda de privatizações de empresas brasileiras na década de 90, a eleição do presidente Lula, a possibilidade de elevação do risco brasileiro para grau de investimento, os ataques terroristas de 11 de setembro de 2001 e a crise dos financiamentos imobiliários norte-americanos de 2007.

●●●

[56] Segundo diversos estudos acadêmicos na área de contabilidade.

[57] O diferencial da rentabilidade em relação ao faturamento deve-se ao efeito da alavancagem, ou participação de capital de terceiros na empresa, que faz os lucros aumentarem em proporção superior à do aumento das vendas. Para mais informações sobre análise de empresas, veja *Finanças para Empreendedores e Profissionais Não Financeiros*, de Gustavo Cerbasi e Rafael Paschoarelli Veiga, Editora Saraiva.

Se você escolher uma estratégia e for fiel a ela, manterá o foco e colherá bons resultados no longo prazo. Se acreditar que pode mudar sua estratégia de acordo com a conveniência do momento econômico, tenderá a errar algumas vezes e acertar outras, provavelmente perdendo todo o diferencial de ganhos nas vezes em que errar. Por isso, para ter sucesso com ações, sua estratégia pessoal pode ser uma combinação de algumas das dez estratégias seguintes (minhas favoritas), desde que seja duradoura:

## 1) Diversificação mínima

Não importa qual das demais estratégias você adotará. Tenha em mente que, se concentrar todo o seu capital — ou a parcela de risco dele — em apenas uma ou duas empresas, você estará assumindo um risco desproporcional. O motivo está no fato de as empresas serem administradas por seres humanos; como errar é humano, quebrar uma empresa também o é. Certamente, você não gostaria de ver metade de seus investimentos evaporarem da noite para o dia porque uma de suas duas empresas foi vítima de uma gestão fraudulenta ou de um grande atentado.[58] Por isso, minha recomendação é direta: invista pelo menos em cinco empresas diferentes, preferencialmente de cinco setores diferentes. A razão para o número cinco não é nenhum misticismo, mas sim decorrência de uma das verdades que citei anteriormente. Digamos que, ao escolher suas cinco empresas, todas tenham boas perspectivas de crescer 25% ao ano. Imagine que você distribuirá um investimento de R$ 10 mil igualmente, com R$ 2 mil em cada empresa. Se, por qualquer motivo, uma delas quebrar, R$ 2 mil de seus investimentos deixarão de existir, e você ficará com R$ 8 mil. Porém, se suas empresas crescerem mesmo 25% ao ano, os R$ 8 mil se transformarão em R$ 10 mil novamente após cerca de um ano, tendo o atraso de um ano em seus planos como conseqüência de um fato que seria um desastre para muitos. Por isso, não só diversifique, mas balanceie bem seus recursos, sem concentrar demais em uma empresa



58 Só para citar exemplos de grandes empresas, seguem algumas que "evaporaram" em pouco tempo diante de uma crise: Banco Econômico, Transbrasil, Enron, Parmalat, Worldcom, ING Bank, Varig e Arthur Andersen, entre outras.

ou setor. Ao investir em setores diferentes, você diminui mais ainda seu risco, pois muitos desastres em empresas acabam por afetar todo o setor em que ela atua.

## 2) Diversificação máxima

Diversificar é preciso, mas evite dispersar demais seu capital. Recomendo investir em não mais do que dez ou doze empresas diferentes, para que você tenha condições de pelo menos acompanhar as informações sobre todas elas. Acredito até que oito empresas diferentes, com pelo menos cinco setores diferentes, já sejam suficientes para diminuir sensivelmente o risco de seus investimentos. Ao diversificar demais, chegará um momento em que você sequer saberá em quê estará investindo.Diversificação em um número maior de empresas é tarefa para especialistas, que contam com modelos matemáticos para contrabalancear e diluir o risco individual de cada empresa em uma carteira de dezenas de ações diferentes.

## 3) Limitando-se às fichas azuis

No mundo dos cassinos (que não tem nada a ver com o mundo dos investimentos), as fichas mais importantes e valiosas são as fichas azuis, chamadas de *blue chips*. Essa expressão foi trazida para o mercado de ações para definir as ações consideradas de primeira linha, aquelas de empresas mais valiosas, mais negociadas e de maior liquidez, aquelas que todos gostam de ter em suas carteiras. São também as ações mais comentadas do mercado. Aquele que investe apenas em *blue chips* é considerado um investidor conservador, pois as maiores empresas costumam ser também as mais previsíveis e consistentes na geração de resultados e valorização das ações. Normalmente, são empresas cuja rentabilidade média de longo prazo raramente sai daquela faixa de ganhos que citei, entre 15 e 25% ao ano. Além disso, a importância dessas empresas facilita o acompanhamento de notícias sobre elas, pois qualquer fato relevante é citado até nos telejornais. Isso faz das *blue chips* a categoria mais segura de ações para investimento, aquelas para quem não quer contar com grandes surpresas, tanto de ganhos quanto de perdas. Se você está se perguntando se o longo histórico de ganhos excepcionais da Petrobras e da Vale deixa de caracterizá-las como *blue chips*, a resposta é que não. No Brasil pujante e em crescimento do início do século, as maiores *blue chips* foram as empresas que mais atraíram a atenção dos investidores com seus resultados e investimentos, fazendo dessas empresas uma oportunidade incrível até então. Mas não conte com essa festa para sempre. Acredite, simplesmente, que do momento em que estamos (não importa qual) para frente, grandes empresas devem se comportar como grandes empresas.

## 4) Focando empresas em crescimento, como você

O conservadorismo e a conseqüente limitação de ganhos caracterizados pelo investimento em *blue chips* não costumam agradar aos investidores mais ativos e arrojados. Isso se deve ao fato de os números mais espetaculares de valorização nas ações[59] ser observado entre empresas de pequeno porte que passam por grandes processos de crescimento e expansão de capital. Por isso, muitos investidores vivem à caça de informações sobre oportunidades entre empresas menores, consideradas de segunda ou terceira linha por seu menor volume de negociação, chamadas também de *small caps.*[60] Devido ao fato de uma empresa *small cap* ser pequena e geralmente jovem, é maior o risco de o negócio não vingar e suas ações perderem o valor. Mas é também devido ao fato de a empresa ser pequena que ela tem potencial para se tornar uma grande e rentável companhia, podendo tornar milionários pequenos investidores. Devido ao maior risco desse tipo de papel, quem investe em *small caps* tende a diversificar mais do que quem investe em *blue chips.* Esta pode ser uma ótima estratégia para a parcela mais arrojada de sua carteira, ou então uma boa escolha de longo prazo para investidores mais jovens.

## 5) A estratégia do preço médio

É fácil entender a lógica básica dos investimentos em ações: comprar na baixa e vender na alta da Bolsa. Difícil é praticá-la, principalmente para

•••

[59] Só em 2005, por exemplo, a Cia. Têxtil Ferreira Guimarães rendeu 1.691,5%, a Usina Costa Pinto 833,8% e as Lojas Renner 654,7%.

[60] Termo em inglês para "pequena capitalização", que se refere a empresas de pequeno porte, com valor também relativamente pequeno distribuído em ações, ou seja, pouco capitalizadas no mercado.

quem não está diariamente ligado ao mercado financeiro (ou seja, a maioria das pessoas). Se é o seu caso, uma estratégia simples e que se mostra vencedora no longo prazo é fazer aportes de forma periódica, sem se ater unicamente às tendências do mercado. A chamada estratégia do preço médio, na qual se investe aos poucos e sempre, é uma solução eficiente, por permitir um planejamento financeiro mais consistente e diluir os riscos ao longo do tempo. Às vezes, você pagará caro, ao comprar com a bolsa em alta. Outras vezes, pagará barato, ao comprar na baixa. Na média, você estará pagando o preço médio para investir em uma alternativa de rentabilidade diferenciada no longo prazo. É a estratégia recomendada para quem procura seguir um projeto pessoal com muita disciplina, mas pouco tempo para dedicar ao aprendizado e à análise dos investimentos.

## 6) Vivendo de renda

O mercado costuma classificar as diversas ações em dois tipos: empresas de crescimento e empresas de valor. Empresas de crescimento tendem a pagar pouco ou nenhum dividendo, pois reinvestem uma maior parte de seus lucros para crescerem mais rapidamente que suas concorrentes. Com isso, a quase totalidade dos ganhos do investidor vem do aumento do valor das ações. Por outro lado, empresas de valor são aquelas que distribuem mais dividendos e, por isso, reinvestem menos, também crescendo menos em termos de valor de suas ações. Quem busca maior estabilidade em sua carteira de ações pode encontrar nas empresas com bom histórico de pagamento de dividendos o seu porto seguro. A qualidade dos papéis de dividendos aparece principalmente nas crises, quando as quedas nos preços das ações acabam sendo parcialmente compensadas pelo depósito de dividendos na conta do investidor. Para quem pensa em acumular ativos para viver do rendimento deles, como fazem aqueles que vivem da renda de aluguel de imóveis, esse é o tipo de investimento recomendado. Descobrir quais empresas são boas pagadoras de dividendos não é difícil; a maioria dos relatórios de análise distribuídos por corretoras costuma destacar, entre suas recomendações, os papéis com maior *dividend yield*, ou renda anual de dividendos. Empresas que pagam regularmente, em dividendos, a partir de 5% do valor das ações, são consideradas boas remuneradoras. Para quem pensa em comprar ações para mantê-las, sem perspectivas de vender no médio prazo, outra opção de ganho interessante é o aluguel de ações, que será explicado adiante, ainda neste capítulo.

## 7) Andando na contramão

A prática de tentar prever as oscilações do mercado, com o objetivo de tentar comprar/investir na baixa de preços e vender/resgatar na alta, é criticada por muitos especialistas. O argumento deles é que o chamado *market timing*, nome dado à técnica, não costuma dar resultados no longo prazo. Ao tentar acertar a melhor hora de entrar e sair da Bolsa, corre-se o risco de perder carona nos melhores dias de rentabilidade. Isso se agrava quando levamos em consideração a falta de mobilidade do investimento em ações, que prejudica decisões rápidas: o prazo de recebimento de resgates é de quatro dias após dada a ordem. Porém, existe uma técnica simples, semelhante ao *market timing*, que requer bastante disciplina, mas pouca proatividade e pouco conhecimento do investidor. Em vez de procurar comprar na baixa e vender na alta, a técnica que chamo de *andar na contramão* consiste em comprar quando todos vendem, e não comprar quando todos compram. É mais simples do que parece. Como você já percebeu até a este ponto da leitura, todos devem ter tanto investimentos em renda fixa quanto em renda variável em sua carteira. Se você adotar a simples regra de estabelecer uma meta de composição da carteira, seguindo, por exemplo, a regra dos 80, você já terá condições suficientes para adotar a estratégia que sugiro. Quando os recursos previstos para investimentos estiverem disponíveis, consulte sua corretora de valores ou qualquer tabela de rentabilidades de fundos para saber como se comportou o índice Bovespa nos últimos 30 dias. Se a bolsa caiu no período, invista em ações. Se subiu, invista em renda fixa. Se a bolsa cair dois meses seguidos, invista novamente em ações e resgate igual valor da renda fixa para transferir também para ações. Se cair pelo terceiro mês, triplique seu investimento em ações. O mesmo vale no sentido contrário: quanto mais a bolsa subir, invista mais em renda fixa. Se a proporção dos investimentos fugir muito de seu plano inicial, elimine a multiplicação em meses de tendências consecutivas, ou lance mão do rebalanceamento, atentando para os impostos — tanto na renda fixa, pela tabela regressiva, quanto nas ações, pela isenção para vendas até R$ 20 mil no mês.[61] Ao fazer isso, você concentrará suas compras na baixa, e evitará comprar ativos quando estiverem caros. Essa técnica é especialmente eficiente para quem está iniciando seu plano e pode assumir níveis maiores de risco.

## 8) A estratégia do entesourador

Independentemente do tipo de empresa em que você prefere investir ou da composição de sua carteira de investimentos, a intensidade com que você gira (compra e vende) sua carteira determinará se sua fonte de renda futura virá do trabalho ou do capital. No extremo do capital, está a estratégia de investir à moda antiga, comprar para não vender, simplesmente acumular aquilo que você acredita que valerá muito no futuro. Essa estratégia é chamada de *buy-to-hold*[62] e é certamente a mais comum entre investidores amadores brasileiros. Até hoje, muitos herdeiros se surpreendem ao encontrar entre a papelada de pais e avós antigas ações de grandes empresas como Bradesco, Telesp, Petrobras e, ao consultar uma corretora, descobrir uma pequena fortuna. Há quem questione a estratégia do *buy-holder*, alegando que, por não dar a devida atenção, ele deixa de realizar lucros quando uma forte crise se anuncia. O questionamento merece ressalvas, pois, para adotar uma postura ativa de venda, o *buy-holder* teria que adotar também uma postura ativa de compra ao final das crises. Mas, definitivamente, a estratégia *buy-to-hold* existe justamente porque muitos investidores não têm tempo ou conhecimento para avaliar o mercado e mudar de posição. Diante dessa limitação, a ineficiência decorrente da insistência (ou seria frieza?) durante as crises tende a ser compensada pela certeza de que o investidor estará com seus bons papéis até mesmo nos dias de pico do mercado, fator considerado importante para aproveitar todo o potencial de alta nas ações. Na pior das hipóteses, após vários anos de investimentos você terá uma boa e crescente carteira



[61] Veja mais sobre estratégias tributárias com ações no final deste capítulo.
[62] Comprar para manter, em inglês.

de dividendos, ou papéis cujo rendimento pode vir a ser suficiente para sustentá-lo por décadas de aposentadoria. É questão de fazer as contas. Na prática, a estratégia *buy-to-hold* é uma boa pedida para quem não quer ficar estressado, dependente de um *homebroker*,[63] ou para quem não tem muito tempo — desde que, ao menos, as empresas escolhidas realmente tenham boas perspectivas de longo prazo.

## 9) O investidor assalariado

Como diz a maioria de meus amigos investidores, *buy-to-hold* não tem emoção, e isso não os encanta. Talvez você já tenha percebido que eu sou um típico *buy-holder*. Mas, seja pela adrenalina causada pelo prazer de comprar e vender, seja pela escassez de recursos para investir, ou mesmo pela opção de se dedicar exclusivamente ao mercado de ações ou *commodities*, muitos investidores optam por caçar oportunidades de ganho em um único dia. Esses investidores, chamados de *day-traders*,[64] começam o dia com caixa disponível, caçam ações que estejam baratas ou com bom potencial de alta, compram-nas e preparam-se para vendê-las algumas horas — ou até minutos — depois, terminando o dia com mais caixa do que começaram. Seu desafio é identificar ações que irão se valorizar ao longo do dia, porém essa tarefa não é difícil para quem se dedica a acompanhar atenta e diariamente determinados papéis. Em questão de semanas, qualquer pessoa com acesso diário a um *homebroker* já sabe quando uma ação está barata e quando está cara, e também já sabe identificar logo no início do pregão se o dia está mais para alta do que para baixa. Mas é importante destacar que tendências, quando existem, duram por pouco tempo e, por isso, o *day-trader* costuma ganhar nas variações de centavos no preço de uma ação. A estratégia, eficaz para quem tem tempo disponível para o mercado, costuma funcionar bem para quem se mantém informado e tem autocontrole para estabelecer rapidamente o momento de vender. As maiores ameaças aos *day-traders* são sua própria ansiedade e excesso de autoconfiança, normalmente operando



[63] Dependência tão odiada por cônjuges quanto a obsessão por e-mails.
[64] Que pode ser traduzido como investidor de um dia.

volumes cada vez maiores após alguns sucessos consecutivos. *Traders* mais maduros, conscientes dessa armadilha, costumam operar um volume limitado no *day-trade* de ações e de opções, investindo os lucros de cada operação de maneira mais conservadora e segura. Fazem de cada dia de operação um dia de trabalho, com metas de lucro modestas, mas suficientes para manter seus objetivos de ganhos. É quem segue este tipo de raciocínio que merece o nome dado a esta estratégia, de investidor assalariado, pois retira seu salário da atividade dedicada a um investimento definido, como faz aquele que investe uma quantia em um negócio próprio. Cabe destacar que o *day-trader* precisa ter um controle redobrado sobre seus rendimentos, pois sua estratégia envolve custos proporcionalmente bem mais elevados do que a estratégia do *buy-holder*, por exemplo. Enquanto este paga poucas taxas de corretagem e pode vir a não pagar imposto sobre a renda, o *day-trader* paga duas corretagens por dia, quando sua corretora não desconta a segunda, e tem uma alíquota de imposto de renda mais alta, de 20% e não 15%, como acontece nas operações normais. Supõe-se que essa tributação maior seja uma espécie de intimidação para evitar excessos nas operações especulativas.



## 10) Contratando seguros

À medida que cresce nosso patrimônio, temos que tomar alguns cuidados para não perder o que conquistamos com tanto esforço. Esse é um dos motivos para que a contratação de seguros de casa e automóvel seja mais freqüente entre aqueles que possuem imóveis e veículos de maior valor. No investimento em ações, já lhe recomendei que, a partir do momento em que seu patrimônio começar a ganhar contornos de grande valor, você diversifique seus investimentos para proteger o que conquistou, por mais que conheça e se sinta bem investindo em ações. A regra aqui é a dos ovos em uma única cesta. Porém, investidores mais ativos e com alguma experiência contam com uma alternativa interessante de proteção, equivalente à contratação de seguros, que é o investimento nas chamadas opções de compra ou de venda de ações. Numa operação de opções, o comprador adquire um direito de exercer uma compra (ou venda) de um papel a um determinado preço fixo até uma data futura. O mecanismo é simples: quem possui ações (ou não) pode comprar por um preço reduzido opções de vender seus papéis a um determinado preço. Quem vende essa opção ou direito é alguém que não acredita na queda dos preços, e quer lucrar justamente com a venda do direito. Se o preço de sua ação estiver, no dia do vencimento da opção, acima do que ela permite lhe pagar, você não exercerá seu direito, pois pode vender suas ações por um preço melhor no mercado. Se, por outro lado, as ações estiverem valendo bem menos do que sua opção garante, você exercerá seu direito e embolsará um valor bem maior do que faria se vendesse normalmente no pregão. Na prática, você paga para limitar suas perdas, e o outro investidor (mais correto seria chamá-lo de especulador) recebe para correr o risco.

•

Neste livro, optei por não aprofundar a abordagem do mercado de opções, por entender que este não é um negócio para iniciantes e, principalmente, porque quando mal utilizadas, as opções passam a ser instrumento de pura especulação e não de investimento. Quem pensa em longo prazo investe seus recursos em ações compradas no mercado à vista, e utiliza opções apenas para proteger-se de crises intensas. Caso você tenha interesse em aprender mais sobre operações com opções, a sugestão é consultar livros específicos sobre o tema, pois o assunto é bastante abrangente, e jamais operar sem antes freqüentar um curso sobre o assunto.

## e. Há um mínimo para comprar ações?

A esta altura, algumas reflexões e milhões de dúvidas devem estar passando pela sua cabeça. É o que se espera, quando o assunto é estratégia. Mas uma das perguntas mais freqüentes que recebo através do canal de dúvidas do site www.maisdinheiro.com.br diz respeito aos investidores com pouco cacife.

*Afinal, quem tem pouco para investir está fora do mercado de ações?*

Há alguns anos, a resposta a essa pergunta seria "sim". O mercado era para poucos e bons investidores. Felizmente, hoje em dia, essa realidade mudou, e o mercado está bem mais democrático. É possível investir em ações e com pouco dinheiro por dois caminhos: por meio de fundos de ações populares, já que muitos bancos permitem o acesso a fundos de ações para quem tem meros R$ 100, ou através da compra de pequenas quantidades de ações no chamado mercado fracionário da Bovespa.

Geralmente, as ações são negociadas em lotes, que são agrupamentos de ações com o objetivo de tornar seu preço ao mesmo tempo significativo e convidativo. Não existe um valor mínimo para operar no pregão eletrônico, via *homebroker*. Mas uma operação de valor muito baixo, embora possível, pode não ser interessante, devido ao grande peso que teria a taxa de corretagem sobre o valor total da transação. Por isso, apesar de existirem ações com preços na casa dos centavos, normalmente a negociação é feita em lotes de cem ou mil ações, podendo existir também lotes maiores. Da mesma forma, quando um lote de ações se valoriza muito, ele é quebrado (sofre um *split*, como diz o mercado) em dois ou mais lotes, para que o elevado preço não comprometa a negociabilidade do papel — quanto mais caro, menos compradores interessados existirão.

Assim, você encontrará, nas chamadas janelas de negociação — também conhecidas como livros de ofertas — do pregão à vista de seu *homebroker*, ofertas de compra e venda em múltiplos do lote padrão da ação. Se determinada empresa é negociada em um lote de cem ações, você encontrará ofertas de cem, duzentas, trezentas ações, sempre números redondos.



PETR4
Lote: 100
PETROBRAS PN

+0,35%
R$ 78,98

| Fila | Corret. | Qtd. | Compra | Venda | Qtd. | Corret. |
|---|---|---|---|---|---|---|
| 1 | 70 | 300 | 78,90 | 78,98 | 200 | 72 |
| 2 | 58 | 700 | 78,88 | 78,98 | 1k500 | 39 |
| 3 | 39 | 100 | 78,88 | 78,99 | 100 | 147 |
| 4 | 114 | 100 | 78,87 | 79,00 | 100 | 114 |
| 5 | 39 | 100 | 78,87 | 79,00 | 300 | 110 |
| 6 | 147 | 1k300 | 78,85 | 79,00 | 100 | 30 |
| 7 | 1 | 200 | 78,84 | 79,00 | 200 | 16 |
| 8 | 92 | 100 | 78,82 | 79,01 | 1k100 | 30 |

*O quadro acima apresenta uma típica janela de negociação de ações de* homebrokers. *Nela, vemos o código do papel (PETR4), o lote padrão (100 ações), o nome da ação (Petrobras PN), a variação do preço do* *papel no pregão (+0,35%) e o preço praticado na última negociação fechada (R$ 78,98). Vemos também as filas com as oito melhores ofertas de compra e venda, sendo a primeira oferta de compra a que paga mais, e a primeira oferta de venda a que pede menos. São informados também o código da corretora na Bovespa e a quantidade de ações a que cada investidor está disposto a negociar. Se, por exemplo, você desejasse comprar imediatamente 2.000 ações da Petrobras, teria que fazer uma oferta de compra desta quantidade por R$ 79,00. Assim que o fizesse, compraria 1.700 ações por R$ 78,98 cada, 100 por R$ 78,99 e 200 por R$ 79,00 — uma compra que totalizaria R$ 157.965, mais a corretagem e os emolumentos. Se você não tivesse sequer R$ 7.898 para comprar um lote de 100 ações, teria que recorrer à janela de negociação fracionada, podendo comprar a partir de uma ação.*

Teoricamente, quem tem pouco dinheiro para comprar dificilmente conseguirá comprar no pregão à vista uma quantidade de ações que aproveite todo o caixa disponível. Por exemplo, se você tem R$ 200 e a ação que você quer comprar custa R$ 101 o lote, você conseguirá comprar apenas um lote e ficará com R$ 99 sobrando.

Porém, felizmente, essa limitação não existe, pois é possível efetuar negociações no chamado mercado fracionário de negociação de ações, um mercado de cotações diferenciadas para aqueles que têm quantidades inferiores a um lote. Normalmente, todo sistema de *homebroker* provê o acesso a esse pregão de maneira discreta, automaticamente ou simplesmente acrescentando uma letra F após o código da ação que você quer negociar. Por exemplo, para negociar ações PN da Petrobras no mercado fracionário, é preciso digitar PETR4F em vez de PETR4.

Nele, existem investidores comprando e vendendo pequenas quantidades de ações, viabilizando o investimento de quem tem poucos recursos. Você até pode efetuar várias compras no mercado fracionário e, na hora de vender, ofertar seus papéis normalmente na janela de lotes integrais, que tem maior liquidez (maior número de negociadores e maior agilidade para fechar negócios).

As regras para negociação são iguais para todos, não importando o volume financeiro. As listas de compra e venda seguem por ordem de preço das melhores ofertas: o comprador que paga mais no topo da fila, o vendedor que pede menos também. Quando o preço é igual entre dois ou mais negociadores, fica na frente a ordem que foi registrada primeiro.

Um detalhe interessante: você não consegue vender ações por um preço menor do que a melhor oferta. Se a lista de compradores tem alguém aceitando pagar R$ 20,00 por um lote de ações e você oferta a venda por R$ 19,90, a negociação será fechada por R$ 20,00, uma vez que o comprador postou a ordem dele primeiro.

Um erro comum de quem começa a operar é ignorar que a cotação da empresa é por lote e não por ação, o que resulta em um pedido de compra de apenas uma ação, no pregão fracionário, por meio de uma negociação que acaba custando mais em corretagem do que na compra do papel em si. Atenção, portanto, ao critério de cotação de preços no início dos seus negócios.

## f. Analisar é preciso

Você sabe por que os preços das ações sobem e descem? O principal motivo está na mudança dos interesses dos investidores, principalmente dos grandes investidores. Quando muitos investidores querem vender, poucos querem comprar; para conseguir vender, os que têm papéis precisam abaixar os preços, a fim de convencer os que não querem comprar nos preços atuais. Quanto maior o volume a ser colocado à venda, maior terá que ser a "liquidação", para convencer mais investidores. Quando muitos querem comprar, acontece o efeito inverso: na falta de interessados para vender, os que não têm fazem ofertas cada vez maiores para convencer os que têm papéis em mãos. Parece simples, mas o humor dos investidores muda justamente em função do bombardeio cotidiano de notícias sobre as empresas e a economia.

*Você sabe por que os preços das ações sobem e descem?*

Se você quer investir em ações, é preciso ter algum apetite por notícias econômicas e empresariais. É importante conhecer as empresas em que você investe, saber onde encontrar informações detalhadas sobre elas, ter orgulho de ser dono de um grande negócio. Se você é dono de uma parte do capital de uma empresa, deveria ao menos ler o relatório anual da administração dela, para conhecer em detalhes o que ela faz, os planos dos gestores para o futuro e a situação da empresa no mercado em que ela atua.

Mais: como dono de uma empresa, seria muito saudável que você, ao receber uma carta de convocação para assembléias gerais de acionistas, aceitasse o convite e fosse conhecer um pouco mais dos planos da empresa e das críticas dos acionistas às escolhas dos gestores. Aliás, a visita a uma assembléia geral é algo tão interessante e construtivo que eu acredito que um acionista somente passa a se sentir realmente dono da empresa depois de participar de uma delas. É importante que você se mantenha a par do que acontece de relevante nas empresas em que você confia seus investimentos.

Se você soubesse avaliar detalhadamente uma empresa, investir em ações seria tarefa bem mais simples. Mas não se iluda. Avaliar uma empresa não é simples. Que o digam os profissionais que são contratados para comandar grandes empresas, solucionando todos os dias problemas de recursos humanos, de marketing, fiscais, burocráticos, de qualidade, de insatisfação de clientes e cobranças de sócios, entre outros. Direcionar uma empresa para o caminho do lucro é uma tarefa árdua, esforço de muitas pessoas. E, mesmo que muitas pessoas se esforcem, é impossível antecipar se uma empresa dará ou não os resultados esperados para os próximos dois anos. Se fosse simples, o salário de presidente de empresas não seria tão elevado. Se fosse simples, menos empresas quebrariam e menos investidores perderiam dinheiro.

É justamente a dificuldade, a complexidade e a dúvida que fazem do investimento em ações de empresas um negócio de risco. Se analisar uma empresa é difícil, o que será daquele que precisa analisar se continua ou não confiando em uma carteira de dez ou doze empresas?

É por esse motivo que, diante da grande dificuldade em conhecer os detalhes da saúde financeira e das perspectivas das empresas, você deve confiar em análises feitas por profissionais. Quanto maior for sua capacidade de análise, mais você aproveitará dos relatórios feitos por milhares de especialistas com anos de estudos e experiência, bons contatos no mercado, relacionamento direto com pessoas de dentro das empresas e um único objetivo: fornecer sugestões de investimentos consistentes.

Das diversas possíveis técnicas para avaliar empresas e suas ações, destacam-se entre as preferências dos investidores as chamadas análise fundamentalista e análise técnica ou grafista. De tão diferentes que são entre si, chegam a provocar longas e acaloradas discussões entre investidores que defendem as vantagens de cada uma. Mas , como você perceberá a seguir, ambas podem e devem conviver no dia-a-dia do investidor, pois se prestam a diferentes tipos de decisão.

## Análise fundamentalista

A análise fundamentalista reúne uma série de técnicas, como análise de balanços, análise setorial, análise econômica, estudo da gestão da empresa e tendências de consumo, a partir das quais são traçadas projeções de resultados e determinados os preços justos para as ações das empresas. Muitos analistas fundamentalistas chegam a ter canais diretos de informação com as empresas que analisam, para obter a mais fidedigna das informações.

O processo de análise geralmente se inicia com projeções econômicas. Depois, é feita uma análise de como o setor do qual a empresa faz parte se insere na economia, e então como a empresa se insere no setor, em termos de competitividade, diferenciais e obstáculos a superar. O próximo passo é analisar os fundamentos próprios da empresa, incluindo a consistência no planejamento, a qualidade de gestão, as estratégias para captar recursos, seus diferenciais em termos de investimento de capital, a agregação de valor aos produtos e serviços e a estrutura de custos. Dessa análise, é feita a projeção dos lucros da empresa.

Com o fluxo da geração de lucros projetado para os próximos meses, o analista utiliza diversas técnicas para precificar a ação. Se, com diferentes técnicas, os resultados obtidos não são muito discrepantes, o analista tem em mãos uma boa projeção do valor a que a ação da empresa pode chegar nos próximos meses, também chamado de *upside* no preço.

A análise fundamentalista é bastante complexa, porém algumas de suas ferramentas são simples o suficiente para serem entendidas e utilizadas até pelos investidores com pouquíssima experiência. Entre as ferramentas subjetivas, a dica é atentar para todo tipo de notícia que, no âmbito dos negócios, aparente ser muito positiva para a empresa. Refiro-me a anúncios de lucros recordes, faturamento recorde, compra de empresas concorrentes, aumento no pagamento de dividendos aos acionistas, descoberta de grandes jazidas e anúncios de investimentos espetaculares. Diante de uma notícia muito relevante, atente para os comentários dos analistas.

Entre as ferramentas mais objetivas, baseadas em números, duas das mais utilizadas são o Índice P/L e o *Dividend Yield.* O índice P/L — ou preço por lucro — é uma estimativa de quanto os investidores estão pagando por cada real de lucro anual da empresa. É calculado da seguinte maneira:

P/L = (Preço médio da ação)/(Lucro anual por ação)

Teoricamente, o P/L mede em quantos anos você receberá, sob a forma de lucro, o que investir na empresa. Quanto menor o preço da ação e maior o lucro por ação, melhor. Os números necessários para o cálculo do índice costumam ser divulgados nos relatórios trimestrais das empresas, de publicação obrigatória. A maioria dos relatórios de análise elaborados pelas corretoras e gestores de fundos já costuma contemplar o índice P/L de cada empresa analisada.

Uma empresa madura, em situação estável e com sucesso nos negócios tende a render, em média, algo da ordem de 15 a 20% ao ano a seus acionistas, o que resultaria em um Índice P/L entre 5 e 7. Por isso, entende-se que empresas com um P/L nessa faixa estão com um preço próximo do que seria justo. Empresas com um P/L acima de 10 já são consideradas caras. E empresas com P/L abaixo de 5 são consideradas oportunidades. Quanto mais baixo o índice, melhor, principalmente se ele for usado para comparar a empresa com outras do mesmo setor.

Na época da primeira eleição do Presidente Lula, quando o mercado temia a hipótese de o novo governo interferir negativamente no mercado, muitos venderam suas ações, fazendo os preços despencarem até o ponto de gerar índices P/L abaixo de 2 para muitas empresas. Surgiram ali fantásticas oportunidades de investimento.

O outro indicador que citei, o *Dividend Yield,* ou simplesmente *DY,* mede o retorno anual obtido pelo investidor em recebimento de dividendos e juros, independentemente da variação do valor da ação. Entre os proventos que a empresa pode distribuir estão os dividendos, juros sobre o capital e os bônus. Dividendos são o lucro proporcional que é distribuído entre os acionistas da companhia, com isenção de imposto de renda para o investidor. Juros sobre o capital são semelhantes aos dividendos, com a diferença de serem distribuídos somente aos detentores de ações PN, antes de a empresa pagar o imposto de renda — quem paga, neste caso, é o investidor. Já a emissão de bônus é uma forma de a empresa recompensar seus investidores quando ela não pretende distribuir seus lucros (o faz na forma de distribuição de mais ações) ou quando há sobras de caixa sem previsão de uso (a distribuição é em dinheiro). Identificar quais as empresas são boas pagadoras de proventos é uma estratégia conservadora, para quem pretende conservar as ações no longo prazo, auferindo os rendimentos provenientes da distribuição dos resultados da empresa. O DY mede a intensidade dessa estratégia, sendo calculado da seguinte maneira:

$$DY = (\text{Dividendos anuais} + \text{Juros anuais})/\text{Preço da ação}$$

Conforme já citei, não é objetivo da empresa distribuir todo o resultado de sua operação, pois parte dos lucros deve ser reinvestida para o contínuo crescimento e desenvolvimento da empresa. Boas pagadoras de dividendos são as empresas que costumam pagar a partir de 5% ao ano em dividendos e juros. Por isso, quando afirmo que uma boa empresa rende entre 15 e 20% ao ano a seus acionistas, numa visão de longo prazo, esse rendimento deve ser entendido como a soma do DY mais o rendimento da ação.

Assim como o índice P/L, o DY costuma ser calculado a partir de relatórios da própria empresa ou obtido já calculado em análises de especialistas.

## Análise técnica ou grafista

A análise técnica estuda a evolução dos gráficos — daí a ser também chamada de grafista — de preços de diversos ativos ao longo do tempo, identificando padrões na evolução desses gráficos que, supõe-se, tendem a se repetir. Para um grafista, se o gráfico do preço de uma ação começa a desenhar um determinado padrão, esse padrão deve se completar. Isso ajuda o grafista a antecipar altas e baixas. Funciona? Do ponto de vista fundamentalista (ou seja, daqueles que criticam o método grafista), não há motivo para o preço da ação de uma empresa seguir uma lógica diferente da que seus resultados demonstram. Mas a prática diz que, na maioria das situações, a lógica grafista funciona, simplesmente porque os *traders* mais ativos são predominantemente grafistas que, não podia ser diferente, acreditam no método. Se a maioria acredita no método, age segundo ele, vendendo quando é hora de vender e comprando quando é hora de comprar. Conseqüência: o mercado reflete a lógica grafista, ao menos no curto prazo.

**ÍNDICE BOVESPA**

Abril de 2005 a abril de 2008

O gráfico acima, que mostra a evolução do Índice Bovespa entre abril de 2005 e abril de 2008, é bastante útil para ajudar a entender essa lógica. Nele, observamos que o índice vinha seguindo uma nítida tendência desde julho de 2006. Pela lógica grafista, suas decisões devem se basear nessa tendência até que ela deixe de se confirmar — o que é razoável, em termos lógicos. Vejamos quais são algumas das ferramentas de análise técnica mais utilizadas, para que você entenda melhor essa lógica:

**Suporte:** é identificado quando é possível traçar uma reta entre dois ou mais mínimos de preços em momentos diferentes, formando um piso no gráfico. Quanto mais pontos conseguirmos ligar com essa reta, mais forte é o suporte — e mais os grafistas acreditam nele. No gráfico do Ibovespa, conseguimos traçar uma reta que passa por quatro mínimos (um em 2006, dois em 2007 e mais um em 2008), o que indica que esse suporte tem grande força. Por isso, ele pode ser entendido como um patamar de preços a partir do qual muitos investidores se sentem seguros para investir num papel (no caso, um papel teórico do Índice Bovespa), o que faz com que o volume de negócios se intensifique a partir desse patamar. Quando os preços caem em direção ao suporte, os analistas percebem isso e dão seu alerta, que corre pelo noticiário econômico. Com isso, os investidores começam a concentrar suas compras e o papel tende a reverter seu sentido de queda.

**Resistência:** é identificada quando traçamos uma reta entre dois ou mais máximos de preços em momentos diferentes, formando um teto ou limite de preços momentâneo no gráfico. Quanto mais pontos puderem ser ligados com essa reta, mais forte e consistente será a resistência. Ainda no exemplo do Ibovespa, traçamos uma reta que passa próxima a três máximos (uma vez em 2006 e duas vezes em 2007). Similarmente à interpretação feita para a reta de suporte, quando o preço de um ativo chega próximo à continuação de uma resistência, os investidores começam a se sentir inseguros e começam a vender seus papéis. Com isso, a "profecia" tende a se concretizar, com o mercado trazendo os preços para baixo.

**Tendência:** é percebida a partir da inclinação das retas de suporte e resistência, quando estas se sustentam por algum tempo. Quando ambas apresentam uma inclinação ascendente ao longo do tempo, diz-se que é uma tendência de subida, com confiança do mercado e aumento gradual de preços. Quando ambas apresentam uma inclinação descendente ao longo do tempo, diz-se que é uma tendência de descida, com um clima de incerteza e declínio gradual nos preços. A divergência entre as retas — quando, ao longo do tempo, elas se afastam, como no gráfico mostrado — indica maior incerteza quanto ao preço justo para as empresas. Enquanto os preços continuam oscilando entre um suporte e uma resistência de longo prazo, com os investidores reagindo a essas retas como a análise técnica supõe que devam reagir, diz-se que a tendência está mantida e, por isso, os investidores mantêm-se mais confiantes em suas escolhas (mesmo que a tendência seja de queda). Quando a cotação de um papel rompe um suporte ou uma resistência, a tendência é perdida e, a princípio, não se sabe mais aonde os preços podem chegar. Nessas situações, até mesmo os grafistas recorrem aos fundamentos para avaliar a saúde da empresa, do setor em que ela atua e da economia para tirar suas conclusões. Em geral, o rompimento de uma tendência cria uma típica situação de incerteza, terreno fértil para a multiplicação de boatos, pois o consenso grafista deixa de existir.

**IFR:** o Índice de Força Relativa, ou *IFR*, é um indicador usado com freqüência na análise gráfica para estimar se um ativo está em um período de predominância de compras ou de vendas. Seu cálculo baseia-se na média das cotações de alta do papel *versus* as de baixa nos últimos pregões, comparado ao preço atual. Um IFR baixo indica que é um bom momento para comprar o papel, enquanto um índice alto indica bom momento para vender. Costuma-se calcular o IFR com base em diferentes históricos, comparando o pregão atual aos últimos dez pregões, um mês ou um trimestre. Normalmente, o gráfico do IFR acompanha o das cotações, impresso abaixo deste, indicando o período a que se refere. Um gráfico do IFR-30, por exemplo, baseia-se nas cotações dos últimos 30 dias. Quanto mais longo o período, maior é a certeza da tendência.

Os relatórios de análise técnica não são encontrados com a mesma abundância que os relatórios fundamentalistas, uma vez que a análise técnica se propõe a decisões de mais curto prazo. Os interessados nesse tipo de análise normalmente recorrem a fóruns de discussão e chats na Internet, fartamente encontrados nos sites de corretoras de valores e páginas independentes dos analistas. À primeira vista, a linguagem repleta de jargões utilizada pelos participantes inibe a entrada de novatos. É uma simples questão de tempo e envolvimento para conhecer, entrosar-se e desfrutar das dicas de momento contidas nesse tipo de canal virtual.



## g. Afinal, qual análise é melhor: fundamentalista ou técnica?

Praia ou montanha, doce ou salgado, Rio ou São Paulo, morar no Brasil ou no exterior... Há muitas situações em que a melhor escolha é poder contar com ambas. Na análise de investimentos em ações, não é diferente. Tanto entre investidores quanto entre analistas profissionais, as pessoas sempre terão uma queda maior por uma ou outra técnica. Como não podia deixar de ser, ambas as técnicas possuem seus prós e contras para qualquer tipo de investidor.

A análise fundamentalista exige o conhecimento de um volume colossal de informações, nem sempre acessível de maneira uniforme por todos os analistas, o que pode gerar divergências entre recomendações de diferentes profissionais. A análise técnica, por utilizar elementos lógicos como base de seus estudos, tende a encontrar maior consenso entre seus analistas.

A análise técnica tende a imbuir seus seguidores de certo espírito de adivinhação, procurando antever as cotações. O melhor ponto de venda estará na máxima cotação do dia. E o melhor ponto de compra para um papel estará no ponto de menor preço. Fará melhor negociação quem mais se aproximar desses pontos, desafio que a análise técnica se propõe a enfrentar. Justamente por questionar esse aspecto, a análise fundamentalista sequer considera a possibilidade de identificar a cotação mínima ou máxima de um dia ou de um período maior, o que causa alguma ineficiência na agilidade das decisões.

A análise fundamentalista tende a ser mais certeira, desde que você considere os resultados no longo prazo — infelizmente, nem todo investidor tolera riscos por muito tempo. Já a análise técnica bem feita acerta muitas vezes, principalmente nas escolhas de curto prazo, mas nas poucas que erra, induz a perdas significativas — como recomendar a compra de um papel podre quando sua cotação se aproxima de um suporte, e esse suporte é rompido. Por apego à racionalidade do gráfico, a maioria dos grafistas ignora os fundamentos e as notícias; isso pode provocar fortes recomendações de venda mesmo no instante em que uma empresa anuncia melhorias fantásticas, o que seria uma situação de compra pela análise fundamentalista.

Uma das premissas da análise técnica é a de que tudo que se conhece em termos de fundamentos já está descontado nos preços, inclusive o que a maioria dos investidores não sabe, mas os *insiders* sabem. Essa idéia leva grande parte dos grafistas a simplesmente desconsiderar qualquer fundamento, sob pena de estar considerando duas vezes. Uma das premissas da análise fundamentalista é que os movimentos grafistas aparentemente irracionais só surtem efeito no curto prazo, sendo anulados no longo prazo.

A análise técnica estuda apenas o passado da ação, e não o futuro da empresa. A análise fundamentalista se baseia no passado para tecer considerações sobre o futuro, mas não garante quanto tempo decorrerá para o futuro chegar — enquanto isso, a análise técnica promete ser certeira.

Essas qualidades e defeitos que opõem as duas técnicas geram um efeito bastante característico dos mercados: quando sobem, motivados por fundamentos, os preços sobem mais do que deviam e, quando vão corrigir as distorções causadas pela alta excessiva, com base na análise técnica, eles caem mais do que deviam. Com o tempo, vão se acomodando em uma tendência.

Por isso, minha sugestão é combinar as duas formas de análise. Decida em quais papéis investir nos próximos meses com base nos completos relatórios de análise fundamentalista. Considere sempre mais de duas opiniões diferentes ao pautar suas escolhas dessa maneira. Na hora de comprar, jamais deixe de considerar a opinião da análise técnica, pois você pode agir por impulso, diante do bom desempenho do papel que você esperava comprar, e decidir fazê-lo apenas quando for o momento de venda para milhares de investidores. Saiba o que comprar, mas compre com desconto!

Nas quedas da bolsa ou de seu papel, você deve conservar a calma e a mente lúcida. Recorra sempre a informações sobre a empresa, principalmente através dos canais de Relações com Investidores — disponíveis através dos sites das empresas de capital aberto —, para obter notícias sobre o impacto da notícia ruim ou da crise sobre os negócios da empresa. Se seus planos são mesmo de longo prazo e se a crise não tem como epicentro a empresa em que você investe, evite capitalizar uma perda. Espere que a turbulência passe e que o papel recupere o seu valor. A única justificativa para vender seus papéis a preços menores do que eles realmente valem é em caso de emergência, em que realmente precise do dinheiro em mãos naquele exato momento. Porém, se isso acontecer, é porque você adotou a estratégia errada, não mantendo em renda fixa os recursos de que poderia precisar. Nesse caso, o prejuízo será um belo investimento em seu aprendizado...

*O enriquecimento começa nas crises, e não na bonança.*

Crises, como já afirmei, são uma oportunidade para compras, e não para vendas. Ao comprar barato, você poderá revender barato ou revender caro. Se já comprar caro, você só poderá lucrar se revender bem mais caro. A hora de vender é quando todos estão em festa, querendo comprar mais. Tão importante quanto manter a calma e a lucidez nas crises, é manter a frieza nas altas das bolsas. A falsa sensação de segurança e certeza provocada por longos períodos de lucros é a grande armadilha para os iniciantes. Deixe a euforia de lado e prepare-se para vender ou rebalancear quando a primeira manchete sobre festa nas bolsas surgir. Investir seguindo uma tendência que já rendeu bons resultados para muitos investidores é uma atitude que está mais para o comportamento de consumo do que para o de poupança. Longos períodos de bonança devem suscitar preocupação, e não comemorações. Quedas na bolsa deveriam ser comemoradas, e não lamentadas. O enriquecimento começa nas crises, e não na bonança.



## h. Aluguel de ações

Quando tratei de estratégias, neste mesmo capítulo, uma das citadas foi a estratégia de viver de renda. Para quem pretende manter a estratégia *buy-to-hold*, sem planos de vender suas ações, uma recomendação para "vitaminar" os ganhos de sua carteira é oferecer suas ações para aluguel.

O aluguel de ações é o nome popular da prática conhecida tecnicamente como empréstimo de ativos, atividade extremamente segura para quem detém os papéis. A operação é relativamente simples:

- Quem tem uma carteira de ações, chamado de doador, contata sua corretora e oferece seus papéis para aluguel, propondo uma taxa anual ou seguindo as taxas de mercado apresentadas no Banco de Títulos do site da Companhia Brasileira de Liquidação e Custódia — CBLC.[65]

[65] www.cblc.com.br.

- No momento em que oferta seus papéis, o investidor deve informar se permitirá a liquidação antecipada (contrato flexível) ou se só aceitará alugar seus títulos pelo prazo padrão de 30 dias. Os contratos flexíveis são de mais fácil negociação, pois dão maior segurança ao tomador ou "inquilino".
- Uma vez alugado seu papel, ele não ficará mais a sua disposição para revenda, até que o tomador liquide o contrato. Isso assusta os doadores de primeira viagem, pois os papéis desaparecem de sua carteira na corretora. Para confirmar que eles continuam seus, é preciso acessar sua conta na CBLC, com o login passado por sua corretora.
- Os direitos do doador — dividendos, juros sobre o capital, bonificações e subscrições — continuam preservados, com exceção do direito a voto em assembléia, nas ações ON.
- O tomador, ao alugar, assume a obrigação de pagar a taxa de empréstimo, devolver os títulos no encerramento do contrato, pagar ao doador todos os direitos que obteve enquanto estava de posse do título e depositar garantias que cubram o risco do empréstimo.
- Ao alugar, o tomador adquire o direito de votar em assembléia (ações ON) e negociar o título durante o prazo do contrato.

A negociação é feita por meio de corretoras, com contratos normatizados e regulamentados pela CBLC. O mercado de aluguel de ações é tipicamente um mercado de balcão, sem cotações *on-line*, como feito em bolsas de valores e/ou mercadorias. As informações sobre taxas anuais negociadas nos contratos de cada tipo de ação são disponibilizadas no site da CBLC, que também oferece um manual com orientações sobre as formas de cálculo dos rendimentos dos contratos e sobre a tributação.

## Qual a lógica dessa operação?

O aluguel de ações é interessante tanto para doadores quanto para tomadores. Quem doa, recebe rendimentos extras por um papel que já é seu e que naturalmente já lhe renderia dividendos e aumento de valor. O tomador tem como vantagem a possibilidade de negociar o papel sem ter que comprá-lo. Por exemplo, no instante do aluguel ele toma um título que vale R$ 50 a uma taxa de 6% ao ano (algo da ordem de 0,50% ao mês). Imediatamente, ele vende esse título e embolsa R$ 50. Antes do vencimento do contrato (30 dias), ele deverá recomprar o título por um valor inferior a R$ 50 menos os custos (taxa e proventos distribuídos no período), ou seja, inferior a R$ 49,75. Digamos que ele compre a R$ 45, após uma queda de 10%. O diferencial de R$ 5 deve ser maior do que a taxa paga mais os proventos, ficando a diferença (R$ 4,75, caso não haja proventos) para o tomador.

Não há taxas de corretagem para negociação de aluguel de ações, mas sim uma margem negociável da corretora, que costuma variar entre 0,25% e 1,5% ao ano. O único custo fixo da operação é a cobrança de 0,25% ao ano pela CBLC. Para o doador, a tributação segue a regra da renda fixa, com alíquota de 22,5% sobre os ganhos, por se tratar de um contrato de renda conhecida por prazo inferior a seis meses. Para o tomador, a tributação é típica da renda variável, com alíquota de 15% sobre o lucro.

Na operação de aluguel, o especulador é o tomador, que acredita na queda do valor do papel (provavelmente com base em um critério grafista). Se o papel não cair, ele arca com o prejuízo. Parece insano, mas o que está por trás dessa estratégia é a possibilidade de ganhar proporcionalmente muito em relação ao pouco investido (apenas o depósito de garantias, como uma carteira de ações ou títulos públicos, que ele fica proibido de negociar até a conclusão do contrato), uma típica escolha de *traders* bastante ativos.

Fica evidente que o aluguel é mais interessante ao tomador quanto maior é a possibilidade de desvalorização de um papel. Por isso, as taxas mais altas são pagas para papéis mais especulativos. Há casos em que as taxas ultrapassam 20% ao ano. Papéis de empresas que pagam bons dividendos, mais defensivos em situações de queda na bolsa, rendem pouco em termos de aluguel — as taxas chegam a ser inferiores a 1% ao ano. Porém, se você está certo de que não venderá seus papéis, por que abrir mão de uma rendinha extra, por menor que ela seja?

## i. IPOs: oportunidades ou ameaças a seu patrimônio?

Os IPOs, ou *Initial Public Offerings*, termo em inglês para Ofertas Públicas Iniciais de Ações, ou simplesmente ofertas públicas, são as negociações de ações através das quais os recursos dos investidores são captados diretamente para o caixa das empresas. Diferem das negociações em bolsa, em que os recursos de um investidor vão para os bolsos de outro investidor. É através dos IPOs que as empresas captam o capital necessário para viabilizar novos projetos ou grandes investimentos na expansão de suas atividades. A vantagem está no fato de os recursos serem levantados de forma barata, pois, diferentemente da emissão de debêntures, a empresa passa a ter parceiros que aceitam compartilhar seu risco, e não credores.

A partir de 2004, os IPOs se popularizaram no Brasil, com um grande número de lançamentos de ações bem-sucedidos, como Natura, Gafisa, Redecard e Bovespa Holding, que inspiraram muitas pessoas que nunca haviam antes investido em ações a começar por essa modalidade.

Participar de uma oferta pública não é difícil. Basta abrir conta em uma corretora de valores e encaminhar a ela o pedido de compra dos papéis dentro do prazo de reserva. Essa facilidade abre as portas para a oportunidade de começar a comprar papéis por meio de um procedimento mais simples ainda, através do *homebroker* da corretora.

Porém, o fato de o processo ser simples não significa que está livre de riscos. Quem percebeu isso foram os investidores que, no embalo dos IPOs de 2004 e 2005, muito bem-sucedidos e com rentabilidades elevadas em mais de 90% dos casos — as cotações subiram com a abertura, beneficiando quem comprou o papel no lançamento —, decidiram se aventurar e quebraram a cara com muitas operações fracassadas em 2006.

O motivo das altas espetaculares está no grande interesse de investidores estrangeiros, que adquirem grandes quantidades dos papéis recém-lançados, fazendo com que muitos investidores não consigam comprar todos os papéis que gostariam antes do lançamento. Quem fica de fora tenta fazer suas aplicações no dia da estréia no pregão, catapultando o preço para cima.

O risco assumido ao investir em uma oferta pública primária, aquela em que a empresa estréia na bolsa, é sensivelmente superior ao de investir em papéis que já são previamente listados na Bovespa. Como o investimento em ações de qualquer empresa, seria fundamental que o investidor analisasse cuidadosamente os projetos da companhia, seus riscos setoriais, a política de governança corporativa,[66] históricos de sucesso e insucesso e os efeitos desses fatores no desempenho de suas ações. Uma empresa estreante, porém, não possui histórico a oferecer, uma vez que ela está saindo da obscuridade das empresas de capital fechado. Para piorar, consultores e analistas ficam proibidos de emitir opinião sobre a empresa a partir do dia em que ela registra oficialmente o pedido de lançamento até um mês depois da estréia. É como atirar no escuro.

Mesmo quando a empresa adota medidas para tornar públicas suas informações, permitindo que o mercado faça análises positivas sobre o negócio, existe a possibilidade de o IPO ser um fracasso em termos de rentabilidade se o preço pedido pela empresa para suas ações for muito elevado. Se o investidor pagar caro, sua rentabilidade estará comprometida.

Por essas limitações, IPOs não são a melhor alternativa para iniciantes que estréiam nas ações. Podem ser ótimos negócios para investidores mais experientes e conhecedores das empresas ou, no máximo, representar uma pequena parcela de especulação — algo entre 10 a 20% — na carteira de iniciantes.



## j. Os impostos nem sempre acompanham seu sucesso

Como investir em ações caracteriza-se por adquirir a propriedade de uma empresa, a tributação sobre esse tipo de operação é bastante simples, mas, diferentemente dos investimentos em fundos, requer que o investidor se responsabilize pelo recolhimento de seus Documentos de Arrecadação para a Receita Federal (DARFs).

A alíquota incidente sobre o lucro na venda de ações é de 15% sobre o lucro, ou de 20% nas operações de *day-trade*. Mas algumas características da tributação sobre ações são bastante vantajosas para os investidores e merecem ser destacadas:

[66] Governança Corporativa é o conjunto de medidas adotadas pela empresa para dar maior transparência a sua gestão, visando, principalmente, estabelecer uma relação de maior credibilidade com seus acionistas.

- Os seguidores da estratégia *buy-to-hold* declaram suas ações apenas pelo valor de aquisição, na Declaração de Ajuste Anual do Imposto de Renda. Todo o ganho obtido será tributado apenas na venda, o que deixa de onerar o investidor de longo prazo.
- Na venda de ações, considera-se sempre que você vendeu primeiro a que pagou mais caro. Assim, se você comprou um papel ontem por R$ 50, comprou a mesma quantidade hoje por R$ 55 e decidiu vender metade de seus papéis amanhã por R$ 56, pagará imposto apenas sobre o lucro de R$ 1 sobre essa parcela de seus investimentos.
- O recebimento de dividendos é isento de imposto de renda, já que esse imposto já foi pago pela empresa que o distribui.
- O lucro sobre a venda de ações é isento de imposto de renda se o valor das ações vendidas pelo investidor pessoa física não ultrapassar R$ 20 mil em um mesmo mês.

Este último aspecto da isenção tributária acaba sendo um dos principais motivadores, no Brasil, da estratégia *buy-to-hold*. Existem inúmeros casos de investidores que, com muita disciplina e boas escolhas, acumularam um patrimônio de, digamos, R$ 2 milhões, para, por meio dele, desfrutar de sua aposentadoria.

Muitos se contentariam em viver dos dividendos de uma carteira desse valor. Com uma boa seleção de empresas, um *Dividend Yield* de 4% ao ano garantiria uma renda de R$ 80 mil anuais, ou cerca de R$ 6,5 mil mensais. Boa aposentadoria. Porém, se o mesmo investidor decidisse vender mensalmente cerca de 1% de sua carteira de ações, ou R$ 20 mil, estaria totalmente isento de tributação sobre a renda do patrimônio que conquistou ao longo da vida.

E, se você pensa que, ao vender as ações, o investidor esgotaria sua carteira em cerca de cem meses, está enganado. Com boas empresas na mão, não é uma estimativa muito arrojada considerar que essa carteira possa crescer cerca de 1% ao mês. Assim, a renda obtida com a venda dos papéis viria do crescimento do valor da carteira, e não do esgotamento dela. A quantidade de ações iria diminuindo (ao menos, até acontecer algum desmembramento ou *split* do papel), mas o valor unitário aumentaria com o passar do tempo, fazendo o investidor vender uma quantidade cada vez menor de seus papéis a cada mês. Boa segurança, para quem pensa em se aposentar com uma renda de R$ 20 mil mensais. E, se esse valor é muita areia para seu caminhãozinho, a regra é exatamente a mesma para valores abaixo desse patamar.

Vale lembrar que a maioria das corretoras não costuma enviar relatórios com os cálculos dos impostos. Ou seja, sua estratégia tributária depende essencialmente de sua organização pessoal das informações de compra e de venda de seus papéis, contando com a orientação dos canais de dúvidas das corretoras. Por esse motivo, é interessante que ao menos sua primeira Declaração de Ajuste Anual de Imposto de Renda incluindo o lucro com ações seja feita com o auxílio da orientação de um contador, para evitar equívocos ao longo de vários anos e possíveis sanções contra a falta de recolhimento ou contra a declaração imprecisa.

## k. Como montar sua carteira milionária

Acredito que, com as informações que obteve neste capítulo, você já tem condições de decidir qual estratégia é mais adequada para seu perfil e para seus planos. Mas alguns pontos não podem ser esquecidos se você realmente quer ter uma carteira segura, e existem outros que eu acrescento como uma contribuição de minha experiência pessoal nesse tipo de investimento:



- Prefira investir devagar e sempre, em vez de fazer grandes movimentações de dinheiro entre suas ações. Grandes compras são bom negócio somente quando há certeza de que os papéis estão baratos, com baixo índice P/L.
- Mantenha-se antenado com os relatórios de análise fundamentalista. Procure receber regularmente relatórios de pelo menos duas ou três fontes diferentes.
- No dia em que decidir investir, tenha a curiosidade de consultar alguns fóruns de debates grafistas.
- Tenha, no mínimo, cinco empresas na carteira. Preferencialmente, de cinco setores diferentes de negócios.

- Lembre-se de que nem sempre os preços das ações refletem o real valor de uma empresa — afinal, movimentos especulativos podem causar fortes e irreais elevações e quedas nos preços. Atente para os preços projetados em mais de um relatório de análise.
- Compre empresas das quais você tenha orgulho de ser dono, e evite papéis que você desconhece.
- Liquidez é fundamental. Se, logo após comprar um papel, você perceber que não fez um bom negócio, venda o quanto antes, mesmo que apurando pequenas perdas.
- Estabeleça regras antes de investir, preferencialmente por escrito, e seja fiel a elas. Não deixe suas decisões mudarem com o humor do mercado.
- Rebalanceie sua carteira ao menos uma vez por ano. Que tal na época de seu aniversário, para não coincidir com a data em que muitos fazem isso, como na semana antes do Natal?
- Acompanhe as carteiras de grandes fundos, consultando os prospectos das instituições que os vendem. Os fundos mais procurados costumam ter as estratégias mais convincentes. Você encontra a lista dos fundos e do tamanho de seus patrimônios nos principais jornais de economia.
- Explore ao máximo sua corretora de valores. Poucos serviços têm uma relação custo-benefício tão interessante, com uma infinidade de orientações, cartilhas e dados oferecidos em troca de um custo de custódia simbólico ou até nulo.
- Dê mais atenção a sua vida pessoal do que a seus investimentos. Se o contrário estiver acontecendo, é claro o sinal de que você precisa retomar o equilíbrio, pois não está investindo de maneira eficiente.

# 8. Estratégias inteligentes com fundos

Se tudo o que você leu até agora lhe pareceu muito complexo ou, ao menos, muito trabalhoso, a solução para sua angústia começa — e talvez termine — neste capítulo. Fundos são, em essência, um conveniente serviço de seleção de ativos e gestão de uma carteira de investimentos segundo critérios definidos previamente em seu regulamento. Bom negócio para quem tem disciplina para investir, mas não tem tempo ou conhecimento para selecionar e aprender sobre investimentos. Funcionam como uma espécie de condomínio, em que os proprietários — chamados de cotistas — que adquirem cotas desse condomínio confiam ao gestor as decisões sobre o que comprar, quando comprar e quando vender.

Pelo serviço prestado pelo gestor, pagam uma taxa de administração e, em alguns casos, uma taxa pelo desempenho obtido acima de uma meta, chamada de taxa de *performance*. A taxa de administração é expressa em um percentual anual, e será descontada do patrimônio líquido do fundo, não do rendimento. Isso significa que você pagará a taxa para o seu administrador mesmo que o fundo venha a ter prejuízo.

Por funcionarem na forma de condomínio, os fundos permitem que vários pequenos investidores se unam para, em conjunto, formarem estratégias de investimento que seriam inviáveis para cada investidor individualmente.

Esses diferenciais já seriam vantagem suficiente para fazer dos fundos instrumentos bastante atrativos para investimento. Mas soma-se ainda a eles o fato de que fundos são extremamente seguros, em muitos casos mais seguros até do que as próprias instituições que os oferecem a seus clientes. Isso acontece pelo fato de cada fundo ter o seu próprio CNPJ: é como se ele fosse uma empresa separada, cujo patrimônio não se mistura com o patrimônio da empresa que o administra — no caso, a instituição financeira gestora do fundo, normalmente um banco. Ou seja, o banco administra seu dinheiro aplicado no fundo, mas não pode colocá-lo no próprio bolso. Há um saudável distanciamento entre o dinheiro do fundo e o dinheiro do banco que o administra. Se os cotistas do fundo inclusive acharem que o gestor não está fazendo um bom trabalho, podem destituí-lo em assembléia e indicar outro para assumir essa responsabilidade.

*Fundos são extremamente seguros, em muitos casos mais seguros até do que as próprias instituições que os oferecem a seus clientes.*

Essa distinção entre fundo e banco ficou evidente no escandaloso episódio da quebra do Banco Santos, em 2004. Na época, investidores dos arrojados fundos de ações do banco surpreenderam-se ao receber, meses após a intervenção, mais dinheiro do que tinham em carteira na data da intervenção na instituição. No período em que os saques do fundo ficaram proibidos, aguardando a definição de um novo gestor, as ações se valorizaram. Investidores de fundos mais conservadores do banco, como os fundos de renda fixa, não tiveram, porém, a mesma sorte. Após a definição do novo gestor para os fundos, os recursos liberados aos cotistas foram sensivelmente inferiores ao que tinham na data da intervenção. O motivo: parte significativa dos investimentos desses fundos era feita em CDBs do próprio banco e debêntures de empresas que tinham operações a quitar com a instituição.

O risco do fundo limita-se, na verdade, ao risco da carteira em que ele investe os recursos de seus cotistas. Se o gestor selecionar papéis ruins para a carteira do fundo, a rentabilidade pode estar comprometida no longo prazo. Daí a importância de, independentemente da instituição na qual investe ou do perfil do fundo, o investidor analisar de tempos em tempos a composição da carteira da qual possui cotas. Havendo dúvidas, é o caso de solicitar esclarecimentos à instituição que distribui o fundo, sendo obrigação dessa instituição manter o investidor informado sobre os riscos e a estratégia de investimento de seu fundo.

Apesar da simplicidade, alguns cuidados e uma certa estratégia podem não só facilitar seu projeto de enriquecimento, como também podem torná-lo mais rentável. Tratemos, então, destes cuidados.

## a. O serviço é *à la carte*

A diversidade de fundos de investimento é grande, oferecendo estratégias para todo tipo de investidor. Os tipos de fundos normalmente encontrados nas instituições financeiras e *folders* de agentes autônomos de investimento são os seguintes, apresentados normalmente do mais conservador para o mais arrojado, como feito aqui:

**Fundos DI Curto Prazo:** investem seu patrimônio exclusivamente em títulos públicos pós-fixados com vencimento não superior a 375 dias e prazo médio da carteira de, no máximo, 60 dias.

**Fundos de Renda Fixa Pós-Fixada (Fundos DI):** investem pelo menos 95% do valor de sua carteira exclusivamente em títulos públicos e operações pós-fixadas com rendimento atrelado à variação do CDI/Selic.

**Fundos de Renda Fixa Pré-Fixada (Fundos RF):** investem exclusivamente em ativos de renda fixa pré-fixada, devendo ter pelo menos 80% do valor de sua carteira investidos em títulos públicos federais ou ativos com baixo risco de crédito.

**Fundos de Capital Garantido:** tipo de fundo que garante ao investidor o capital investido ou, em alguns casos, o capital investido acrescido de algum rendimento. Isso é feito por meio de operações de risco travado envolvendo opções de compra e de venda, com prazos de vencimento longos, exigindo que o investidor mantenha seu investimento por um período determinado para ter direito à garantia do valor investido.

**Fundos de Índice de Inflação:** investem pelo menos 95% do valor de sua carteira exclusivamente em títulos públicos e operações pós-fixadas com rendimento atrelado à variação da inflação — geralmente, referenciados ao IGP-M ou IPC-A.

**Fundos Multimercados:** investem seus recursos em diversos tipos de ativos, montando uma carteira de composição equilibrada que visa a uma melhor proteção contra variações negativas de um determinado mercado. Os gestores dos fundos multimercados têm mais liberdade para agradar aos investidores, com aplicações para todos os níveis de tolerância ao risco, seja em ações, renda fixa, derivativos[67] e *hedge*[68] em moedas. Sua rentabilidade costuma ser mais instável, pois os gestores alocam a carteira de acordo com as tendências de mercado — se a bolsa cai, concentram-se em renda fixa; se sobe, direcionam-se para as ações. Esta atividade implica maior custo de gestão, que se reflete em taxas de administração mais elevadas. São boa escolha para momentos de incertezas, pois sua carteira equilibrada pode ajudar a evitar grandes perdas em caso de crise em algum mercado. São também alternativa para quem quer diversificar, mas não se sente em condições de fazê-lo pessoalmente.

**Fundos Balanceados:** similares aos fundos multimercados, porém com a exigência de explicitar em seu regulamento a composição de cada ativo na carteira — por exemplo, 45% em ações, 50% em renda fixa e 5% em alavancagem. Esse detalhe cria uma eficiência interessante: o rebalanceamento automático. Se as ações caem, a carteira sai da meta proposta e o gestor é obrigado a comprar mais ações; se sobem, ele é obrigado a vender. Na prática, fundos balanceados são fundos que compram na baixa e vendem na alta.

•••

[67] Produtos derivativos são operações derivadas de ativos negociados em bolsa, como opções de ações e contratos futuros de *commodities* e índices.

[68] *Hedge* é o mesmo que proteção, utilizando instrumentos derivativos.

**Fundos de Índice de Ações:** montam sua carteira de forma a espelhar a composição de um índice, como o Ibovespa ou o IBrX50.[69] Sua estratégia passiva oculta a interessante vantagem de defender-se de papéis de altíssimo risco no longo prazo, pois papéis pouco desejados pelos investidores automaticamente deixam de fazer parte dos índices e, conseqüentemente, deste tipo de fundo. Dos fundos de ações, é considerado o mais conservador e um dos mais defensivos no longo prazo.

**Fundos de Ações Ativos:** com diferentes estratégias para cada fundo (dividendos, *small caps*, sustentabilidade etc.), esta modalidade obrigatoriamente investe ao menos 67% de seu patrimônio em ações.

**Fundos Setoriais:** investem exclusivamente em empresas de um setor da economia definido em sua política de investimento. É considerada uma alternativa arrojada, por seu caráter especulativo que limita o poder de decisão do gestor. Adequado para carteiras de médio prazo.

**Fundos Long/Short:** sua estratégia é comprar uma determinada ação, com tendência de alta, e assumir o compromisso de vender outra, com tendência de queda, para obter ganho com a diferença entre essas operações, num movimento chamado de arbitragem. Apesar de operarem com ações, sua rentabilidade e volatilidade são mais baixas do que no mercado de ações, o que os leva a serem classificados como fundos multimercado, com tributação seguindo a mesma regra da renda fixa.

**Fundos Cambiais:** investem pelo menos 80% de seu patrimônio em ativos relacionados diretamente à variação do euro ou do dólar, visando acompanhar a cotação da moeda estrangeira com alguma margem de lucro — em geral, a maior parte dessa margem é consumida pela taxa de administração.

•••

[69] O IBrX50 é o índice que mede a variação média dos 50 papéis mais negociados do Índice Bovespa.

**Fundos Alavancados:** atente para este nome, que costuma acompanhar fundos de diversas categorias (renda fixa, ações, multimercados). Fundos alavancados são os que utilizam mais dinheiro do que têm em seu patrimônio para realizar uma operação — como o aluguel de ações —, visando maior possibilidade de retorno sob maior risco.

Apesar da taxa de administração, existem situações em que os fundos se mostram como alternativa matematicamente mais eficiente do que o investimento direto em títulos. Nos fundos de renda fixa, por exemplo, se seu patrimônio permitir o acesso a fundos que cobram menos de 1% ao ano de taxa de administração, provavelmente seu dinheiro renderá mais e com melhor estratégia do que se dependesse de suas escolhas via Tesouro Direto, sujeitas a corretagem e taxa de custódia. Nos fundos de ações, a vantagem está na diversificação a baixo custo. Se você pensa que investimento em ações é coisa de quem tem dinheiro, consulte os fundos de ações que seu banco lhe oferece. A maioria dos grandes bancos oferece fundos com boas estratégias, diversificando entre várias empresas e com bom histórico de rentabilidade para quem pode investir apenas R$ 100 iniciais.

Dentro de cada categoria de fundos, existem também alguns que investem seus recursos em outros fundos selecionados, com o objetivo de diluir risco e oferecer a seus cotistas a possibilidade de acessar as estratégias dos gestores mais reconhecidos do mercado. Fundos desse tipo são chamados fundos de fundos ou, quando investem em outros fundos da mesma instituição, Fundos de Investimento em Fundos (FIFs). É uma alternativa que costuma apresentar resultados menos voláteis, porém com o ônus de taxas de administração mais elevadas.



## b. Com tantas opções, como escolher?

### Primeiro passo: defina sua estratégia

Qual a composição de carteira adequada para seus objetivos? Ou para seu momento de vida? Lembre-se: investimentos para objetivos com data conhecida ou com prazo inferior a dois anos devem ser alocados de maneira conservadora — na renda fixa pós-fixada — ou defensiva — indexados à inflação. Objetivos de longo prazo podem ser mais arrojados, se você tolerar o risco. Mesmo assim, a composição de sua carteira não deveria se afastar muito da composição sugerida pela Regra dos 80.

Definida a composição, é hora de identificar as características que o satisfazem em termos de renda variável. Você prefere uma carteira mais defensiva, com empresas pagadoras de dividendos, ou visando maior crescimento, com *small caps*? Ou prefere a previsibilidade das *blue chips*? Essa escolha é importante para definir os melhores fundos para você.

Outra escolha importante é quanto à distribuição de seus recursos. Se você se sente bem analisando e selecionando fundos e eventualmente mudando suas escolhas, a estratégia adequada para você é dividir seus recursos entre dois ou três fundos que atendam a sua composição ideal de carteira. Quem se sente um peixe fora d'água diante de um prospecto de alternativas de fundos deveria partir para a solução multifuncional dos fundos multimercado ou balanceados, que se encarregam de administrar, selecionar, diversificar e rebalancear seus investimentos ao longo do tempo. A opção pelos fundos compostos tende a lhe custar mais em taxas de administração (que são maiores em fundos multimercado do que em fundos de renda fixa, por exemplo), mas é o preço a pagar pela conveniência.

Evite dispersar recursos entre muitos fundos, pois, quanto menos dinheiro você concentra em uma modalidade de fundo, menor é a condição de acessar produtos com taxas mais baratas. Três ou, no máximo, quatro fundos já são diversificação suficiente, mesmo porque cada fundo já contém sua própria diversificação de risco.

## Segundo passo: selecione as alternativas

Uma vez identificado um tipo de fundo em que você deseja investir, levante as alternativas disponíveis no mercado. Consulte, pelo menos, seu banco, um banco concorrente, uma corretora de valores que distribua fundos e, se você conhecer algum, um agente autônomo de investimentos. Normalmente, bancos oferecem fundos para quem pode investir a partir de R$ 100;

corretoras, fundos para investimentos a partir de R$ 1 mil; e agentes autônomos, para investimentos acima de R$ 20 mil.

Analise criteriosamente cada fundo, através da leitura de seu prospecto. Comece examinando os resultados obtidos pelo fundo nos últimos meses. Quanto mais longo o período de avaliação, mais consistente será sua conclusão. Geralmente, ao buscar mais informações a respeito de um fundo, você encontrará informações sobre os últimos 24 ou 36 meses de sua rentabilidade. Ao comparar fundos, prefira os dados referentes ao histórico de 36 meses. Tão importante quanto a rentabilidade é também a observação da volatilidade do fundo, ou intensidade de oscilação do retorno por ele gerado. A melhor maneira de perceber a volatilidade de um fundo ou de uma carteira de investimentos é observando seu comportamento durante períodos de crise. Analise comparativamente (de preferência, através da observação de gráficos) os efeitos de uma crise sobre o fundo estudado e sobre o índice Bovespa. Um fundo cuja estratégia permite conter perdas com mais eficiência do que o índice Bovespa merece mais atenção na hora de fazer escolhas.

Essa análise comparativa, obviamente, só faz sentido quando analisamos fundos de características semelhantes. Quando as pessoas se conscientizam de que investem mal, normalmente é porque se mobilizam no sentido de comparar suas escolhas atuais com alternativas que seus bancos lhes oferecem. Ao constatar que, por exemplo, fundos de ações e multimercado renderam muito mais que sua Renda Fixa, migram seus recursos para a alternativa campeã. Na prática, é o mesmo que comprar na alta. Para investir em renda variável, não tome como base o histórico passado, mas sim o que especialistas dizem sobre as perspectivas futuras. O histórico serve apenas para, ao decidir investir em renda variável, analisar quais fundos foram mais eficientes em comparação com seus semelhantes, e não em relação à renda fixa.

Entre os fundos de renda fixa, as melhores alternativas estarão entre os que cobram as taxas de administração mais baixas, desde que administrados com a qualidade de grandes instituições. Entre os fundos multimercado, a taxa é um diferencial importante, mas não tão importante quanto observar o desempenho do fundo durante períodos de oscilação. As melhores estratégias de carteiras multimercado seguem dois tipos de caminho: ou o fundo é mais estável nas crises, ou ele oscila sensivelmente, mas se recupera rapidamente. Prefira os que se saem melhor nas crises. Já entre os fundos de ações, as taxas cobradas são o que menos importa. O que conta mesmo é o diferencial consistente de rentabilidade do fundo em relação ao Índice Bovespa, demonstrado por ganhos acima do índice por períodos superiores a 24 meses. Desconfie, porém, de ganhos muito acima da média do mercado — geralmente, desempenhos magníficos embutem riscos magníficos também.

---

*Desempenhos magníficos embutem riscos magníficos também.*

---

Na dúvida entre dois ou mais fundos, um critério simples de desempate é analisar o patrimônio total do fundo. Patrimônios maiores são reflexo de mais investidores satisfeitos com a estratégia do fundo.

Dedique o tempo necessário a uma boa escolha de seu fundo, pois, em algumas situações, se houver arrependimento, você pagará caro para mudar de fundo. Nos fundos de renda fixa de longo prazo, esse preço é evidente, com a tributação de 22,5% do lucro para resgates inferiores a seis meses.



## Terceiro passo: programe-se para rebalancear seus investimentos

O rebalanceamento não é apenas para quem investe diretamente em títulos. Se, pela Regra dos 80, sua carteira deve seguir certa composição, certamente essa composição irá se distorcer na medida em que um ativo render mais do que outro. Agende-se, portanto, para regularmente recalibrar sua carteira, ajustando pela Regra dos 80 e de acordo com os prazos de seus objetivos, ao menos uma vez por ano. No caso de fundos, minha sugestão é que o rebalanceamento seja feito duas vezes por ano.

Há duas maneiras de rebalancear sua carteira. Se você tem a oportunidade de dispor de mais recursos para investir, concentre seus investimentos nos ativos que estão proporcionalmente aquém da composição ideal de sua carteira. Se você tiver que lidar apenas com os investimentos que já tem, venda parte dos ativos com sobrepeso na alocação de sua carteira, atentando para a minimização do imposto de renda a pagar.

## c. Clubes de Investimento

Clubes de Investimento não são fundos, mas sua característica de reunir pessoas em torno de um mesmo objetivo de investimento os aproxima bastante das características dos fundos de renda variável. Em essência, um Clube de Investimento é uma pessoa jurídica constituída por um grupo de pessoas que se conhecem ou têm alguma afinidade, visando reunir seus recursos para efetuarem investimentos em conjunto, compartilhando estratégias, idéias, dicas e conhecimentos. Esse grupo de pessoas deve seguir as regras do estatuto do clube, que deve seguir um padrão normativo estabelecido pela Bovespa, mas que pode incluir também regras definidas pelo próprio grupo.

A participação em um clube é um interessante exercício de aprendizado e estímulo à conversa sobre investimentos entre amigos, recomendada para quem está interessado em investir em ações, mas sente-se inseguro de fazer isso sozinho. O custo do investimento via clube pode vir a ser menor do que aquele em que se incorre ao aplicar em fundos de investimento. Em geral, há uma taxa de administração cobrada pela corretora através da qual o grupo cadastrará o clube. Há casos em que os cotistas do clube optam por reservar uma taxa de administração adicional para o próprio custeio das reuniões do clube ou para o pagamento de ferramentas que os participantes decidam contratar.

Envolver-se em um clube de investimento pode ser uma grande fonte de aprendizado, justamente em função da participação direta dos membros. Teoricamente, é uma boa preparação para que o investidor inexperiente aprenda mais sobre o mercado acionário, visando, futuramente, montar sua própria carteira individual, se desejar. Porém, é fato que um clube bem administrado provoca um relacionamento tão rico que dificilmente alguém deixa de ser membro para tocar sua carteira própria.

Conheci clubes de condomínios residenciais que conseguiram fazer das antes monótonas reuniões de condomínio eventos disputados, ao casar a reunião com outra sobre o desempenho do clube. Conheci também grupos de pais de alunos que solicitaram à coordenação da escola de seus filhos uma maior freqüência nas reuniões de pais e mestres, após a criação, pelos pais, de um clube de investimentos para garantir a faculdade dos filhos. Eu mesmo tive um grupo de alunos, em uma turma de pós-graduação, que antes da formatura decidiu perpetuar o vínculo entre todos, criando um clube de investimentos. As reuniões, mensais, aconteciam em bares e choperias.

O ideal é que haja afinidade entre os membros do clube, como empregados de uma mesma empresa, membros de uma associação, atletas de um time, freqüentadores de uma igreja, moradores do condomínio, amigos do bairro etc. Se não houver essa afinidade, até será possível criar um clube, mas ele terá características de fundo, perdendo seu principal diferencial — que é o aprendizado mútuo.

A abertura de um clube deve respeitar algumas exigências estabelecidas pela Bovespa:

- A carteira de investimentos do clube deve conter, pelo menos, 51% dos recursos investidos em ações ou fundos de ações. Porém, se não tiver ao menos 67% da carteira em ações, os ganhos do clube serão tributados segundo a tabela regressiva da renda fixa.
- O clube não poderá ter mais do que 150 participantes, a não ser que seja um clube de empregados e pessoas vinculadas a uma mesma empresa ou associação.
- O grupo de cotistas precisa ser composto por pelo menos três participantes.
- Nenhum cotista pode ter mais de 40% dos recursos totais administrados pelo clube.
- O clube deve submeter-se à aprovação e fiscalização da Bovespa e da CVM, respeitando as normas estabelecidas para seu funcionamento.

A tabela a seguir apresenta as principais diferenças e semelhanças entre clubes de investimento e fundos de renda variável.

| | Fundos de Ações | Clubes de Investimento |
|---|---|---|
| Gestão | Feita por gestor profissional | Feita pelos membros do clube, por meio de um representante eleito ou rotativo |
| Administração | Feita normalmente por bancos ou empresas de *asset management* | Feita por corretoras de valores |
| Envolvimento do cotista | Nenhum | Dúvidas e opiniões são compartilhadas regularmente |
| Estratégia | Definida pelo gestor e não compartilhada | Definida pelo grupo de cotistas |
| Tributação | IR de 15% sobre os lucros, no resgate | IR de 15% sobre os lucros, no resgate, se o clube mantiver ao menos 67% de sua carteira investidos em ações |
| Carteira | No mínimo, 67% em ações ou fundos de ações | No mínimo, 51% em ações ou fundos de ações |
| Relações entre cotistas | Sigilo absoluto | Afinidade entre membros de grupos |
| Dúvidas | Não há canal de esclarecimento com o gestor; o prospecto e os esclarecimentos do gerente do banco ou do agente autônomo devem ser suficientes | Normalmente, a corretora fornece um canal de orientação para a estratégia |

As cartilhas com orientações para abertura de um clube de investimentos, assim como as normas, fichas de cadastro e modelo de estatuto podem ser encontradas no próprio site da Bovespa.[70]

Para começar no mercado de ações, considerando os três caminhos possíveis — carteira própria, fundos de ações e clubes de investimento —, não

[70] www.bovespa.com.br.

resta dúvida de que a maneira que proporciona melhor aprendizado e maior consistência nas escolhas é o investimento por meio de um clube. Das três opções, o investimento via fundos é, de longe, o mais simples e conveniente. Mas acredito que unir-se a pessoas próximas e vencer a maior barreira do investimento em clubes, que é a burocracia inicial para sua abertura, seja um investimento de tempo com retorno muito interessante, tanto para seu bolso quanto para suas relações pessoais.

## d. Como controlar a evolução de seu investimento em fundos

Sendo uma espécie de condomínio dividido em cotas, um fundo é de propriedade de seus cotistas, na proporção do número de cotas de cada um. Em geral, investidores iniciantes não atentam muito à quantidade de cotas que possuem, nem ao valor de cada cota. Deveriam, porém, pois o valor da cota é a principal referência do investidor para medir a valorização de seu investimento.

A lógica por trás das cotas é simples, mas requer alguma basc matemática para seu entendimento. Gosto de raciocinar com o seguinte passo-a-passo:

**Data 0:** Nasce o fundo. Vários cotistas aportam recursos neste fundo, somando o valor de R$ 1 milhão disponíveis para investimentos, divididos em 1.000.000 de cotas de R$ 1 cada. Na data de criação de qualquer fundo, cada real equivale a uma cota. Quem investiu R$ 500, por exemplo, adquiriu 500 cotas do fundo a R$ 1 cada. Nesse mesmo dia, o gestor decide comprar ações de diversas empresas.

**Data 1:** As ações se valorizam, gerando um crescimento de 10% no valor da carteira — saldo final de R$ 1,1 milhão. O número de cotas permanece o mesmo, mas cada cota passou a valer R$ 1,10, devido aos 10% de aumento no valor. Quem decidir investir nessa data, comprará (criará, na verdade) novas cotas de R$ 1,10 cada, pois esse é o valor da cota do fundo no dia. Então, eu decido investir, por exemplo, R$ 1.000 no fundo, comprando 909,091 cotas de R$ 1,10 cada. Essa quantidade de cotas vem da divisão de R$ 1.000 pelo valor de cada cota.

PARTE II

**Data 2:** Consulto o valor da cota de meu fundo nos jornais e vejo que ela está valendo R$ 1,085 cada. Sabendo, pelo meu controle pessoal, que eu tenho 909,091 cotas desse fundo, basta eu multiplicar a quantidade pelo valor para saber qual é o valor de meu saldo. Minha conta resulta em R$ 986,36, o que significa que a carteira de meu fundo se desvalorizou. Posso, então, calcular a rentabilidade de meu investimento e perceber que perdi 1,36%. Esse resultado é obtido utilizando a seguinte fórmula:

[ (Valor da cota de hoje)/(Valor da cota na data do investimento) ] - 1

Utilizando os dados da situação descrita:

[ 1,085 / 1,10 ] - 1 = 0,98636 - 1 = - 0,0136 ou - 1,36%

O conhecimento da lógica de cotas torna-se especialmente útil para entender o mecanismo de tributação dos fundos de renda fixa, chamado também de come-cotas. Usarei a mesma linha de raciocínio do exemplo anterior. Imagine que, na Data 1, eu decidi investir meus R$ 1.000 em 909,091 cotas de um fundo, porém, agora, este fundo é de renda fixa. Naquela data, o valor de cada cota também era de R$ 1,10. Chega o último dia útil de maio, e o fundo é obrigado a recolher compulsoriamente 15% do lucro de cada investidor, a título de Imposto de Renda. Nesse dia, cada cota está valendo R$ 1,21. Se eu tenho 909,091 cotas, então meu saldo bruto no final de maio é de R$ 1.100.

Como, nesse dia, meu lucro acumulado é de R$ 100 (sobre os R$ 1 mil que investi), e a alíquota do IR é de 15%, o gestor do fundo automaticamente recolherá R$ 15 para a Receita Federal. Como? Solicitando ao investidor que pague? Não. O gestor do fundo simplesmente vende parte das cotas de cada investidor, pagando à Receita com o caixa gerado por essa venda. Daí vem o nome de come-cotas. No nosso exemplo, o cálculo ficaria assim:

- É preciso vender a quantidade de cotas que gere R$ 15, ou seja, (R$ 15 / R$ 1,21) = 12,397 cotas de R$ 1,21 cada.

- Após a venda, eu passo a ter menos cotas, devido à "comida" do imposto. Meu saldo de cotas passa a ser de (909,091 - 12,397) = 896,694 cotas. Como cada cota vale R$ 1,21, basta eu multiplicar a quantidade que tenho pelo valor unitário para chegar ao saldo de R$ 1.085,00, exatamente o que seria esperado após o come-cotas.

O que assusta alguns investidores no período do come-cotas é justamente a redução na propriedade, ou seja, no número de cotas. Mas esse é justamente o mecanismo da arrecadação de imposto na fonte, quando da aplicação em fundos de renda fixa.

## e. Algo mais sobre impostos

O imposto de renda dificilmente pega desprevenido o investidor de fundos que dedica um mínimo de atenção aos extratos que recebe. Todo extrato de fundos apresenta o saldo de cotas, o valor de cada cota, a provisão para imposto de renda e o saldo líquido. Normalmente, atentamos apenas para o saldo líquido, mas as demais informações podem ser úteis em certas situações.

Por exemplo, se você sabe o valor de cada cota que possui no fundo hoje, e observa o mercado em queda, no dia seguinte já será possível estimar o impacto da queda sobre seu fundo, simplesmente comparando sua cota com a cota publicada nos jornais logo cedo. Aliás, você não sabia que os cadernos de finanças dos jornais de economia publicam diariamente as cotas dos principais fundos de cada instituição? Compre um exemplar e confira, naquelas páginas com números pequenininhos.

Outra informação que não pode passar despercebida é a provisão para imposto de renda. Ela lhe conta o quanto o governo abocanhará do sucesso de sua estratégia. Acredito que, se as pessoas tivessem uma noção clara do quanto pagam anualmente ao governo, talvez fossem menos lenientes com a corrupção e com a má gestão pública.

No tópico anterior, abordei o mecanismo do come-cotas, que afeta fundos de renda fixa. Cabe destacar que a alíquota do come-cotas será sempre de 15%, independentemente do prazo de aplicação, com a exceção dos fundos de curto prazo, cuja alíquota é de 20%. Se, dentro do critério da tributação regressiva, seu dinheiro está investido há menos de dois anos, você perceberá, em seu extrato, que mesmo no dia seguinte ao come-cotas ainda resta uma provisão de Imposto de Renda a recolher. Essa provisão refere-se ao diferencial de imposto devido, mas não retido. Por exemplo, se sua aplicação existe há menos de seis meses, a alíquota sobre os ganhos da renda fixa é de 22,5%. Mesmo com o come-cotas, outros 7,5% de seu lucro ficam separados (apenas no extrato, para fins de controle) para que você tenha uma idéia do quanto pagará se resgatar naquela data. Ao completar seis meses de aplicação, sua alíquota baixa de 22,5% para 20%. Com isso, 2,5 pontos percentuais da provisão voltam a compor seu saldo líquido, diminuindo o imposto a pagar.

Os fundos multimercado, apesar de investirem em uma diversidade grande de mercados, sofrem a incidência da mesma tabela regressiva de Imposto de Renda que incide na renda fixa, além do come-cotas. Este é um ponto a ser considerado se sua estratégia de investimento considera a hipótese de resgate a curto prazo. Se investir parte de seus recursos em um fundo de ações e parte em um fundo de renda fixa, a parcela do fundo de ações será tributada apenas pela alíquota de 15%. No multimercado, toda a carteira tem sua tributação variando entre 15 e 22,5%, dependendo do prazo. A mesma crítica vale para o come-cotas. Com dois fundos diferentes, um de renda fixa e outro de ações, a parte de sua carteira em renda variável não sofreria a mordida semestral, permitindo uma multiplicação mais eficiente no longo prazo.



## f. Explore seu banco ao máximo

Bancos são a porta de entrada para o mundo dos investimentos para a maioria das pessoas. É neles que depositamos nossos primeiros trocados em uma poupança ou um fundo. É recomendável manter uma conta em um banco de primeira linha e entre os líderes de mercado por pura conveniência, para contar com caixas eletrônicos à sua disposição em um número maior de pontos. No passado, essa era uma das justificativas para abertura de conta em bancos presentes em mais cidades, como Banco do Brasil, Bradesco e Itaú. Hoje, com a disseminação da rede Banco 24 Horas por uma extensão maior do território, essa conveniência passou a ser oferecida também por outros bancos, o que aumentou a concorrência entre os grandes bancos.

Quem vive nas grandes cidades deve, por segurança, manter uma segunda conta-corrente, onde estarão concentrados os investimentos. A escolha dessa conta não deve ser feita em razão da conveniência, mas sim da eficiência dos investimentos e dos serviços oferecidos. Famílias que mantêm duas contas correntes deveriam circular apenas com documentos e cartões da conta de movimentação, e não da conta de investimentos, a fim de evitar a exposição excessiva a estelionatários e seqüestradores.

Mas, independentemente de sua estratégia para segurança, algumas dicas são importantes para você aproveitar ao máximo o serviço bancário:

- Quem investe deve pagar menos tarifas, pois remunera o banco por meio de taxas de administração dos fundos e planos de previdência. Alguns bancos propõem regras claras, como isenção de tarifas para quem investe mais de R$ 50 mil ou R$ 60 mil em seus fundos, com descontos progressivos até chegar a esse patamar. Na ausência de regras, vale a barganha e a união de contas-correntes de casais para acelerar o caminho para a isenção.
- Alguns serviços oferecidos pelos bancos costumam contar pontos extras em sua nota de relacionamento com a instituição, como contratação de seguros e cartões de crédito. Não havendo vantagem clara nessas contratações com outras instituições, é preferível concentrar tudo em uma única, para fortalecer o relacionamento e obter mais vantagens.
- Nem sempre é preciso comprar algo para conseguir mais vantagens. O uso da Internet para verificar saldos e pagar contas normalmente é isento de tarifas e a contratação de débito automático para seus pagamentos também soma pontos a seu relacionamento.
- Como os bancos são as maiores instituições do sistema financeiro, é neles que você encontrará a maior fartura de informações e orientações, tanto em cartilhas e folhetos quanto através do site da instituição

na Internet. A maioria das pessoas subestima essa riqueza de informações, mas quem se propõe a vasculhar as fontes oferecidas encontra explicações esclarecedoras sobre fundos, previdência, seguros e crédito.

- Se você não está satisfeito com o serviço oferecido por seu gerente, recomenda-se duas possíveis soluções: 1) transferir sua conta para uma agência pouco movimentada do mesmo banco — pode ser que o problema seja apenas o excesso de clientes; e 2) pesquisar o que bancos concorrentes oferecem como diferenciais para tê-lo como cliente.
- Ao consultar uma alternativa de investimento oferecida por seu banco, não deixe de consultar produtos similares da concorrência e alternativas para acessá-lo sem a ajuda do banco.
- Como acontece em qualquer mercado, quanto melhor o cliente, mais vantagens ele recebe. Lembre-se sempre de checar se, com seu nível de investimentos, você consegue acessar investimentos mais eficientes (com taxas mais baratas) do que tem hoje.
- As opções de investimento oferecidas por um banco costumam ser as mais convenientes e simples, pois uma das propostas da instituição é massificar o acesso a produtos de investimento. Além de simplificar, com a oferta de fundos, o acesso a produtos complexos, toda informação chega a você juntamente com seus extratos, e seu gerente o conhece de maneira mais abrangente. Obviamente, mais conveniência significa mais custo. Cabe a você analisar se o que paga ao banco compensa as facilidades oferecidas.

Lembre-se que o acesso a fundos não ocorre exclusivamente por meio de um banco em que você tenha conta. A contratação de serviços prestados por um agente autônomo de investimentos é uma opção à conta para investimentos, com o inconveniente de aumentar a burocracia — afinal, significa mais um cadastro e mais extratos sob sua porta.

# 9. Estratégias inteligentes com planos de previdência privada

Assim como os fundos, Planos de Previdência Privada também não devem ser confundidos como simples alternativas de investimento. Eles são, na verdade, um pacote de serviços e soluções que utilizam os investimentos como parte do pacote. Além do serviço de gestão de investimentos que você encontra nos fundos em troca de uma taxa de administração, os planos de previdência oferecem um amplo serviço de planejamento financeiro e tributário, em troca do pagamento de uma segunda taxa, conhecida como taxa de carregamento.

Na prática, ao contratar um Plano de Previdência, você está comprando um serviço que selecionará investimentos para você, conduzirá uma estratégia para esses investimentos, determinará a disciplina necessária à manutenção do plano e ainda permitirá que você pague menos impostos, se fizer uma boa escolha. Também com uma boa escolha você poderá colher, no longo prazo, resultados inalcançáveis por meio de fundos com estratégias de investimento semelhantes. Pretendo mostrar isso com cálculos, a seguir.

Para os planos que citarei neste capítulo, a essência de funcionamento é a mesma. Os recursos do investidor serão investidos em um fundo de previdência, semelhante aos fundos que acessamos através do banco, mas que é específico para a finalidade de previdência. Essa característica traz grande segurança, pois todos que investem nesse fundo têm objetivos de longo prazo — o que permite a seu gestor fazer escolhas mais adequadas para um perfil dessa natureza. Na hora da aplicação dos recursos, é cobrada uma taxa de carregamento sobre o valor de cada aplicação, que acontece apenas uma vez; depois, a rentabilidade será afetada apenas pela taxa de administração, como acontece nos fundos tradicionais. O investidor não pagará impostos até que resolva sacar o dinheiro. Quando isto acontecer, o imposto a pagar (se houver) dependerá do regime tributário escolhido no início do plano e do valor do saque. Há casos em que é vantajoso sacar todo o valor, outros em que é recomendável sacar aos poucos ou usufruir da renda gerada pelo próprio plano, sob a orientação da instituição que administra o produto.

Além das vantagens matemáticas que os planos de previdência podem trazer, existem também vantagens estratégicas para a proteção da família. Os recursos totais acumulados são disponibilizados imediatamente aos beneficiários declarados pelo poupador em caso de sua morte ou invalidez, sem entrar em inventário. Além disso, os beneficiários ficam isentos do Imposto de Renda, em caso de herança. Essas características fazem com que os planos de previdência sejam encarados também como uma espécie de seguro de vida.

Não resta dúvida de que planos de Previdência Privada são a maneira mais simples e segura de enriquecer. Provavelmente, não é a maneira mais rápida, mas a segurança é inquestionável. Obviamente, se você se considera um investidor ativo, conhecedor do mercado e das melhores oportunidades, não precisa pagar taxas de serviços para construir sua riqueza, e sua rentabilidade diferenciada pode até superar o benefício fiscal obtido pela previdência. Mas, tenho certeza, para a grande maioria das pessoas, um Plano de Previdência é a solução mais eficaz para garantir o futuro.

---

*Para a grande maioria das pessoas, um Plano de Previdência é a solução mais eficaz para garantir o futuro.*

---

## a. Dois produtos, quatro estratégias

Quem decidir contratar o serviço de construção automática de riqueza oferecido pelos planos de previdência privada terá que fazer duas importantes escolhas. Provavelmente, serão as escolhas mais importantes de sua vida financeira, que impactarão sensivelmente seu poder de consumo no futuro e a vida de sua família. Basicamente, o investidor terá que optar entre dois produtos disponíveis, conhecidos pelas siglas PGBL e VGBL, e duas maneiras diferentes de pagar o imposto de renda em cada produto. São quatro possíveis caminhos.

Dos produtos e suas características, temos:

## Plano Gerador de Benefícios Livres (PGBL)

É o plano que oferece ao poupador o benefício de abater ou restituir, na Declaração de Imposto de Renda do ano seguinte ao que aplica, os impostos pagos sobre a renda que foi poupada. Esse benefício se limita a 12% da renda anual tributável do poupador, e só pode ser obtido por quem contribui regularmente para a previdência pública (INSS) e declara seu imposto de renda pelo modelo completo de declaração — aquele que permite detalhar as despesas tributáveis e abatê-las da renda anual para fins de cálculo do imposto. Por exemplo, quem ganha R$ 100 mil por ano, teoricamente sofre uma retenção na fonte de 27,5% de IR, ou R$ 27.500 por ano, se não tiver despesas dedutíveis. Ao aplicar R$ 12.000 (ou 12% da renda) em um PGBL, a pessoa passa a ter direito à restituição de 27,5% sobre este valor, recebendo, no ano seguinte, uma restituição de R$ 3.300 (0,275 x 12.000). Sem contar com um PGBL, esse dinheiro jamais voltaria ao seu bolso, pois iria para os cofres do governo. Futuramente, ao resgatar seus investimentos, o imposto de renda a pagar dependerá do regime tributário escolhido pelo poupador na contratação do plano e será sobre o *total resgatado*, e não apenas sobre o lucro obtido com o investimento. Por esse motivo, considera-se que o abatimento de IR é uma postergação de impostos, e não uma isenção.



## Vida Gerador de Benefícios Livres (VGBL)

Não oferece a vantagem da postergação de impostos típica do PGBL, o que faz deste produto uma espécie de aplicação programada, porém com as vantagens tributárias no resgate e a liberação de inventário. É o plano de previdência adequado para quem não paga IR na pessoa física (profissionais liberais e empresários, por exemplo), ou para investir os recursos que ultrapassem 12% da renda anual. Futuramente, ao resgatar seus investimentos, o imposto de renda a pagar dependerá do regime tributário escolhido pelo poupador na contratação do plano e será apenas sobre o *lucro obtido* com o investimento, e não sobre o total resgatado, como acontece no PGBL. Ao confrontar um VGBL com fundos de renda fixa e multimercados tradicionais, a aparente desvantagem imposta pelo custo de carregamento deve ser comparada com a significativa desvantagem do come-cotas imposta a esses produtos.

As duas possíveis escolhas quanto ao pagamento do Imposto de Renda são:

**Regime de Tributação Regressivo:** Caracteriza-se por beneficiar quem mantém seu plano no longo prazo, pois proporciona alíquotas de imposto de renda decrescentes, de acordo com o prazo em que os recursos permanecerem investidos antes de serem resgatados:

| Tempo de acumulação | Alíquota |
|---|---|
| 0 — 2 anos | 35% |
| 2 — 4 anos | 30% |
| 4 — 6 anos | 25% |
| 6 — 8 anos | 10% |
| 8 — 10 anos | 15% |
| Acima de 10 anos | 10% |

Essa tributação é sobre os lucros do VGBL ou sobre o total resgatado em um PGBL. Quem opta pelo regime de tributação regressiva do IR deve considerar que a tributação é na fonte e definitiva, dependendo exclusivamente do prazo de aplicação, não podendo ser deduzido das futuras declarações anuais de IR.

No momento do resgate, a incidência de Imposto de Renda dependerá do tempo acumulado de cada contribuição até a data do resgate — para cada contribuição, incide uma das alíquotas da tabela acima. Por exemplo, se o participante resgatar após cinco anos de permanência no plano previdenciário, sobre as 24 últimas contribuições anteriores ao resgate incidirá alíquota de 35%; sobre as contribuições feitas entre 2 anos e 4 anos anteriores ao resgate incidirá alíquota de 30%, e assim por diante.

**Regime de Tributação Progressivo:** Ao optar por este regime, os recursos aplicados se acumularão sem qualquer retenção de impostos — como no Regressivo — e, ao resgatar, a alíquota incidente sobre os lucros, no caso do VGBL, ou sobre o total resgatado, no caso do PGBL, seguirá a tabela progressiva vigente[71] de Imposto de Renda da Receita Federal, como a utilizada para a declaração de renda em 2009:

| Base de cálculo mensal em R$ | Alíquota % | Parcela a deduzir do imposto em R$ |
|---|---|---|
| Até 1.372,81 | - | - |
| De 1.372,82 até 2.743,25 | 15,0 | 205,92 |
| Acima de 2.743,25 | 27,5 | 548,82 |



Apesar da retenção do tributo ser na fonte e no momento do resgate, ela não é definitiva, pois pode ser deduzida até seu valor total na declaração anual de IR, se o total de rendimentos, incluindo os saques do plano de previdência no regime progressivo, estiverem na faixa de isenção da tabela da Receita Federal.

Por exemplo, imagine que você esteja planejando obter uma renda de R$ 5.000 mensais ou R$ 60.000 anuais em sua aposentadoria, já considerando a aposentadoria do INSS. Muitos pensam que, nesta faixa de renda, terão que pagar uma alíquota de 27,5% no regime progressivo. Porém, se na aposentadoria suas declarações anuais de IR forem feitas pelo modelo completo, será possível abater da renda suas despesas dedutíveis. Podemos considerar que:

•••

[71] Para a tabela atual, consulte: http://www.receita.fazenda.gov.br/aliquotas/ContribFont.htm.

- Em 2008, contribuintes com mais de 65 anos de idade tinham isenção sobre rendimentos até R$ 17.846,53. Em outras palavras, deduz-se esse valor dos rendimentos anuais antes de identificar a alíquota de IR a pagar.
- É possível abater da renda tributável um valor por dependente. Podemos considerar que, na aposentadoria, ao menos o cônjuge será um dependente a declarar. Em 2008, esse valor era de R$ 1.655,88 anuais por dependente.
- Outro tipo de despesa dedutível é o gasto com médicos e planos de saúde. Se um casal gastar R$ 1.500 mensais com plano de saúde, poderá abater esse valor de sua renda tributável — no caso, R$ 18 mil por ano.

Utilizando os critérios de 2008, a renda tributável não seria de R$ 60 mil, mas sim de:

R$ 60.000,00
(-) R$ 17.846,53
(-) R$ 1.655,88
(-) R$ 18.000,00
= R$ 22.497,59 ou R$ 1.874,80 mensais

Perceba que, no exemplo, a maior parte da renda mensal tributável está na faixa de isenção. É sobre esse valor que incide a tabela da página anterior, com alíquota zero para a maior parte e alíquota de 15% para uma pequena parcela da renda. Na média, o imposto de renda ficaria bem abaixo de 10% da renda total, no caso de um PGBL, e menor ainda no caso de um VGBL, em que incidiria a alíquota apenas sobre os ganhos. Isso, para um aposentado com renda de R$ 6 mil mensais.

## b. Qual investimento é mais rentável?

Essa simples pergunta exige uma ampla reflexão. Não é tarefa simples responder, pois:

- Se considerarmos que o benefício obtido com a restituição do imposto pago sobre o valor aplicado no PGBL será aplicado assim que for restituído, o poder de acumulação do PGBL passa a ser 12% superior ao de outros produtos de investimento imediatamente.
- Não se pode desprezar a taxa de carregamento, que "rouba" boa parte da força multiplicadora logo no instante da aplicação.
- A possibilidade de pagar os impostos apenas no resgate constitui-se em uma enorme vantagem sobre os fundos de renda fixa e multimercados no longo prazo — mas essa vantagem existe também nos fundos de renda variável.
- Outra vantagem inquestionável, que é a possibilidade de não pagar imposto de renda no futuro, também beneficia quem investe em uma carteira de ações e pensa em vender não mais do que R$ 20 mil mensais na sua aposentadoria.
- O IR pago na fonte ao resgatar recursos de fundos que não sejam de previdência no regime tributário progressivo não pode ser deduzido na declaração anual de IR.

PARTE II

Fiz uma simulação da evolução do saldo acumulado de investimentos feitos em diferentes produtos, *considerando para todos eles a mesma rentabilidade, de 8% ao ano*, e o mesmo prazo de investimento, de trinta anos. Parti da hipótese de que a renda mensal do poupador é de R$ 4,167 mil e que ele decidiu poupar 12% da renda, ou R$ 500 mensais. Veja o resultado:

| Descrição | PGBL no Modelo Progressivo | PGBL no Modelo Regressivo | VGBL no Modelo Progressivo | VGBL no Modelo Regressivo | Fundo de Renda Fixa | Fundo de Ações |
|---|---|---|---|---|---|---|
| Contribuição mensal | 500 | 500 | 500 | 500 | 500 | 500 |
| Valor restituído | 138 | 138 | - | - | - | - |
| Aporte total (líquido de 2% de carregamento) | 625 | 625 | 490 | 490 | 500 | 500 |
| Saldo em 30 anos, rentabilidade de 8% aa | 885.654 | 885.654 | 694.630 | 694.630 | 566.711 | 708.807 |
| Resgate líquido total | 648.299 | 788.232 | 558.336 | 637.625 | 566.711 | 629.486 |

Algumas simplificações foram feitas[72] para não tornar os cálculos excessivamente complexos, mas os resultados obtidos são bem próximos do que seria obtido na prática. Considerei que o benefício fiscal do PGBL é reinvestido em um VGBL, pois não há vantagem em aplicar mais de 12% da renda no primeiro. O fundo de renda fixa não sofre incidência de IR no resgate, pois o imposto é pago "ao longo da vida", pelo come-cotas. Algumas conclusões interessantes podem ser obtidas:

- O poder de acumulação do PGBL é sensivelmente superior ao de outras modalidades, devido ao valor restituído e aplicado.
- O regime de Tributação Progressiva penaliza sensivelmente os saldos dos PGBLs e VGBLs, porém não se deve esquecer de que a simulação foi feita para um resgate total. Com resgates mensais e considerando a possibilidade de isenção de IR, pode-se considerar que o saldo bruto de R$ 694.630 do VGBL é superior ao saldo líquido de R$ 629.486 do fundo de ações, pois não há como evitar o IR no resgate do fundo.
- O desempenho do fundo de renda fixa é extremamente prejudicado pelo efeito do come-cotas. Ele só é mais eficiente do que o VGBL Progressivo se o aplicador da previdência precisar sacar o valor total de uma vez.
- O PGBL na tributação progressiva mostra-se como a alternativa mais rentável para o caso de saques mensais de reduzida tributação, se o poupador conseguir uma alíquota REAL de imposto de renda inferior a 10% — o que não é difícil.

Atente para o fato de que esta é apenas uma simulação hipotética, considerando a mesma rentabilidade para todos os produtos, o que é impossível

•••

[72] Por exemplo, considerei que as taxas de carregamento são idênticas no PGBL e no VGBL em que o poupador investe o benefício fiscal e R$ 138 (não deveria ser, pois o valor aplicado no VGBL é menor); a alíquota de resgate é uma aproximação da que seria obtida pelo escalonamento da tabela de IR; o carregamento é fixo ao longo do plano (na prática, costuma ser decrescente); não considerei o descasamento entre a aplicação de R$ 500 no PGBL e de R$ 138 no VGBL, que podem ter um intervalo de 1 ano de diferença. Esses ajustes causam impacto inferior a R$ 10 mil no saldo final.

acontecer. Se a rentabilidade de seu PGBL ou VGBL for comparada com a de um fundo de investimento com carteira similar, provavelmente o fundo será mais rentável, pois as taxas de administração dos fundos de previdência costumam ser maiores do que as de fundos tradicionais. Além disso, a rentabilidade divulgada não é sobre o valor que saiu de sua conta, mas sim sobre o que foi aplicado após pagar a nada modesta taxa de carregamento. São diferenças que, provavelmente, não sejam suficientes para o fundo de renda fixa ultrapassar os planos de previdência, ao menos em um período de 30 anos. Em quinze anos, talvez a história seja bem diferente.

Podemos também considerar a rentabilidade de 8% muito baixa para um fundo de ações, e é mesmo para uma perspectiva de longo prazo. Porém, caso aconteça um longo ciclo de turbulência nos mercados acionários, é provável que os juros se elevem consideravelmente. Por isso, não gosto de projetar o rendimento das ações muito descolado do da renda fixa. 10 a 20% ao ano é uma faixa de rentabilidade aceitável para a bolsa de uma economia saudável, no longo prazo.

## c. Qual estratégia é melhor?



A opção pela tabela progressiva ou pela regressiva terá de ser feita quando o participante aderir ao plano de previdência. Para decidir qual lhe será mais vantajosa, é necessário projetar o momento de sua saída do plano de previdência. Para quem receber os menores benefícios de aposentadoria (abaixo da faixa de isenção da tabela progressiva), a tabela progressiva tende a ser mais benéfica, pois a tributação pode até chegar a zero.

Já para quem permanecer por mais tempo no plano de previdência, ou para quem planeja se aposentar com benefícios maiores, a tabela regressiva tende a ser mais benéfica, pois a alíquota final média estará bem próxima a 10%, porém sem possibilidade de dedução na declaração anual de ajuste.

Trata-se de apenas dois produtos, com duas estratégias tributárias para cada um. Apesar de contarmos com apenas quatro possibilidades, o número de variáveis envolvidas conduz a uma orientação pouco objetiva: cada caso deve ser analisado individualmente, de preferência por um corretor de previdência experiente. Mas algumas situações podem ser pontuadas para sua reflexão:

- Ao contratar um plano de previdência no regime regressivo de IR, você deve ter a certeza de que não resgatará seus recursos a curto ou médio prazo, pois, caso contrário, pagará um imposto elevado. No caso de PGBL, poderá até receber menos do que aplicou, pois a tributação é sobre o saldo total.
- Ao fazer projeções para um plano adequado a sua aposentadoria, as maiores dúvidas certamente não são aquelas relacionadas à carteira do fundo ou às características do plano, que são bastante confiáveis, mas sim aquelas relacionadas a sua situação fiscal futura.
- Como é difícil prever sua situação fiscal futura e, conseqüentemente, a alíquota do IR do regime progressivo, provavelmente a melhor escolha a ser feita em termos de plano de previdência é contratar dois planos, que, na média, assegurem uma situação vantajosa ao menos para a metade de seu patrimônio. Por exemplo, você pode travar parte de sua tributação em 10% pelo regime regressivo e contratar um plano pelo regime progressivo para contar com a possibilidade de isenção.
- Por se tratarem de produtos tipicamente de longo prazo, é perfeitamente aceitável que a opção do poupador seja pelos chamados planos de carteira composta, o equivalente a fundos multimercados ou balanceados, com uma participação menor em renda variável. Há muitas opções no mercado, incluindo planos que começam mais arrojados, com grande participação em ações, mas que vão reduzindo essa participação à medida que o participante envelhece. A participação máxima em renda variável é de 49% para planos de previdência.
- Quem pensa em contar com um plano de previdência para custear a faculdade dos filhos, ou mesmo para garantir o futuro deles, encontrará nos VGBLs com tributação progressiva uma excelente alternativa. O plano pode ser feito em nome do filho, permitindo que, futuramente, os saques sejam feitos com boa certeza de isenção de impostos.
- Dependendo de sua situação fiscal futura, você pode colher um duplo benefício fiscal. Ao optar por um PGBL no regime progressivo,

você abate o IR atual, aplica recursos que não seriam mais seus (a restituição do IR) e ainda pode deixar de pagar impostos nos saques futuros, dependendo da dedutibilidade de sua declaração anual.

## d. Cuidados na hora da negociação

Como você deve ter percebido, o sucesso de um plano de previdência depende essencialmente da negociação feita no momento da contratação. Por isso, alguns pequenos cuidados podem fazer a maior diferença na hora de colher os frutos.

Não escolha seu produto sozinho. Conte sempre com um corretor de seguros e previdência. Por mais que ele seja um vendedor, é ele quem conhece detalhadamente as oportunidades que os planos podem oferecer, principalmente quanto a vantagens tributárias e em caso de inventário e herança.

Analise cuidadosamente o contrato do plano antes de assinar a contratação. Verifique se há penalidades para resgates antes da data prevista, restrições à mudança de plano no meio do caminho e condições impostas para que você obtenha taxas melhores.

Taxas de administração aceitáveis para planos de renda fixa costumam estar entre 1 e 2% ao ano. Para planos compostos, entre 2 e 3%. Quanto mais dinheiro você planejar aportar, menos deve pagar em taxas.

É na taxa de carregamento que está a brecha para negociações, pois é dela que sai a comissão do corretor. Se pesquisar diversos produtos, você encontrará desde taxas que começam elevadíssimas, mas que decaem com o tempo, até planos que isentam de taxas, mas que cobram uma multa elevada em caso de saída precoce. Pesquise e não aceite pagar muito, barganhe no carregamento. Se pagar caro, que seja por um planejamento impecável montado pelo seu corretor.

Considere também a possibilidade de fazer planos em nome dos filhos, para obter com grande dose de certeza a isenção tributária no momento da faculdade. Se você já tem filhos, mas ainda não tem uma reserva financeira de pelo menos vinte vezes os gastos mensais da família, não descarte a idéia de contratar um VGBL somado a um seguro, para garantir que a faculdade dos filhos esteja assegurada mesmo em caso de sua falta.

## e. A oportunidade dos planos fechados

Planos empresariais, conhecidos também por fundos de pensão ou planos fechados pelo fato de terem seu acesso limitado a pessoas vinculadas a uma empresa, associação ou entidade associativa, tendem a ser uma das mais interessantes e seguras alternativas de construção de riqueza. Em essência, são planos de previdência com algumas características vantajosas para o participante, cujos investimentos costumam ser regulares e automáticos (desconto em folha, cobrança em mensalidade ou similares).

As características que os distinguem de planos abertos, em geral, são as seguintes:

**Taxas de administração:** Em geral, são um pouco menores do que as de planos de previdência abertos, pois a gestão é simplificada e em escala.

**Taxa de carregamento:** Na maior parte dos casos, não é cobrado carregamento. Quando há a taxa, ela tende a ser bem menor do que a de planos abertos.

**Carteira de investimentos:** A quase totalidade dos planos fechados possui carteiras extremamente conservadoras, investindo exclusivamente em renda fixa. Provavelmente, a razão seja a preocupação da empresa em não correr o risco de apresentar uma variação negativa na rentabilidade, o que poderia até ensejar ações trabalhistas.

**Contrapartida:** A maioria dos planos empresariais oferece algum tipo de contrapartida sobre o investimento feito por seus funcionários. Por exemplo, há empresas que, para cada R$ 1 investido pelo funcionário, elas acrescentam R$ 0,50. A maior parte dos casos de contrapartida é do tipo 1 + 1, mas há empresas que chegam a oferecer contrapartida de R$ 2 ou mais, normalmente para seus executivos. A participação da empresa é limitada a um percentual do salário do funcionário, que costuma estar entre 3 e 8% dos ganhos mensais.

**Carência:** Quando a esmola é demais, o santo desconfia. Quanto mais interessante é a contrapartida da empresa, maior tende a ser a carência, que é a exigência de que o funcionário permaneça na empresa por um prazo mínimo, para ter direito a retirar a proporção correspondente ao que a empresa depositou. Esse prazo costuma ser de cinco anos, mas há empresas com escalas decrescentes, em que quanto mais tempo o funcionário permanecer vinculado à empresa, maior será a bolada a receber na aposentadoria

•

As características vantajosas decorrem do fato de planos de previdência serem apenas mais um produto negociado dentro da grande variedade de produtos financeiros que uma grande empresa ou associação contrata junto a um banco: folha de pagamento, cobrança, financiamentos, *leasing*, seguros, investimentos, emissão de debêntures, remessas internacionais e cartões de crédito corporativos são alguns deles. Diante do grande volume de receitas obtido pela instituição financeira com clientes desse tipo, é um bom negócio oferecer também margens reduzidas em um produto que interesse ao cliente ou às pessoas vinculadas a ele.

Além disso, a seguradora que administra o plano de previdência pode abrir mão de grande parte da receita, em função da facilidade de administrar uma grande carteira de associados ou funcionários com perfis semelhantes e sem necessidade de investimento contínuo na captação desses clientes.

A título de exemplo, imagine que o funcionário de uma determinada empresa, com renda bruta de R$ 1.000 mensais, é convidado a participar do seguinte plano:

- ele pode contribuir com um plano com taxa de carregamento zero e taxa de administração de 1%;
- a empresa aporta R$ 1 para cada R$ 1 que ele aportar, limitado a 5% de sua renda (ou seja, R$ 50);
- para ter direito à parte que a empresa deposita, ele precisa permanecer 10 anos vinculado à empresa. Se ficar pelo menos 5, terá direito à metade da participação da empresa;
- se ele desejar, pode investir mais de 5% da renda no plano, mas o excedente não será premiado com a contrapartida da empresa.

Se esse funcionário aceitar ter os descontos mensais de R$ 50 em seu contracheque, e supondo que a carteira do fundo renderá uma média de 9% ao ano, após vinte anos ele terá uma reserva financeira, ainda não tributada, de R$ 57.266. Se optasse por um plano individual, com taxa de carregamento média de 3% e taxa de administração de 2% ao ano, ele acumularia apenas R$ 22.099 no mesmo período. Lembre-se, estamos tratando de um trabalhador com renda de apenas R$ 1 mil mensais.

É essa discrepância positiva que faz dos planos fechados uma oportunidade imperdível, ao menos na faixa de valores em que a empresa investe sua contrapartida. Na prática, o investimento passa a ser o mesmo que uma compra de salário, pois aqueles que investem ganham mais da empresa.

# 10. Estratégias inteligentes com imóveis

Se o propósito deste livro é ajudar seus leitores a fazerem boas escolhas em seus investimentos, ele não poderia deixar de abordar a modalidade de investimento mais popular e abrangente no Brasil, que é o investimento em imóveis. O entendimento deste tipo de investimento é simples. Há quem compre bens imóveis como casas, terrenos e edifícios contando com sua valorização ao longo do tempo, e há quem compre um apartamento ou sala comercial com o objetivo de obter uma renda mensal de aluguel.

Se você perguntar a seus pais se imóveis são uma boa alternativa de investimento, provavelmente ouvirá uma incisiva resposta afirmativa. Durante muitas décadas, comprar um imóvel foi, por si só, um ótimo negócio. Primeiro, porque até pouco tempo atrás havia escassas alternativas de investimentos para quem tinha poucos recursos. Era muito mais fácil comprar um terreno e, aos poucos, levantar as paredes de acordo com as sobras de caixa. O segundo motivo era o fato de que bens reais, como imóveis, eram uma alternativa segura de manter seu patrimônio sem ser devorado pela inflação. Finalmente, uma economia em franco crescimento nas últimas décadas, como a brasileira, fez dos imóveis um excelente investimento. Era só comprar um terreno no campo ou em um bairro distante e esperar o desenvolvimento urbano abraçar sua propriedade.

Por essas três razões, aqueles que compraram terrenos e casas há mais de vinte anos orgulham-se do magnífico patrimônio formado. E, obviamente, tendem a orientar seus filhos a fazerem o mesmo. O investimento em imóveis sempre esteve associado à idéia de segurança, como o investimento em ouro, pois mesmo as piores crises não são suficientes para que este tipo de ativo deixe de ter algum valor significativo. Afinal, por pior que seja a crise, ao menos um teto para morar as pessoas precisarão e pagarão por ele.

## a. Riscos existem

Como investimento propriamente dito, os imóveis não são tão seguros ou livres de risco quanto aparentam ser. Como afirmei no capítulo 1, a era do ganho fácil com imóveis ficou para trás. Os riscos no mercado de imóveis não são nada desprezíveis, principalmente se considerarmos a reduzida rentabilidade média deste tipo de ativo. A valorização dos imóveis não é certa e depende de projetos de infra-estrutura dos governos locais e investimentos da iniciativa privada na região. Dependendo das obras nos arredores, imóveis podem tanto valorizar quanto desvalorizar. Além disso, o preço dos imóveis não deixa de ser suscetível a crises. Quando os juros da economia sobem, os investidores preferem investir em títulos em vez de investir em bens; por isso, os preços dos imóveis caem durante períodos de alta nos juros. Da mesma forma, quando os juros da economia caem, a economia se aquece e os preços dos imóveis sobem.

Nem todo imóvel é um bom investimento. Há imóveis sendo construídos em bairros já maduros, nas grandes cidades, com inúmeros serviços disponíveis nas redondezas e pouco espaço para novas construções próximas. Imóveis desse tipo custam caro, porém tendem a valorizar menos do que outras alternativas.

Da mesma forma, loteamentos em cidades menores ou nos arredores de grandes cidades nem sempre significam boas oportunidades de investimento. Se a urbanização ou o desenvolvimento demorarem a chegar a essas localidades, você verá seu investimento render muito menos do que se estivesse na segura e rentável renda fixa oferecida por meio de bancos e corretoras.

Para quem prefere o aluguel, dependendo das características do imóvel, os ganhos com a locação ficam entre 0,50% e 1,20% do valor do imóvel ao mês, antes de descontar o Imposto de Renda. Imóveis residenciais são menos rentáveis que os comerciais. Porém, um imóvel alugado impõe o risco de o inquilino precisar sair e o investidor ter que arcar com os custos de manutenção e impostos. Além disso, ao investir em imóveis você também deve levar em conta a sua baixa liquidez: se precisar vendê-lo com urgência, poderá encontrar dificuldades.

Para minimizar esses riscos, alguns cuidados devem ser tomados. O Procon costuma disponibilizar, em seu site,[73] algumas orientações para evitar problemas ao efetuar uma compra, contratar um serviço ou mesmo assinar um contrato. Esteja atento, principalmente aos detalhes quanto à escolha do imóvel e quanto às orientações de seu corretor de imóveis.

## Cuidados quanto à escolha

**Atente para a localização.** Evite imóveis próximos a viadutos, favelas, poluição excessiva, ruído excessivo e falta de árvores. São fatores positivos para posterior revenda a infra-estrutura de serviços do bairro, como supermercados, parques, escolas, comércio e transporte público. Quanto melhor a qualidade de vida do local, maior a probabilidade de preservação do valor. Os imóveis localizados em regiões residenciais com serviços são os mais fáceis de alugar, e a preços melhores.



**Pesquise as perspectivas de crescimento.** Consulte mais de uma imobiliária sobre as perspectivas da região que você está prospectando, e não deixe de consultar também o Plano Diretor publicado pela prefeitura do município. Regiões que receberão melhorias são certeza de valorização, desde que o imóvel seja beneficiado, e não prejudicado, pelas melhorias. Se, ao comprar seu imóvel, você optar por um bairro com muitos terrenos disponíveis, que tende a receber melhorias, ainda sem supermercados próximos, sem serviços como locadoras, academias e cabeleireiros, melhor ainda. O desenvolvimento de seu pedaço aumentará naturalmente o preço de sua propriedade. Cidades próximas a grandes capitais tendem a crescer junto com elas, formando uma única metrópole no futuro. Atente para qual lado a cidade cresce, e procure alternativas nessas regiões de crescimento. Isso, obviamente, se você não quiser a propriedade para seu repouso de final de semana — o que deixa de ser considerado um investimento.

[73] Veja o site do Procon de São Paulo: http://www.procon.sp.gov.br/categoria.asp?id=127.

**Estude o mercado.** O site do Secovi[74] é fonte riquíssima de dados do mercado, estatísticas e pesquisas que podem ser decisivas para um bom negócio imobiliário. Entre as informações disponíveis, estão dados sobre crescimento habitacional e urbanização, informações sobre financiamentos, pesquisa mensal de locação, pesquisa do mercado imobiliário, análise de preços de materiais e mão-de-obra e balanços do mercado imobiliário.

**Na falta de crescimento, esteja entre os poucos.** Em regiões com escassez de terrenos para novos empreendimentos, os imóveis existentes mantêm as perspectivas de forte valorização por muito tempo, desde que a localização se mantenha nobre. Terrenos e imóveis em regiões com poucas opções são tratados com o valor conferido às raridades.

**A regra é clara.** Imóveis comerciais são mais rentáveis e de menor risco que imóveis residenciais. Estes, por sua vez, têm mais liquidez e tendem a se valorizar mais do que terras e imóveis de veraneio.

**Ouça seu corretor.** Se ele sugerir a consulta a órgãos públicos e cartórios — ele deveria fazer isso, pois é orientação do CRECI —, não negligencie este conselho, mesmo se tiver que arcar com algum custo. Não corra o risco de descobrir tardiamente alguma pendência que impeça a transferência do bem para o comprador. O corretor de imóveis, além de aproximar compradores de vendedores, tem a responsabilidade de dar mais segurança à negociação, para ambos os lados.

**Peça o currículo.** Os históricos da construtora e do arquiteto fazem diferença na valorização do imóvel depois de pronto. Evite projetos muito inovadores e empresas desconhecidas.

•••

[74] Sindicato das Empresas de Compra, Venda e Locação de Imóveis Comerciais e Residenciais. www.secovi.com.br.

**Atente ao preço e também aos custos.** Não se iluda com a rentabilidade antes de verificar todos os custos de compra e venda do bem, como corretagem, escritura, registro em cartório e ITBI — Imposto de Transmissão de Bens Imóveis. Assim como acontece na negociação de ações, o impacto dos custos pode tornar o giro excessivo uma estratégia menos eficiente do que a opção seletiva por imóveis que valorizarão no médio prazo.

## Cuidados com quem o orienta

Se você não quiser assumir riscos desnecessários na hora de negociar um imóvel, a recomendação é que você conte sempre com um corretor para orientá-lo e para providenciar a documentação dentro de padrões aceitos pelo mercado e recomendados pelo CRECI. Este é o profissional mais capacitado para isso.

Porém, você não pode desprezar dois fatos importantes: primeiro, que ele está atendendo tanto a um comprador quanto a um vendedor, e ambos esperam que ele lhes faça o melhor negócio; segundo, que ele é um vendedor e, como tal, ganha suas comissões sobre o valor de venda. É difícil acreditar que ele batalhará para garantir a um comprador — o investidor, no caso — a melhor oportunidade de preço possível. Ele certamente batalhará pela oportunidade que gerará a melhor comissão para ele. Por isso, tenha em mente os seguintes truques de corretores de imóveis na hora de prospectar os imóveis em que investirá seu precioso capital:

- Se um corretor tem diversos imóveis à venda, jamais ele lhe apresentará no primeiro contato o imóvel que é mais atraente, mais bem localizado ou com maior potencial de valorização. Sempre as primeiras oportunidades oferecidas serão aquelas que ele está com dificuldade de vender há alguns meses. Portanto, nada de fechar negócio no primeiro contato, mesmo que lhe pareça atraente.
- A orientação anterior vale também para lançamentos de condomínios. O chamado espelho de vendas, que mostra as unidades ainda disponíveis, jamais mostra uma informação real. O que ele mostra são as unidades que devem ser priorizadas pelos corretores no início

das vendas, para que não fiquem "micadas" por muito tempo. Os imóveis de maior atratividade serão disponibilizados em data posterior, para venda com aumento no valor da tabela. Quando visitar um plantão de vendas, principalmente em um lançamento, insista nas unidades que você gostar mais. Geralmente, as que estão disponíveis costumam ter algum sinal no espelho de vendas, como um adesivo de "vendido" colado torto ou em posição fora do padrão ou com cor ligeiramente diferente.

- Negocie a corretagem antecipadamente. Barganhar a corretagem depois de finalizado o negócio ou para ajudar a chegar no preço da contraparte é uma atitude extremamente deselegante, afinal o profissional trabalhou com base em uma expectativa de ganho. Porém, se essa expectativa não for conhecida por ambas as partes, alguém se sentirá lesado na hora do pagamento.
- Evite estabelecer de antemão um preço para compra ou venda de um imóvel, a não ser que você seja um profundo conhecedor do mercado. Há corretores que, em vez de praticarem a corretagem, atuam como simples intermediários. Procuram pagar o mínimo para vendedores e cobrar o máximo dos compradores, ficando com uma gorda comissão, geralmente bastante superior à média de mercado — que fica entre 5 e 8% do valor da venda, ou menos para imóveis de grande valor. Procure corretores experientes e solicite que seu imóvel seja negociado pela melhor condição possível.
- Não pergunte a um corretor de imóveis se ele acredita que a região em que você está comprando um imóvel tende a se valorizar ou se a revenda será fácil. A resposta sempre será que sim, afinal ele lucrará com a venda da propriedade. Obtenha informações desse tipo em fontes isentas, como os sites da prefeitura municipal e do Secovi, institutos de estatísticas ou matérias jornalísticas.



## b. Oportunidades não faltam

Onde há riscos, há rentabilidade. Por isso, não faltam verdadeiras oportunidades no mercado imobiliário, principalmente se esse mercado estiver crescendo intensamente. Comprar imóveis na planta, com uma escolha criteriosa da construtora e pensando na revenda após a entrega das chaves, já é um bom investimento. É provável que, ao fazer uma compra na planta, você pague entre 20% e 40% a menos do que pagaria pelo imóvel já pronto, ou menos ainda no caso de imóveis de alto padrão.

Não existe mágica. Ao comprar na planta, você assume alguns riscos. A obra pode não ser iniciada, a construtora pode ter problemas legais, a obra pode atrasar; enfim, acidentes podem acontecer. Além disso, a construtora está contando com sua paciência, pois você já estará morando em algum lugar enquanto espera a conclusão da obra. Se quiser lucrar mais ainda, você pode até dispensar um projeto de construtora. A forma mais barata de adquirir um imóvel é, sem dúvida, comprando o terreno e arregaçando as mangas para tocar a empreitada de construção. Quem procura um imóvel pronto paga mais pela pressa e pelo menor risco que corre; é uma espécie de "lei da natureza" no mercado imobiliário.

Mas investir, como você já sabe, não é apenas comprar, mas sim comprar eficientemente, revender com lucros e repetir continuamente esse processo, reinvestindo os lucros para obter um patrimônio cada vez maior, capaz de gerar renda igualmente maior. É o conceito de juros compostos que o enriquece.



*Investir não é apenas comprar, mas sim comprar eficientemente, revender com lucros e repetir continuamente esse processo.*

No âmbito dos imóveis, o conceito de juros compostos surge de duas maneiras distintas:

1. Você pode comprar um imóvel, disponibilizá-lo para aluguel, e com a renda do aluguel construir novos imóveis que também serão disponibilizados para aluguel. Quanto mais imóveis, maior a renda, e mais rapidamente se constrói novos imóveis.
2. Você pode pesquisar o mercado para comprar imóveis abaixo do preço de mercado e, com um bom relacionamento com correto-

res, revendê-los com lucro. A cada venda, o montante formado é maior que o investido. Se o valor reinvestido for maior que o inicial, seu próximo lucro será provavelmente maior, e o capital se multiplicará exponencialmente ao longo do tempo.

O ideal é que você compre barato. Quanto mais "crua" for a compra, mais rentável tende a ser um investimento. Comprar um terreno e construir sai mais barato do que comprar na planta, que por sua vez sai mais barato do que na entrega das chaves, alternativa mais barata do que comprar por volta de seis a doze meses de uso, já mobiliado.

## c. Conte com mais do que você tem

Se seu plano de investimento em imóveis inclui a idéia de comprar na planta, para pagar mais barato pelo bem, considere que:

- Na fase de construção, o relacionamento financeiro é entre o comprador e o incorporador. O financiamento não será possível, pois o imóvel não existe ainda para garantir à instituição financeira sua posse, em caso de inadimplência do comprador.
- Pelo motivo acima, na fase da construção você terá que utilizar recursos seus. Diante do grande valor de um imóvel, uma prática comum é ir pagando o mínimo possível durante as obras e deixar para saldar o restante na entrega das chaves, recorrendo a um financiamento para cumprir esse compromisso.
- Um dinheiro que muitos possuem e que é maltratado por quem o administra é o Fundo de Garantia por Tempo de Serviço (FGTS), que rende míseros TR + 3% ao ano, muitas vezes perdendo até para a inflação real. O saldo do FGTS é liberado para aquisição de um primeiro imóvel, o que é uma vantagem inegável para quem optou por morar de aluguel e usar seu FGTS para investir.
- Outra forma de liberar o saldo do FGTS é através da contratação de um consórcio. O investidor que pensa em quitar um imóvel na entrega da obra pode fazê-lo com uma carta de crédito contemplada

de consórcio, começando a pagá-lo durante a obra, e oferecendo o saldo do FGTS como lance. O objetivo é ter em mãos a carta de crédito que quita o imóvel o quanto antes.

- Muitos argumentariam que o consórcio impõe um custo. Porém, devemos considerar três pontos: 1) que o saldo do FGTS, mal investido, impõe também um custo de oportunidade; 2) que o custo pode ser absorvido, com sobras, pela valorização natural do imóvel durante a obra; e 3) que o custo do financiamento sempre será superior ao do consórcio.

O exemplo a seguir explica numericamente, com algumas simplificações, a vantagem do uso do consórcio:

> Altair contava com um saldo de R$ 36.000 no FGTS. Se mantivesse esse saldo crescendo no ritmo de TR + 3% ao ano, contaria com algo em torno de R$ 40.000 depois de três anos, sem contar o efeito de novas contribuições feitas pela empresa. Porém, Altair deparou-se com uma oportunidade interessante: comprar na planta um apartamento de R$ 100.000, com potencial de valorização para R$ 130.000 depois de concluído, assumindo o compromisso de pagar 36 parcelas de R$ 1.000 e o saldo devedor de R$ 64.000 nas chaves. Sua escolha foi a seguinte:
>
> - Assumiu as 36 prestações de R$ 1.000.
> - Adquiriu um consórcio de R$ 64.000 em cinco anos, com taxa de administração de 20%, pelo qual supostamente pagaria 60 prestações de R$ 1.280.
> - Poucos meses depois do início do consórcio, teve sua carta de crédito contemplada pelo lance oferecido com o saldo do FGTS, que, sendo superior a 50% do valor da carta, tinha grandes chances de contemplação ainda cedo. Com os R$ 36.000 de lance, ele adiantou 28 prestações do consórcio, reduzindo seu compromisso financeiro para apenas 32 parcelas de R$ 1.280.

- Ao oferecer a carta de crédito contemplada como antecipação de pagamento à construtora, ainda conseguiu o abono de uma parcela de R$ 1.000.

Conclusão: três anos depois, Altair teria um imóvel de R$ 130.000, pelo qual teria pago apenas R$ 75.960 (os R$ 35.000 durante a obra, mais 32 parcelas de R$ 1.280 do consórcio), mais um dinheiro que estava preso no FGTS. Mesmo que tenha dificuldades para vender o imóvel, ele pode alugá-lo por cerca de 0,7% de seu valor de venda, o que equivaleria a R$ 910 mensais. Esse aluguel, calculado sobre os R$ 75.960 efetivamente desembolsados, equivaleria a rendimentos de 1,2% sobre o investimento feito no período, ou de 0,81%, se considerarmos também o uso do FGTS. Se nada fosse feito, o FGTS continuaria preso e Altair conseguiria, na melhor das hipóteses, um rendimento de 0,8% apenas sobre os investimentos de R$ 75.960.



## d. Estratégias para incrementar seus ganhos ou diminuir seus custos

Eu poderia desfilar neste capítulo inúmeros cuidados a adotar quanto à escolha do imóvel, ou quanto à análise da documentação e dos vendedores, ou então sobre a região em que você pretende investir. Mas, como este livro não se propõe a desvendar cada investimento, mas sim as técnicas de investir, quero compartilhar com você uma estratégia que aprendi com conhecidos e que criou muitos milionários precoces, que apenas investiam em imóveis.

Essa estratégia pauta-se em alguns ingredientes importantes:

1. Acompanhar os classificados. É por meio deles que você conhecerá o mercado, desenvolverá sensibilidade sobre o valor daquilo que quer investir e encontrará oportunidades.
2. Identificar pessoas desesperadas para vender. Não é oportunismo, mas sim alguém resolvendo o problema financeiro de outrem, com a devida compensação financeira por isso. Conhecendo o mercado, eventualmente você encontrará pessoas com

pressa de vender, o que facilitará a negociação para seu lado. O "eventualmente" que cito pode ser uma questão de meses, mas a paciência e o longo prazo são características típicas do mercado de imóveis.

3. Acordar cedo. Não adianta identificar uma oportunidade às oito horas da noite, pois, a essa hora, alguém já a aproveitou. É preciso que o investidor seja um dos primeiros a comprar os classificados e o primeiro a ligar para aquele que quer vender — mesmo que isso signifique tirar alguém da cama em um domingo.
4. Comprar cartas de crédito contempladas. Há quem esteja desesperado para vender um imóvel, mas também não é difícil encontrar à venda nos classificados ofertas de cartas de crédito contempladas. Nesse caso, é quase certo que a pessoa realmente esteja precisando do dinheiro. Em geral, são pessoas que contrataram um consórcio, estão com dificuldades para manter as contas em dia, tiveram sua carta contemplada e precisam urgentemente fazer caixa para cobrir seus erros. Em geral, essas pessoas vendem as cartas com um deságio da ordem de 4 a 10% sobre seu valor.



A estratégia é simples. Comprando cartas de crédito contempladas, você passa a dispor de um recurso de venda que vale mais do que efetivamente pagou. Utilizando as cartas de crédito, você pode comprar imóveis subvalorizados que, com paciência e pequenas reformas, podem ser vendidos com alguma margem de lucro. Se o valor do investimento e do lucro forem novamente utilizados para reiniciar o processo de compra de carta de crédito e, depois, de compra do imóvel, está criado o desejado efeito dos juros compostos. E com uma eficiência incrível, pois você ganha juros em cima de um valor maior do que investiu.

Veja, no exemplo, como essa estratégia é realmente interessante:

> Em 2003, Rodrigo contava com uma poupança de R$ 50 mil. Ele costumava acordar aos domingos às 6 horas, saía para correr e, na vol-

ta, trazia o jornal com os classificados. Nele, pesquisava logo cedo as oportunidades. Naquele ano, ele colocou em prática um raciocínio que se mostrou vencedor logo no início: decidiu que compraria, com o valor de sua poupança, uma carta de crédito contemplada e que, com paciência e novas pesquisas nos classificados, compraria depois alguma propriedade abaixo do valor de mercado. Logo na primeira "rodada", comprou com seus R$ 50 mil uma carta de crédito de R$ 53 mil. Com a carta, comprou, duas semanas depois, um terreno que tinha valor de mercado de R$ 57 mil. Gastou R$ 1 mil com documentação e mais R$ 1 mil com a limpeza e melhoria do terreno, vendendo-o por R$ 57 mil dois meses depois. Um lucro de R$ 5 mil, ou 10%, em menos de três meses.

Como gostou da idéia, começou a repetir o processo, mantendo as seguintes médias de resultados durante cinco anos:

- Com dinheiro em caixa, ele conseguiu comprar uma carta contemplada, em média, em um prazo de uma semana.
- O deságio médio das cartas de crédito compradas foi de 6% sobre o valor contemplado.
- Com a carta na mão, o prazo médio para negociar a compra de um imóvel foi de três semanas.
- O deságio médio na compra dos imóveis foi de 10% sobre o valor de mercado.
- O gasto médio com documentação em benfeitorias foi de 5% sobre o valor de revenda.
- O prazo médio para fazer benfeitorias e revender o imóvel foi de um mês.
- O imposto de renda foi de 15% sobre o lucro.
- Todo o valor obtido com uma venda foi sempre reinvestido.

Seguindo esse disciplinado ritmo, veja como evoluiu o patrimônio do Rodrigo no período de cinco anos:

| Saldo inicial | 50.000 |
|---|---|
| Após 12 meses | 91.046 |
| Após 24 meses | 165.788 |
| Após 36 meses | 301.887 |
| Após 48 meses | 549.713 |
| Após 60 meses | 1.000.986 |

Alguns aspectos da estratégia acima podem ser questionados, como, por exemplo, revender um imóvel em quatro semanas. Realmente, é uma meta ousada para a maioria das pessoas, que consideram o investimento em imóveis quase que como um *hobby* de final de semana. Mas o Rodrigo, uma pessoa incrivelmente obstinada que conheci, fez desse negócio sua profissão, como muitos que optam por operar no mercado de ações, concentrando suas energias no ritmo e na disciplina necessários para sua fortuna crescer. Ele tirou seu próprio registro no CRECI, fez parcerias com empreiteiros de seu bairro, negociou casas ainda em reforma, comprometendo-se a entregá-las dentro de um prazo. Em várias situações, aceitou bens, como automóveis, como parte de pagamento, porém com um bom desconto sobre seu preço de tabela.

Ao considerar indicadores médios, alguns grandes negócios deixam de aparecer nos cálculos, como a penúltima negociação de Rodrigo. Com R$ 690 mil nas mãos, ele comprou diversas cartas de crédito contempladas e, com elas, adquiriu uma casa por R$ 800 mil, a qual reformou e revendeu, três meses depois, por R$ 950 mil. Cabe também a ressalva de que ele assumiu, nesse período, o pagamento de várias mensalidades de consórcio, contando até com a ajuda de pais e irmãos para viabilizar isso. Cinco anos depois, estava muito orgulhoso em poder ostentar seu primeiro milhão. Ao ser perguntado se valeu a pena, sua resposta é simples: "esse é meu trabalho, e estou enriquecendo com ele."



## e. Para quem tem pouco tempo e pouco dinheiro

Quem admira a estabilidade e segurança proporcionadas pelo investimento em imóveis pode aplicar seus recursos nesta alternativa, mesmo contando com pouco dinheiro para investir. Por meio de Fundos de Investimento Imobiliário (FIIs), o investidor se torna um dos donos de um grande empreendimento ou de vários empreendimentos, pela aquisição de cotas do fundo, com uma rentabilidade mensal creditada em conta-corrente.

Há diversas modalidades de fundos, mas as mais comuns costumam se caracterizar pela captação de recursos através do lançamento do fundo e utilização desses recursos para investir em shoppings, hospitais e condomínios comerciais e residenciais. A rentabilidade do fundo vem dos resultados da administração do empreendimento, geralmente em decorrência da receita de aluguel e, no caso de shoppings, de participação nos resultados dos lojistas. Por lei, um fundo imobiliário precisa ter 75% de seus recursos investidos em imóveis e o restante em renda fixa. A lei também obriga que pelo menos 95% dos resultados do fundo sejam distribuídos aos cotistas, o que é um grande fator de segurança.

Existem dezenas de fundos imobiliários disponíveis no Brasil, cujas cotas costumam ser negociadas na Bolsa de Valores de São Paulo. Há casos em que o investimento inicial é inferior a R$ 1 mil, o que torna esta uma alternativa de investimento potencialmente popular. Apesar da negociação em bolsa, os rendimentos são extremamente estáveis e previsíveis, devido a sua característica de receita constante. Por isso, a evolução do valor da cota do fundo tende a acompanhar a mesma tendência, passando ilesa por turbulências econômicas em muitos casos. Para saber quais são os fundos imobiliários disponíveis no mercado, acesse na Internet www.fundoimobiliario.com.br.

Um aspecto limitante à negociação de fundos imobiliários é o fato de serem fundos fechados. Ao contrário dos demais fundos de investimento ofertados por bancos, corretoras e agentes autônomos, para os quais basta enviar ordens por telefone ou pela Internet para fazer movimentações, no caso dos FIIs é preciso que o investidor encontre, por meio de sua corretora, outro investidor para negociar diretamente as cotas. Em outras palavras, este investimento pode ter sua liquidez prejudicada pela falta de interesse do mercado, em determinadas situações.

Por sua natureza de fomento à geração de empregos e de novos negócios, os fundos de investimento imobiliário estão isentos de IR para pessoas físicas,[75] o que os torna extremamente atraentes para investidores mais conservadores. Em geral, sua rentabilidade não difere muito dos rendimentos típicos de aluguel de pontos comerciais, mas tende a superar com alguma margem os rendimentos da poupança, outra alternativa isenta de IR, juntamente com as Letras de Crédito Imobiliário e Letras Hipotecárias.

PARTE II

[75] De acordo com a Lei 11.196/05.

# 11. Estratégias inteligentes com compra e venda

Se investir é comprar barato e vender caro, qualquer pessoa que decida acumular resultados obtidos com a compra e venda de qualquer coisa é, em essência, um investidor. Acredito que essa idéia é verdadeira em qualquer nível de negociação. Da popular idéia de "fazer rolo" à complexidade de administrar um comércio, o que diferencia um escravo de seu próprio trabalho de um verdadeiro investidor é a disciplina para acumular.

Um ex-trabalhador que compra um comércio para manter sua família, entendendo que, como dono do negócio, pode ficar mamando nos resultados mensais, jamais conseguirá obter resultados sem a sua atuação direta. Consumindo cada centavo que sobra no caixa, será um eterno escravo de si mesmo, dependendo de sua saúde desde a abertura de sua lojinha até o último dia de sua vida. Se, por outro lado, ele decidisse reinvestir no negócio, todos os meses, um determinado percentual de seus lucros, estaria aumentando o tamanho de seu investimento ou melhorando sua rentabilidade com marketing e capacitação de funcionários. Ao longo do tempo, poderia até se dar ao luxo de contratar alguém para tocar seu negócio e administrá-lo dos bastidores — ou até de sua casa de campo.

Da mesma forma, conheci inúmeros casos de pessoas que começaram comprando e vendendo qualquer item de consumo que seu dinheiro podia bancar e, com o devido respeito ao lucro de seus negócios, chegaram aos milhões — às vezes, sem se dar conta desse sucesso. Veja este exemplo:

> Marcelo começou cedo no mundo dos negócios. Antes de completar 20 anos de idade, fazia um bico na oficina de seu pai, ganhando pou-

co mais do que precisava para manter seu consumo adolescente: R$ 1.000 mensais. Mesmo assim, poupava boa parte do que ganhava. Em questão de meses, seus R$ 1.500 na poupança foram suficientes para comprar um Fusca bastante usado e mal cuidado, encontrado nos classificados do jornal de sua cidade. O mesmo veículo seria revendido, um mês e meio depois, por R$ 2.500, após passar por um polimento e uma lavagem completa feitos pelo próprio Marcelo. Foi com os mesmos R$ 2.500 que Marcelo comprou um Passat, revendido por R$ 3.200. Começava ali a fama de bom negociador do Marcelo, que culminou, após cinco anos, em um patrimônio de R$ 35 mil.

Com esse dinheiro, Marcelo comprou um caminhão baú, contratou um motorista e passou a prestar serviços de transporte para uma grande empresa de sua cidade. Depois de pagar o motorista, os custos e a manutenção preventiva do caminhão, passaram a sobrar R$ 3 mil mensais na conta do Marcelo.

É com esses R$ 3 mil mensais que ele está formando um bom patrimônio, que será utilizado, em breve, para comprar mais um caminhão e dobrar o resultado de seu negócio. Se você perguntar com qual dinheiro Marcelo sobrevive, a resposta é modesta: "com os mesmos R$ 1 mil que meu pai me paga há anos para acompanhar as contas da empresa dele."



Se você perguntar ao Marcelo, ou a qualquer empreendedor como ele, de quanto dinheiro ele dispõe para investir, ele dirá que suas decisões são limitadas a R$ 1 mil mensais. Bons investidores não colhem os frutos antes da hora. Ainda aproveitando a história do Marcelo, chegará um dia em que sua frota de caminhões estará gerando R$ 30 mil, R$ 40 mil mensais, e ele perceberá que crescer mais pode ser arriscado. Ou, então, o dono de uma transportadora concorrente pode lhe fazer uma oferta pela carteira de clientes e engordar o patrimônio do Marcelo em alguns milhões.

Saber separar o dinheiro dos negócios do dinheiro para consumo é uma das qualidades de bons investidores. Isso facilita o planejamento, evita compras que não podem ser sustentadas pelo padrão de vida do comprador e dá consistência ao processo de enriquecimento.

Eu, Gustavo Cerbasi, não me considero um grande negociador, mas admiro, acompanho e analiso os comportamentos e características daqueles que são "bons de negócio". Afinal, meu trabalho é entender melhor o processo de enriquecimento. Alguns elementos das técnicas de enriquecimento via compra e venda são evidentes, e têm muito a ver com as estratégias de compra e venda de ativos vendidos em mercados mais estruturados, como ações e imóveis. Abordarei os principais deles a seguir.

## a. Comprar barato e vender caro

É a essência do bom negociador, que procura sempre maximizar os extremos, comprar o mais barato possível, e vender o mais caro possível. Isso requer estudos e muita prática para aprimorar as técnicas de negociação.

Apesar de existirem muitos cursos sobre técnicas de negociação disponíveis, a experiência mostra que o melhor aprendizado é ter a oportunidade de acompanhar profissionais bastante experientes em suas incursões negociadoras. Quem negocia há muitos anos já errou e acertou muito, e conhece, como ninguém, a lábia que melhores resultados gera.

De minha modesta posição de observador, vejo que as seguintes técnicas de negociação costumam gerar grandes diferenciais no valor do negócio:

### Pesquise

As ofertas não trombarão com você. É preciso que você esteja onde elas também costumam estar, seja consultando periodicamente os classificados dos jornais e da Internet, seja freqüentando leilões, ou freqüentando eventos do mercado em que você negocia. Quem conhece o mercado e está devidamente envolvido com ele é que recebe todos os dias um bombardeio de oportunidades.

### Prontidão

Seja o primeiro a contatar quem vende ou quem faz uma oferta de compra, pois uma oferta sempre tem tanto reflexões racionais quanto sentimentos emocionais. Quanto mais o tempo passar e quanto mais pessoas negociarem com o ofertante, mais a racionalidade vai dominando a emoção e mais difícil será a negociação.

## Paciência

A regra acima se inverte quando o bem negociado é de baixa liquidez. A emoção suplanta a racionalidade à medida que o tempo passa e a negociação não se concretiza. Deixe o tempo trabalhar para que uma oferta melhor lhe seja feita.

## Desinteresse

Se você demonstrar urgência na venda ou paixão na compra, está eliminada qualquer chance de você conseguir uma boa negociação. Não importa o tamanho da oportunidade, invente sempre uma história de outra oportunidade mais interessante que você tem em vista, como argumento para sua contraparte melhorar as condições de negociação.



## Sucata de ouro

Em geral, bens mal cuidados ou com manutenção em atraso induzem a uma negociação abaixo do valor de mercado. Se você está vendendo, não esqueça de "dourar a pílula", mesmo que isso exija algum pequeno investimento. Se está comprando, não despreze itens defeituosos e exija grandes descontos como compensação.

## Deprecie

Sempre faça uma contra-oferta abaixo do que você ou o mercado realmente acredita que vale o bem. Uma boa negociação envolve um certo "estica-e-puxa", em que o vencedor é aquele que consegue manter, com bons argumentos, o preço mais próximo de seu objetivo original.

## b. Leilões

Participar de leilões significa ter a oportunidade de adquirir bens para revenda — ou mesmo para uso — a preços significativamente abaixo dos de mercado. Além de leilões típicos de bens de grande valor, como obras de arte, coleções de roupas e gado, onde as oportunidades exigem grande conhecimento e envolvimento do comprador, existem também os leilões judiciais e de bancos.

Os leilões judiciais são feitos para a venda de bens penhorados para execuções de penas, enquanto os leilões de bancos negociam bens financiados por mutuários que deixaram de pagar. Os leilões judiciais envolvem uma burocracia um pouco maior do que a de outros leilões, pois o lance final de compra pode vir a ser contestado pela justiça, se for considerado muito abaixo do valor de mercado. Mas a contestação não costuma ocorrer para imóveis que foram arrematados por pelo menos 50% de seu valor de mercado.

Antes de você tirar falsas conclusões sobre a oportunidade, é importante destacar que o preço mínimo, aquele a partir do qual os ofertantes podem disputar lances, depende do estado do bem leiloado e, no caso de imóveis, de sua localização e da presença ou não de inquilinos. Todos os detalhes dos bens leiloados costumam constar dos editais de oferta, geralmente publicados em jornais de grande circulação e no Diário Oficial da região. Se for o caso de um leilão de banco, o edital costuma constar de jornais distribuídos nas agências e na página da instituição na Internet. Os leilões judiciários costumam ser divulgados pelo site de leilões *on-line* do Ministério da Justiça,[76] através do qual as ofertas podem ser feitas, *on-line*, para todos os tipos de bens. É uma espécie de *homebroker* do mercado de leilões, que traz conveniência ao investidor e assegura uma arrecadação maior aos processos judiciais.

Os principais problemas detectados em editais de leilões de imóveis costumam ser a presença de inquilinos com o aluguel atrasado e pendências de pagamento do IPTU. Esses problemas devem ser analisados cuidadosa-



●●●

[76] www.leilao.mj.gov.br.

mente, preferencialmente com a ajuda de um advogado, pois uma eventual ação de despejo pode demorar anos. A visita ao imóvel ou à área onde estão sendo expostos os bens que constam do edital também é importante, pois é onde são detectadas com precisão as necessidades de reforma ou conserto. Se o imóvel estiver ocupado e for o caso de um leilão judicial, normalmente a visita é feita com o acompanhamento de um oficial de justiça.

A regra para não cometer erros em leilões é simples. É fundamental que, para evitar lances elevados em decorrência da euforia do momento, você vá ao evento ciente do que pretende comprar e do preço máximo que aceita pagar. Este preço máximo já deve considerar os encargos típicos da compra em leilões, que são a comissão do leiloeiro, normalmente de 5% do valor do lance de arremate, e, em caso de leilões judiciais de imóveis, emolumentos à Justiça de 0,5% do valor do lance de arremate, ambos pagos à vista.

Na maioria dos leilões de bens, o pagamento deve ser feito em até 24 horas. No caso de leilões de imóveis, a regra de pagamento varia para cada caso. Geralmente, leilões de bancos permitem o pagamento por meio de financiamento, exigindo apenas um valor de entrada. Nos leilões judiciais, o parcelamento depende da autorização do juiz e de não haver um lance idêntico ao seu garantindo pagamento à vista. Já os leilões da justiça do trabalho impõem o pagamento em não mais de 24 horas. Por isso, uma prática comum é ter em mãos, no recinto do leilão, uma carta de crédito — que pode ser obtida sem grande burocracia junto a seu banco —, para liquidar o compromisso imediatamente.



## c. Leilões e mercados virtuais

Tão interessantes quanto os leilões reais são os sites de leilões e mercados virtuais na Internet. Eles são, definitivamente, uma espécie de bolsa de negócios com organização rudimentar, que permite que investidores comprem e vendam, do conforto de sua casa, os bens que desejarem. Basta que haja alguém interessado em fechar negócio.

O risco deste tipo de negociação é limitado por indicadores criados pelos próprios sites, que costumam dar notas aos negociadores, de acordo com a avaliação de quem já fechou negócio com eles. Como a avaliação é de interesse tanto de quem compra quanto de quem vende, visando dar mais segurança a esse mercado, as opiniões costumam ser bastante voluntariosas e completas, inclusive as críticas, o que permite conhecer bem aquele que irá comprar de ou vender a você.

Como em qualquer investimento — espero não estar sendo repetitivo —, o sucesso no uso de leilões e mercados virtuais dependerá do tempo que você dedicar a conhecê-los e a se envolver. Já conheci pessoas que dobram sua renda mensal com algumas horas de navegação e bons negócios nesses sites. É questão de experimentar e descobrir se você nasceu ou não para a compra e venda de bugigangas via *homebroker*.

## d. Atitude de trabalho

Independentemente de onde ou como você compra e vende, como paga ou recebe e quanto tempo dedica às negociações, o que determinará seu sucesso como investidor é a atitude que adotará em relação a seu investimento. Quem compra e vende coisas, e não ativos financeiros ou imóveis, tende a negociar aquilo pelo qual se apaixona mais — afinal, tendemos a pesquisar aquilo que nos atrai —, e isso nos expõe ao risco de transformar nosso investimento em um bem de uso próprio. Esse deslize é comum, por exemplo, entre os que negociam automóveis.

Se isso acontecer, você quebrará a lógica do reinvestimento e estacionará sua riqueza em um patamar de desfrute. A partir daí, você terá que começar novamente, juntando dinheiro para repor o investimento que já esteve multiplicando riquezas para você e que agora está apenas consumindo riquezas — mesmo que seja pela simples perda de valor com o tempo e com o uso.

Por isso, a atitude a ser adotada é a de um negociador profissional, o que envolve:

- Não misturar os recursos destinados ao investimento com os recursos destinados ao consumo.

- Procurar colocar suas metas de resultados por escrito, evitando ceder a impulsos emocionais diante de uma situação de compra ou de venda·
- Ter disciplina para colher os frutos dentro de prazos compatíveis com a natureza de seu investimento.
- Dedicar-se a seus investimentos com certa rotina, com horas determinadas para pesquisar e fazer negócios, e também com horas determinadas para seu descanso, para que um dos custos de seu sucesso não seja a infelicidade familiar. Família é para tratar assuntos de família, e não de negócios.
- Levar a sério seu negócio, encarando-o como uma profissão qualquer e não como um bico. Isso faz com que as decisões também sejam levadas mais a sério e ajuda a evitar que você caia na armadilha de consumir seu ganha-pão.
- Organizar-se com uma contabilidade pessoal, por mais simples que seja, para que você não perca a real dimensão dos custos envolvidos em cada transação e acabe acreditando que ganha mais do que realmente acontece.
- Organizar-se para pagar os impostos sobre seu lucro, como explicarei a seguir.



## e. O governo também quer ser seu sócio no "rolo"

Quem constrói riqueza com negociações de compra e venda tende a "esquecer" o recolhimento de Imposto de Renda, devido à natureza informal das negociações de pessoa física para pessoa física. Isso faz com que o patrimônio acumule sem sua devida declaração à Receita Federal, o que acaba por colocar a vida do negociador em uma penumbra de ilegalidade desconfortável e vergonhosa.

Mais cedo ou mais tarde, você precisará dispor dos bens, e a simples movimentação de recursos ou de propriedade de uma pessoa para outra já será suficiente para denunciar um patrimônio que não estava declarado.

Por isso, se o Governo é seu maior sócio em todas as empreitadas lucrativas, tenha em mente que sua missão é a de ganhar mais para atender a todos os sócios. Providencie o pagamento regular de Imposto de Renda, utilizando o programa de Ganho de Capital, que pode ser baixado diretamente do site da Receita Federal.[77]

Os lucros sobre operações pequenas não são tributados, desde que não ultrapassem o valor de R$ 20 mil por ano. Porém, mesmo que você se encontre na faixa de isenção, recomendo que os lucros obtidos dentro desse patamar sejam anualmente informados na declaração de ajuste anual de IR, para que você tenha como fundamentar a origem do patrimônio que você acumulará ao longo da vida. Ou seja, não apenas cumpra sua obrigação de pagar o tributo, mas vá além, informando além do que é obrigatório. Essa atitude é o caminho certo para um sono tranqüilo durante toda sua rica vida de investidor.



[77] www.receita.fazenda.gov.br.

# 12. Estratégias de investimentos para uma vida equilibrada

Com tanta informação e dicas sobre investimentos inteligentes em mãos, acredito ser improvável que você não tome nenhuma atitude em decorrência da leitura deste livro. E, como serão atitudes com uma dose maior de reflexões por trás delas, acredito que o investimento feito nesta leitura já está mais do que pago.

Não é minha intenção fazer com que você se iluda com a idéia de que este livro é um compêndio completo sobre investimentos. Ele está longe disso. Este trabalho nada mais é do que uma reunião de idéias e reflexões de um investidor que passou anos esclarecendo dúvidas de quem confiou em sua capacidade explicativa. Há muito a aprofundar, explicar, detalhar e praticar, e acredito que você se encarregará de perseguir o aumento contínuo e seletivo de seu conhecimento.

Não abordei todos os aspectos e as modalidades de investimentos. Tratei muito superficialmente do assunto "negócio próprio", pois se tentasse fazê-lo em um simples capítulo de livro, estaria cultivando o sentimento prepotente de que é possível entender com um mero apanhado de idéias a complexidade das finanças de uma empresa. Esse é assunto para outro livro.

O mesmo vale para investimentos no exterior. São muitas regras, oportunidades, alternativas e estratégias, que pedem tanto um material específico, com forte embasamento legal, quanto maior maturidade e patrimônio do investidor que pretende enviar seus valorizados reais para o cada vez menos atraente exterior.

Não abordei a fundo o investimento em opções, uma modalidade interessante tanto para proteger sua carteira quanto para obter ganhos diferenciados, por acreditar que o conhecimento necessário para se tornar um bom investidor de opções não é compatível com a busca do primeiro milhão. Talvez, quando você estiver perseguindo seu segundo, valha a pena aprender mais sobre o assunto. Ou, então, se você se dedicar ao estudo dos investimentos para ter na atividade de *trader* uma profissão, esse pode ser um bom mercado. A cultura de investir em opções ainda não é disseminada no Brasil, e o motivo é o fato de também não existir ainda, no país, uma cultura de contratação de seguros para proteger nosso patrimônio. Como a tendência é que essa cultura se fortaleça à medida que as pessoas enriquecem no país, sugiro que você fique de olho nesse assunto nos próximos anos. Se você se interessa ou tem curiosidade sobre os investimentos em opções, recomendo que leia as obras publicadas pelo meu amigo e investidor Maurício Hissa, o Bastter, que como investidor individual obteve grande sucesso e criou uma legião de seguidores nesse mercado.

Enfim, ainda há muito a aprender. Porém, como em todos os aspectos de meu trabalho, cabe lembrar que a vida não se resume a investir, colher e comprar. Aprender mais sobre investimentos é importante, mas tão importante quanto aprender a cuidar de seu corpo, de sua mente, de sua carreira, de suas relações sociais e de seu papel no mundo. Por isso, acredito que o bom investidor não é aquele que vive para os investimentos, mas sim aquele que vive dos investimentos, e vive muito bem. Se você ainda está longe dessa realidade, que esteja no caminho para se tornar um ótimo investidor.

---

*Quanto menos sua vida pessoal for influenciada por sua grande e justificável vontade de enriquecer, melhor.*

---

Quanto menos sua vida pessoal for influenciada por sua grande e justificável vontade de enriquecer, melhor. Por isso, quanto mais simples for sua rotina de investimentos, tenho certeza de que mais rentável será sua vida pessoal. E, com o termo rentável, não estou me referindo a dinheiro ou qualquer moeda que possa ser trocada.

Por mais que os investimentos adquiram importância em seu dia-a-dia, tente automatizar ao máximo suas escolhas. Essas escolhas devem começar desde já, partindo de uma espécie de *checklist* pessoal. Lembre-se de:

- Criar uma reserva de emergências, mantida com muito conservadorismo em um fundo de renda fixa de curto prazo ou Caderneta de Poupança, equivalente a, pelo menos, três meses de seu consumo mensal familiar. O dinheiro deve estar em uma conta de acesso rápido para emergências, como reparos em sua casa ou despesas médicas inesperadas. Quando o saldo de sua reserva de emergências ultrapassar o equivalente a três meses de despesas, transfira o excedente para investimentos mais eficientes e de longo prazo.
- Tire vantagem de um Plano de Previdência Privada, por mais que você se considere um grande investidor. Se for assalariado, com retenção de IR na fonte, contrate um PGBL para receber de volta parte do imposto retido. Se não for, estude com um corretor a contratação de um VGBL para contar com benefícios fiscais nas retiradas ou para facilitar a vida de sua família diante de uma interrupção de planos.
- Relacione-se apenas com bancos e corretoras que sejam de sua confiança. Se incidentes ou falhas no atendimento comprometerem a comunicação entre você e seu gerente ou corretor, mude de instituição. Há muita oferta de bons serviços à disposição dos investidores.
- Identifique seu perfil de investidor com a ajuda de um profissional ou, na falta dele, seguindo a Regra dos 80. Defina quais são suas metas e prazos para investir e esteja atento a seu sentimento diante do risco de sua escolha. Não hesite em tornar mais conservadores seus investimentos, se eles estiverem lhe preocupando ou tirando o sono.
- Programe o rebalanceamento de seus investimentos, mantendo sua carteira dentro de limites saudáveis para sua idade e afinados com seus objetivos. Mas seja coerente com o longo prazo, evite ficar mudando de um investimento para outro. No mundo dos investimentos, a atividade é custo, e não progresso.

- Esteja sempre preparado para crises nos investimentos. Elas ocorrerão, sem dúvida, e criarão situações desconfortáveis para você e para seu plano de enriquecimento. Aceite, porém, que viver desconfortavelmente é parte do processo de enriquecimento, e lute contra seu medo para suportar as oscilações de valor. Investidores de sucesso continuamente se posicionam em situação de desconforto. Pense três vezes antes de vender um ativo durante uma crise. Você deve sempre lembrar que crises são oportunidades de comprar com desconto.
- Invista na realização de seus sonhos. Quantifique-os e foque na conquista deles. Para objetivos com prazo inferior a um ano, conte com a Caderneta de Poupança; para os de prazo mais longo, conte com os investimentos que você escolher para incrementar ganhos no longo prazo.
- Automatize seus investimentos, sempre que possível. Se seus planos incluem a aplicação de determinada quantia em certo fundo durante alguns meses, faça-a por meio de débito automático — normalmente, agendado via Internet ou com seu gerente. Se for investimentos em ações, programe ao menos a transferência de recursos para a conta da corretora. O esquecimento é boa desculpa para o fracasso de um plano.
- Siga um plano pessoal, detalhadamente transcrito em uma planilha ou um caderno, para que você possa ajustá-lo de tempos em tempos.
- Procure fazer um diário de suas transações, registrando o que motivou a compra ou a venda de um ativo. Quando você ganhar ou perder, ficará mais fácil identificar os motivos dos erros e acertos. Provavelmente, este diário será sua melhor fonte de conhecimento para escolhas futuras mais maduras.
- Cuide de sua honestidade e retidão de caráter. Pague os impostos devidos e deixe de pagar se a lei permitir. Compartilhe boas idéias e trabalhe as oportunidades de mercado de maneira digna, sem explorar a ignorância de quem confiar em sua orientação. Um bom sono é o melhor indicador de eficiência de seus investimentos.

Além de cuidar do sucesso de sua rotina de investimentos, cuide também de sua mente. Evite encantar-se com ilusórias histórias fantásticas de sucesso. Se alguém assumir riscos e acertar sempre, é porque conta com muita sorte. O investidor que sempre acerta não existe, é um mito. Esteja preparado para colher resultados de acertos na maioria de suas escolhas, e não em todas elas. Você não é a única pessoa que estará à busca de informações, e sempre o mais bem informado ganhará em cima da perda do menos informado. A cada sucesso ou insucesso, tenha a humildade de reconhecer qual dos dois foi você, e aprenda com os erros.

*O investidor que sempre acerta não existe, é um mito.*

Ganância e egoísmo. Tire essas palavras de seu dicionário. Ganhar sempre é mais importante do que ganhar muito, melhor ainda se pessoas queridas ganharem junto com você. Repito: boas idéias devem ser compartilhadas.

Recomendo que você cultive o hábito de celebrar suas conquistas com familiares e amigos. Tenho a mais profunda certeza, por experiência própria, de que a celebração costuma marcar as conquistas como um fato do passado e nos energizar para alcançar novos patamares. Essa energia é um grande combustível para sua motivação, necessária para não perder o foco em projetos de longo prazo. A celebração tem sido, em minha vida, a grande estratégia para marcar minhas conquistas e ganhar fôlego para outras. Mesmo que seja uma celebração simples, comemore sua conquista com um brinde, um jantar, uma viagem, algo que possa ser lembrado com fotos. Acredito que uma vida feliz é feita da conquista de sonhos.

Como salientei algumas vezes neste livro, é o autoconhecimento, a informação e a experiência que o transformarão em um grande investidor. No texto que você acaba de ler, abordei tanto aspectos psicológicos e incontroláveis quanto aspectos mais racionais e controláveis dos investimentos, começando pelos obstáculos, passando pelos erros a evitar e depois partindo para as estratégias com diferentes investimentos. Reflexões para seu autoconhecimento e informações para ajudá-lo a fazer melhores escolhas foram abundantes neste meu trabalho. A necessária experiência começará a existir a partir das escolhas que você fizer após concluir a leitura, e irá se acumular com o tempo — afinal, a economia estável nos permitirá aproveitar por muitos anos o que aprendemos sobre dinheiro. Cabe a você aproveitar, ao longo da vida, a experiência de meu trabalho, que lhe apresentei ao longo deste livro. Como diz o velho ditado, *quem não arrisca, tem 100% de chances de não acertar.*

BONS INVESTIMENTOS!

Contatos com o autor:
www.maisdinheiro.com.br

# Glossário

**Alienação fiduciária** — Ocorre quando o banco oferece recursos para um cliente adquirir um imóvel ou um automóvel. O banco paga à vista pelo bem e recebe a prazo do cliente, permanecendo o bem em nome do banco (alienado) até que o cliente salde sua dívida.

**Carteira de investimentos do fundo** — Relação de onde esse fundo investe seus recursos, com a respectiva participação percentual de cada investimento no total de recursos aplicados pelo fundo.

**CBLC (Companhia Brasileira de Liquidação e Custódia)** — Entidade responsável pela custódia das ações e outros títulos privados negociados no mercado financeiro brasileiro.

**CDBs (Certificados de Depósito Bancário)** — É um empréstimo concedido a uma instituição financeira por seus clientes.

**CDI (Certificado de Depósito Interbancário)** — também chamado de DI, é o empréstimo realizado entre grandes bancos. Bancos que emprestam demais tomam emprestado dos que captam demais, pagando a taxa negociada no dia entre bancos. Em uma situação normal, o CDI costuma estar próximo aos juros base da economia (Taxa Selic), tanto acima quanto abaixo.

**Clube de Investimento** — Pessoa jurídica constituída por um grupo de pessoas que se conhecem ou têm alguma afinidade, visando reunir seus recursos para efetuarem investimentos em conjunto, compartilhando estratégias, idéias, dicas e conhecimentos.

**Corretagem** — Remuneração da corretora de valores.

**CPMF (Contribuição Provisória Sobre Movimentações Financeiras)** — Era um tributo que mordia, até 2007, uma pequena parcela de qualquer movimentação financeira efetuada entre contas de diferentes titularidades.

**CVM (Comissão de Valores Mobiliários)** — Órgão que, no Brasil, fiscaliza o mercado de capitais.

**Day-trade** — Compra de uma oportunidade e venda no mesmo dia, para embolsar o lucro antes mesmo de ter que desembolsar o investimento.

**Debêntures** – Títulos privados, emitidos pelas empresas para captação de recursos.

**DY (Dividend Yield)** — Mede o retorno anual obtido pelo investidor em recebimento de dividendos e juros, independentemente da variação do valor da ação.

**Emolumentos** — Custos cobrados pela bolsa e pela Câmara de Liquidação e Custódia (CBLC).

**Governança Corporativa** — Conjunto de medidas adotadas pela empresa para dar maior transparência a sua gestão, visando, principalmente, estabelecer uma relação de maior credibilidade com seus acionistas.

**Hedge** — Termo utilizado no meio financeiro para operações que visam proteger o investidor de determinados riscos. Por exemplo, quem planta soja pode vender sua safra de grãos no mercado futuro de soja antes mesmo de colhê-los, definindo de antemão o preço que receberá por saca, sem contar com o risco do preço da soja cair nos meses seguintes. Ao comprar um contrato futuro, ele estará fazendo um *hedge*.

**Hipoteca imobiliária** — Acontece quando um cliente que precisa de dinheiro emprestado oferece seu imóvel como garantia.

**IGP-M (Índice Geral de Preços do Mercado)** – Índice de inflação bastante utilizado para a correção de contratos de negócios, reconhecido por ser influenciado também pela variação cambial, que é calculado pela FGV.

**Índice P/L** — Estimativa de quanto os investidores estão pagando por cada real de lucro anual da empresa.

**IOF** — Imposto sobre Operações Financeiras, tem diferentes alíquotas para as diferentes modalidades de financiamentos.

**IPC-A (Índice de Preços ao Consumidor – Amplo)** — Índice mais utilizado para avaliar a variação dos preços dos itens consumidos pela classe média, apurado pelo IBGE.

**IPOs (Initial Public Offerings)** — Termo em inglês para Ofertas Públicas Iniciais de Ações, ou simplesmente ofertas públicas, são as negociações de ações através das quais os recursos dos investidores são captados diretamente para o caixa das empresas.

**IR** — Imposto de Renda.

**LCI (Letra de Crédito Imobiliário)** — É emitida pelos bancos para gerar fundos para o financiamento imobiliário. Difere da LH por ser lastreada em alienação fiduciária de imóveis.
**LH (Letra Hipotecária)** — Serve para o banco captar recursos para emprestar a outros clientes que possam oferecer um imóvel como garantia, ou seja, que possam hipotecar um imóvel.
**Liquidez** — Capacidade que um ativo tem de se transformar em dinheiro. Quanto mais fácil vendê-lo ou resgatá-lo, mais liquidez ele tem.
**Notas promissórias** — Também conhecidas pelo nome em inglês, *commercial papers*, com funcionamento similar ao das debêntures, com exceção do prazo de vencimento.
**PGBL (Plano Gerador de Benefícios Livres)** — Plano de previdência que oferece ao poupador o benefício de abater ou restituir, na Declaração de Imposto de Renda do ano seguinte ao que aplica, os impostos pagos sobre a renda que foi poupada.
**Produtos derivativos** — Operações derivadas de ativos negociados em bolsa, como opções de ações e contratos futuros de commodities e índices.
**Selic** — Taxa de juros básica da economia.
**Taxa de Abertura de Crédito (TAC)** — Cobrada por bancos e financeiras na hora de se fazer um financiamento ou empréstimo, calculada normalmente sobre o valor total da dívida.
**Títulos da dívida pública** — Emitidos pelos governos federal, estadual e municipal com a finalidade de captar recursos e financiar as diversas atividades do orçamento público.
**TR (Taxa Referencial)** — Calculada com base na remuneração mensal média dos CDBs emitidos a taxas de mercado prefixadas pelos bancos, deduzida por um fator redutor estabelecido pelo Banco Central.
**Trader** — Operador financeiro, negociador, em inglês
**Upside** — O mesmo que perspectiva de valorização (aumento de valor) do papel.
**VGBL (Vida Gerador de Benefícios Livres)** — Plano de previdência privada que não oferece a vantagem da postergação de impostos típica do PGBL, o que faz deste produto uma espécie de aplicação programada, porém com as vantagens tributárias no resgate e a liberação de inventário.
**Yield** — Percentual dos dividendos distribuídos sobre o valor do investimento nas ações da empresa

Este livro foi composto em fonte Agaramond 11,5/15 e
impresso pela Edigráfica sobre papel Chambril Avena 70g
para a Thomas Nelson Brasil em 2012.